DENISE MINA

DER LETZTE WILLE

Thriller

Aus dem Englischen
von Conny Lösch

WILHELM HEYNE VERLAG
MÜNCHEN

Die Originalausgabe THE LAST BREATH erschien 2007 bei Bantam
Press, a division of Transworld Publishers, London

Verlagsgruppe Random House FSC® N001967
Das für dieses Buch verwendete FSC®-zertifizierte Papier
Holmen Book Cream
liefert Holmen Paper, Hallstavik, Schweden.

Vollständige deutsche Erstausgabe 07/2013
Copyright © 2007 by Denise Mina
Copyright © 2013 by Wilhelm Heyne Verlag, München
in der Verlagsgruppe Random House GmbH
Printed in Germany 2013
Umschlagillustration: Büro Überland Schober & Höntzsch
Bildagentur: Plainpicture GmbH & Co. KG
Umschlaggestaltung: © plainpicture/Image Source
Satz: Buch-Werkstatt GmbH, Bad Aibling
Druck und Bindung: GGP Media GmbH, Pößneck
ISBN: 978-3-453-43442-4

www.heyne.de

Für Jill und Alan,
Chris und Adrienne
und natürlich für Jonah

1

Nackt

1990

Terry Hewitt hatte noch nie so viel Angst gehabt wie jetzt. Dass er nackt war, jagte ihm einen Wahnsinnsschrecken ein. Dadurch war er jeglicher Erkennungsmerkmale beraubt – er war unauffindbar, bereit für sein Grab.

In Chile war Terry verhaftet worden, in Soweto hatte er beobachtet, wie einer Frau ein Autoreifen um den Hals gehängt und dieser mit Benzin übergossen und angezündet wurde, in Port-au-Prince war er Zeuge blutiger Unruhen geworden. Jetzt lag er nackt in einem schaukelnden Kofferraum, vermutlich unterwegs in einen der finsteren Randbezirke Glasgows, und war vor Angst wie gelähmt.

Wimmernd und die Knie bis ans Kinn gezogen, konnte er nur daran denken, wie ungeheuer schutzlos er war. Nicht einmal mit seinen Händen würde er sich verteidigen können: Sie waren hinter seinem Rücken gefesselt und seine Handgelenke schwollen um die feste Schnur herum bereits an. Die Plastikplane unter ihm klebte an seiner Haut. Der grobe Sack über seinem Kopf nahm ihm die Luft zum Atmen und winzige Fasern davon gelangten in seine trockene Kehle, ließen ihn würgen.

Seine Halsmuskeln schmerzten noch von dem Knebelgriff, der ihn ohnmächtig hatte werden lassen. Geplatzte Blutgefäße brannten in seinen Augen.

Der Angriff war von hinten gekommen, als er alleine und angetrunken vor seiner Haustür stand.

Bis dahin war es eigentlich ein guter Abend gewesen: Er hatte die Unterzeichnung seines Vertrags gefeiert, sein Buch sollte veröffentlicht werden. Der Verlagsvorschuss deckte nicht mal Kevins und seine Ausgaben, aber ein aufwendiger Band mit Hochglanzfotos und Text war nun mal teuer in der Herstellung. Deshalb hatte Kevin Hatcher vorgeschlagen, den Scheck über zweihundert Pfund einzulösen und das Geld ins Casino zu tragen. Sie hatten die am wenigsten zerknitterten Anzüge aus ihren Kleiderschränken geholt, schließlich wollten sie ja nicht schon am Türsteher scheitern.

Wie sich herausstellte, waren sie viel zu gut gekleidet. Es war ein Donnerstagabend und die anderen Casinobesucher waren professionelle Spieler, die sich auf das am Einlass vorgeschriebene Minimum an Eleganz beschränkten und ansonsten abgewetzte Lederschuhe und Jacketts trugen, die längst bessere Tage gesehen hatten. Zwei Chinesinnen in verblassten Seidenblazern saßen mit versteinerten Mienen an den Tischen und fixierten unablässig die Hände des Kartengebers, der sehr flink arbeitete. Niemand sonst feierte einen Gewinn grinsend und laut jubelnd wie Kevin und Terry. Echte Spieler reagierten auf ihre Erfolge mit beiläufigen Gesten, rückten ihre aufgestapelten Jetons zurecht und tasteten sich konzentriert an den nächsten Spielzug heran.

Doch sie beide waren ganz offensichtlich Touristen. Terry trank Whisky-Cola, Kevin schlürfte Limonade. Sie verloren eine Zeit lang und erwiesen sich anschließend als wenig mutig, denn nach dem nächsten größeren Gewinn hörten sie auf. Jetzt besaßen sie zweihundertvier Pfund. Sie kauften eine viel zu trockene Havannazigarre an der Bar, rauchten sie gemeinsam und blieben noch eine Weile sitzen, sahen zu, wie sich die echten Spieler auf die Zahlen konzentrierten und ihr Schicksal durch Willenskraft zu beeinflussen versuchten.

Im Kofferraum erinnerte sich Terry jetzt äußerst lebhaft an die Geräusche: Schulter an Schulter hatte er mit Kevin dort gestanden, die Croupiers hatten Jetons in schwarze Samtlöcher geschoben, unerschrockene Spieler hatten neue Hoffnungen auf den grünen Tisch gesetzt und schnarrend hatte sich das Rad im beständigen Rhythmus des Verlustes gedreht.

Kevin hatte schon mehrere Bücher veröffentlicht, aber es sollte Terrys Erstes werden, das erste greifbare Ergebnis jahrelanger Arbeit. Er würde es in sein Regal stellen und wenn sein Selbstvertrauen und sein Engagement nachließen, würde er über den Buchrücken streichen. Das wäre besser als eine Schachtel voll vergilbter Zeitungsausschnitte.

Als er an seiner Türschwelle stand und leicht schwankend das Schlüsselloch suchte, war Terry noch ganz erfüllt von der innigen Verbundenheit, die an jenem Abend zwischen ihnen geherrscht hatte. Das einzige Anzeichen dafür, dass etwas nicht stimmte, war ein Geruch, ein merkwürdiger Atemhauch, abgestanden und verraucht, der sein linkes Ohr streifte. Dann klemmte sich plötzlich ein Unterarm fest um seinen Hals und drückte ihm die Halsschlagader zu. In den Sekunden bevor er das Bewusstsein verlor, zuckten ihm weiße Lichtblitze vor den Augen.

Als er wieder zu sich kam, befand er sich bereits in dem Kofferraum und hatte keine Ahnung, wer ihn entführt haben mochte und weshalb. Als Erstes dachte er an Kevin – vielleicht spielte er ihm einen irren Streich –, aber Kevin hätte ihn niemals ausgezogen. Er war nackt und das bedeutete, dass es ernst war.

Er ging den Abend im Casino noch einmal durch, suchte nach einem Motiv für den Überfall. Das Geld hatte er nicht, das hatte Kevin. Aber selbst wenn er es gehabt hätte, ergab das trotzdem keinen Sinn. Der Typ besaß einen Wagen und nach der Größe des Kofferraums zu urteilen keinen kleinen. Zweihundert Pfund waren doch nicht genug, um jemanden dafür zu ermorden. Er durchforstete seine Vergangenheit nach Hinweisen. In den letzten zwei Jahren hatte er sich in Angola, in Liberia, im Libanon, in New York und in Glasgow aufgehalten. Aber er war ein erfahrener Journalist, ein Beobachter, er beteiligte sich nie und mischte sich nicht einmal dann ein, wenn es ihm schwerfiel, sich rauszuhalten. Kein Konflikt würde in Zukunft anders verlaufen, nur weil man ihn, Terry, aus dem Verkehr gezogen hatte.

Aber irgendjemand hatte genau das vor. Und niemand würde ihm helfen.

Terry erinnerte sich an einen fünfzehnjährigen Kriegsgefangenen, der in die stechende Mittagssonne von Angola geblinzelt hatte, ein Junge mit einer Haut so schwarz, dass sie fast bläulich schimmerte; er war völlig erschöpft und aus seinen braunen Augen sprach das blanke Entsetzen. Willenlos hatte er sich auf einer staubigen Straße seiner Hinrichtung entgegengeschleppt und seinen Mördern damit die Mühe erspart, sein Blut vom schwer zu reinigenden Fußboden irgendeines Gebäudes entfernen zu müssen. Terry hatte beobachtet, wie er vor dem Lauf des Gewehrs niederkniete. Noch in der Sekunde, in der die Kugel den Lauf verließ, hatten seine Augen hinter seinem Henker nach etwas oder jemandem gesucht, der oder das ihn vor seinem Schicksal bewahren würde. Terry hatte Überlebende des Holocaust interviewt, hatte sich berichten lassen, wie sie sich selbst in den Viehwaggons noch an die Hoffnung klammerten, obwohl sie wussten, dass man sie in die Todeslager brachte.

Mörder bauen auf diese Hoffnung, das wusste er. Hoffnung ist die Komplizin des Killers.

Doch er würde sich über keine staubige Straße schleppen und willenlos vor dem Lauf eines Gewehrs niederknien. Er würde alle Hoffnung fahren lassen, der Wahrheit ins Gesicht sehen und einen Plan aushecken, einen Moment finden, den er ausnutzen konnte.

Er holte dreimal tief Luft und hielt den Atem an, um seinen Herzschlag zu beruhigen.

Im Innenraum des Wagens wurde nicht gesprochen, auch Musik war keine zu hören. Es schien nur der Fahrer zu sein, der Mann, der ihn gewürgt hatte. Lass es nur einen sein.

Er ging das Ende der Fahrt in Gedanken durch: Der Wagen hält an, der Kidnapper öffnet den Kofferraum und lässt Terry herausklettern, er schließt den Kofferraum – ein abgestellter Wagen mit geöffnetem Kofferraum würde nur auffallen, es könnte aussehen, als sei der Wagen liegen geblieben und der Fahrer brauche Hilfe – er führt Terry an die Stelle, an der die Leiche gefunden werden soll. Dann der Schuss.

Terry spürte den Druck an seiner Schläfe, das Eindringen der Patronenspitze, hörte seinen Körper zu Boden sacken, sah eine Wolke trockenen afrikanischen Staubs über sich aufsteigen. Er zwang sich, noch einmal tief einzuatmen, seinen Puls zu senken.

Wenn er den Kofferraum schloss: Das war der Moment. Das war der einzige Augenblick, in dem der Entführer abgelenkt sein würde. Wenn Terry auf den Beinen wäre, könnte er sich ein wenig vom Wagen entfernen. So müsste der Mann zwischen ihn und das Auto treten, um an die Kofferraumhaube zu kommen. Dann konnte sich Terry, aus der Distanz heraus, mit seinem ganzen Gewicht gegen den Rücken des Mannes werfen, ihn schubsen oder umstoßen, konnte versuchen, ihn richtig zu verletzen. Er würde nicht mit Widerstand rechnen, wenn sich Terry zunächst willenlos gab, wenn er weinte und flehte.

Er dachte an das würdelose Herausklettern, spürte die kalte Straße unter seinen blanken Füßen, die Nachtluft auf seiner klammen, feuchten Haut. Er wackelte mit den Hüften, probte das Zurückweichen. Er würde so tun, als sei ihm schwindlig von der Fahrt.

Der Wagen bog sanft um die Kurve, die Straße hatte nun einen anderen Belag, denn unter den Reifen knirschte es – Asphalt, der nach dem warmen Tag weich war und in den sich kleine Steine gedrückt hatten. Die Fahrt näherte sich ihrem Ende.

Terry machte sich bereit, rief sich die Gründe in Erinnerung, weshalb er leben wollte, und hatte sofort Paddy Meehans Gesicht vor Augen. Sie strahlte, berührte ihren langen Hals mit den Fingerspitzen, errötete wegen eines Kompliments. So lange sie einander kannten, seit dem

Ende ihrer Teenagerzeit bis heute, hatte Paddy immer völlig unschuldig gewirkt. Sie hatte keine Ahnung, wie schön sie war. Und sie fürchtete sich vor nichts, denn sie wusste nichts von all den Dingen auf der Welt, vor denen man Angst haben musste, von den furchtbaren Dingen, die er gesehen hatte. Hunger, Hass und Bürgerkrieg waren ihr fremd. Sie machte sich Sorgen um ihre Mutter und ihre Schwestern, stritt sich mit ihren Brüdern, hielt eine kleine Familie zusammen, für die sie alles Mögliche opferte, und sie hatte keine Ahnung, dass es auch anders sein könnte. Terry dagegen reiste durch die Weltgeschichte, gehörte nirgendwohin, doch Paddy fühlte sich ihrer kleinen Welt ebenso fest verbunden wie dem Blut, das in ihren Adern floss.

Er rutschte langsam im Kofferraum nach hinten, das Reifengeräusch wurde auf der holprigen Straße lauter: Der Wagen fuhr langsamer. Der Moment, in dem der Kofferraum geöffnet wurde, rückte näher. Es waren höchstens drei Schritte. Nicht mehr. Tu, als hättest du Angst, weine.

Er presste sein Ohr an den Kofferraumboden, aber er konnte nur das Rauschen seines eigenen Bluts hören. Er schwitzte.

Der Wagen fuhr sanft an den Straßenrand und blieb stehen. Der Motor wurde abgestellt. Durch die stille Nacht hörte Terry das Flüstern des Windes über der Kofferraumhaube, das leise Plätschern eines Bachs. Ein Graben. Wenn es einen Bach gab, musste es auch einen Graben geben. Hier sollte er also sterben.

Mit einem Knacken ging die Fahrertür auf. Ein Fuß trat auf den Kies am Straßenrand, Pause, dann ein weiterer

Fuß. Er war steif, vielleicht von der Fahrt: Vielleicht war er alt. Das wäre auf jeden Fall gut.

Schritte neben dem Wagen, nicht langsam, aber auch nicht eilig. Vielleicht zögerte er, wahrscheinlich war er auch nur müde. Die Füße blieben knirschend vor dem Kofferraum stehen.

Schlüssel klapperten, einer wurde ausgewählt und Metall kratzte auf Metall. Es klickte.

Der Kofferraum sprang auf, blauweißes Mondlicht sickerte durch das Gewebe des Sacks und drang in Terrys Augen, ließ ihn die Lider schließen. Er zwang sich, sie wieder zu öffnen, und holte tief Luft, spürte den Blick seines Entführers auf seinem nackten Rücken. Tu, als wärst du willenlos.

Eine kalte klamme Hand packte ihn am Oberarm, zerrte ihn herum.

»Raus.«

»Hören Sie, ich bin Terry Hewitt. Sie haben den falschen Mann. Ich bin Journalist.«

»Raus.«

Terry klammerte sich noch fester an seine Knie. »Um Gottes willen, bitte …« Er war froh, dass sein Gesicht bedeckt war: Er hatte noch nie gut lügen können.

»Töten Sie mich nicht. Das dürfen Sie nicht. Ich bin Journalist, um Himmels Willen.«

Der kalte Lauf einer Pistole wurde ihm an den Hals gedrückt. »Verdammt nochmal, raus da.«

Er setzte sich unsicher auf, stieß sich den Kopf am Kofferraumdeckel, der Wagen schwankte leicht unter seinem Gewicht. »Bitte, bitte tun Sie das nicht. Meine Mutter … sie ist sehr alt.«

Der Entführer drückte ihm die Waffe fester an den Hals und rückte ganz nah mit dem Gesicht an ihn heran. Terry roch seinen Atem, immer noch verraucht, aber inzwischen frischer, nicht mehr so verbraucht wie vor seiner Tür. »Deine Eltern sind seit zehn Jahren tot. Raus da.«

»Sie kennen mich?«

Keine Antwort.

»Woher kennen Sie mich?«

Die Pistole bohrte sich noch tiefer in die Haut an seinem Hals. »Raus.«

Umständlich versuchte Terry rückwärts aus dem Wagen zu klettern.

»Beeilung.«

»Tut mir leid«, Terry schniefte durch die trockene Nase. »Es tut mir leid. Was auch immer ich getan habe, es tut mir leid.«

»Raus.«

Terry hielt sein Gesicht dem Mann zugewandt. Er wusste, dass es schwerer war, jemanden zu töten, wenn einen derjenige ansah, anatmete.

Selbst ein hartgesottener Mörder befahl seinem Opfer, sich umzudrehen.

Terry setzte einen nackten Fuß auf die spitzen Steine am Straßenrand, dann den anderen. Schließlich stand er auf. Zur Tarnung winselte er, tat als ob er stolperte, fing sich wieder und torkelte einen Schritt vorwärts. Er stand einen halben Meter vom Wagen entfernt, jedenfalls dachte er das, weit genug, um sich dem Mann mit vollem Gewicht in den Rücken zu werfen.

Der Kuss der Pistole löste sich von seinem Hals.

Erleichterung und Hoffnung flackerten in ihm auf. Terry

holte tief Luft, Adrenalin rauschte durch ihn hindurch, die Aufregung prickelte ihm bis in die Fingerspitzen. Er lauschte der Bewegung der Füße, wartete auf den Schritt Richtung Kofferraum.

Die Mündung konnte er nicht an seiner Schläfe spüren, denn sie berührte ihn nicht. Und das kalte metallische Knallen des Pistolenschusses, das durch die Nacht und über die schlammigen Felder hallte, hörte er nicht mehr.

Dort, wo sein Körper hinfiel, stoben ein paar spitze schwarze Steinchen auf.

Der Mann sah herunter, sah, wie sich das Blut unter dem Sack sammelte, und beobachtete, wie es in die Erde sickerte.

Da er ihn für tot hielt, setzte er einen Fuß auf Terrys Hüfte und stieß den nackten Körper in den Graben am Straßenrand.

Terrys Leichnam klatschte in das plätschernde Rinnsal. Durch die Drehbewegung des Körpers schlug einer seiner fleischigen Arme zur Seite aus; die zur Faust geballten Finger öffneten sich anmutig wie eine Blüte.

Terrys Mörder griff nach seinem Zigarettenpäckchen, überlegte es sich anders und ließ die Hand an seiner Seite sinken. Er war müde.

Der warme Sommerwind ließ die Grasspitzen am Bachufer zittern. Auf dem dunklen Feld dahinter erhob sich zwitschernd ein kleiner brauner Vogel vom Boden, kreiste und flog auf die gelben Lichter des kleinen, weit entfernt am Hang liegenden Cottage zu.

Im Wassergraben entkrampfte sich Terrys Leiche. Eine kurze Weile lang hielt sein weißer Oberschenkel den Strom auf und staute das Wasser, bis es sich einen Weg über seine

Leistenbeuge und Hüfte hinweg gebahnt hatte und seinen Fluss fortsetzte.

Allmählich fügte sich Terry Hewitts Leichnam in die Landschaft, als wäre er ein natürlicher Teil von ihr, und die Welt nahm ihren Lauf.

2

Kommen Sie gut heim

Gebückt machte Paddy einen Schritt vom Sessel Richtung Fernseher, stellte *STV* ein und setzte sich wieder. Immer noch Werbung. Dub lag mit seinem sportlich schlanken Körper über die gesamte Sofalänge ausgestreckt und grinste träge und wohlig.

»Das ist für mich der Höhepunkt der Woche. Der wunderbare Moment kurz bevor die Musik einsetzt und diese grottenschlechte Sendung anfängt.« Er schob die Hand unter sein T-Shirt und kratzte sich träge am Bauch. Sie tat, als würde sie die festen Muskeln an seinem flachen Bauch gar nicht sehen. Das tat sie oft.

»Es wird immer schlechter, oder?«, sagte sie mit Blick auf den Fernseher.

»Nein.« Dub hob einen Finger, um sie zu korrigieren. »Es wird immer unterirdischer.«

Als endlich schrill und hektisch die Titelmelodie einsetzte, grinsten beide einträchtig den Bildschirm an. Es folgte die Titeleinblendung: *George H. Burns' Saturday Night Old Time Variety Show.* Die Grafik war bei *Monty Python's Flying Circus* geklaut und trotzdem noch das Originellste an der gesamten Sendung. Ein Klopfen an der Wohnungstür ließ sie hochschrecken. Dub setzte sich auf und sah in den Flur hinaus. »Das wird er doch nicht sein, oder?«

»Das bezweifle ich«, sagte Paddy und stand betont lässig auf. »Dreh dich aber nicht um, nur für den Fall, dass er's doch ist.«

Sie tat, als sei es ihr egal, ob es George Burns war, doch als sie alleine in dem großen Flur stand, zupfte sie ihren Schlafanzug zurecht und schüttelte sich die Haare auf. Sie öffnete die Tür.

Der Mann im Gang wirkte schüchtern. Er trug eine John-Lennon-Brille in seinem jungen Gesicht und sein Haar war im Nacken straff zu einem dicken Pferdeschwanz gebunden. Bezeichnenderweise hielt er einen Notizblock und einen gezückten Kugelschreiber in der Hand.

»Hallo, entschuldigen Sie die Störung, ich bin Steven Curren …«

Weil ihr die grell gestrichenen Flurwände und die unordentlich aufgestapelten Kisten peinlich waren, schlug Paddy die Tür bis auf einen kleinen fünf Zentimeter breiten Spalt wieder zu. Wahrscheinlich war er nur der Erste von vielen, die noch kommen würden. Wahrscheinlich sollte sie sich lieber gleich daran gewöhnen. »Für wen arbeitest du?«

»*Sunday Mail*«, sagte er mit ein wenig Stolz in der Stimme. »Wann wird Callum Ogilvy entlassen? Wird er bei Ihnen wohnen?«

Sein Akzent war weich und rund. Edinburgh oder England, dachte Paddy, vielleicht aber auch ein Schotte, der in England zur Schule gegangen ist.

»Mann«, sagte sie, flüsternd wegen der Nachbarn, »verpiss dich.«

»Kommen Sie schon, Miss Meehan. Sie müssen wissen, wann er entlassen wird. Und wo er nach seiner Entlassung wohnen wird. Wird er von Ihrem Fahrer Sean abgeholt? Wird er bei ihm untergebracht?«

Er hatte eine grobe Vorstellung vom Sachverhalt, aber nichts, was er nicht auch in alten Zeitungsartikeln gefunden oder durch allgemeinen Bürotratsch hätte aufgeschnappt haben können. Sie wartete, ob er ihr etwas präsentieren würde, das sie ein bisschen mehr von den Socken riss.

»War's das?«

Er zuckte mit den Schultern. »Äh, ja.«

»Den Besuch hättest du dir sparen können«, sagte sie. »Du hast doch nichts in der Hand. Wissen die bei der *Mail* überhaupt, dass du hier bist?«

»McVie«, erklärte er und senkte schamhaft den Blick. »Er meinte, ich soll's versuchen.«

»McVie hat dich an einem Samstagabend zu mir geschickt?«

»Er meinte, ich soll den Hinweisen nachgehen.«

Der Junge tat ihr leid. Ein geübter Journalist hätte sie in ein Gespräch verwickelt oder sich ein paar Fakten ausgedacht, um sie zum Reden zu bringen. Ihre eigene Methode hatte immer darin bestanden zu warten, bis andere Journalisten geklingelt und weggeschickt worden waren. Dann machte sie große Augen und tat, als sei sie blutige Anfängerin und von einem böswilligen Redakteur geschickt worden. Sie bat ihr Opfer um die Erlaubnis, einfach ein bisschen länger an der Tür warten zu dürfen, damit der Redakteur keinen Grund haben würde, sie rauszuwerfen. Oftmals ergriff ihr Gegenüber dann Partei für sie und lud sie ein, hereinzukommen. Curren dagegen hatte großspurig angefangen, dann aber nichts in der Hand gehabt, womit er sein Drängen hätte untermauern können. Auf die Tour würde er in Glasgow noch böse aufs Dach kriegen.

»Du bist neu, stimmt's?«

»Ja.« Er guckte sie nervös an.

»Neu in Glasgow?«

Jetzt strahlte er. »Bin seit einer Woche hier. Tollste Zeitungsstadt der Welt. Hab die Ausbildung gerade abgeschlossen.«

Erst aufdringlich, dann zutraulich. Eine schlechtere Mischung gab es nicht, wenn man die Nase in die Angelegenheiten anderer Leute stecken wollte.

»Vielleicht solltest du versuchen, ein bisschen aggressiver rüberzukommen«, sagte sie und stellte sich vor, wie er in der Redaktion der *Mail* sein blaues Auge kühlte und seinen laut lachenden Kollegen erklärte, wer ihn auf die Idee gebracht hatte. »Wenn du an einer Tür stehst, versuch sie aufzudrücken, bedräng die Leute ein bisschen und unternimm irgendetwas, damit der Eindruck entsteht, du seist am Drücker. Niemand wird auf zögerliche Fragen eingehen.«

Curren nickte ernst. »Wirklich?«

»Ja, die Menschen in Glasgow brauchen eine starke Hand.«

Curren starrte auf seine Schuhspitzen und murmelte: »Okay.« Er holte tief Luft, richtete sich auf und fragte noch einmal in forderndem Tonfall: »Wann wird Ogilvy entlassen?«

»Besser. Schon viel besser.«

Verwirrung flimmerte über sein Gesicht, und Paddy bekam ein leicht schlechtes Gewissen. Im gelblichen Licht des Gangs wirkte er unerfahren, linkisch und verunsichert, während sie unbeeindruckt im Pyjama vor ihm stand, den Geschmack von Haferkeksen auf der Zunge.

Sie gab ihm den Rat, das zu tun, was er ohnehin getan hätte. »Pass auf, geh in die Redaktion und erzähl deinem Redakteur, ich sei eine blöde Kuh und du hättest dein Bestes versucht.«

Die Augen hinter seinen Brillengläsern blitzten wütend. »Ich sage McVie, dass er eine fette Schwuchtel ist.«

Sie schnalzte missbilligend mit der Zunge. Üble Beschimpfungen gehörten in ihrem Beruf zwar zum Alltag, aber es gefiel ihr nicht, wenn McVies Homosexualität den Vorwand für Beleidigungen lieferte.

»Nee, das lieber nicht, da wird er vielleicht ein bisschen …« Sie suchte nach dem richtigen Begriff: »… fuchtig.«

Er grinste. Hübsche Zähne. »*Fuchtig?* Sagt man das so? Nur in Glasgow oder …«

Heutzutage besaß anscheinend jeder Zeitungsjunge einen Universitätsabschluss. »Egal, zieh Leine.« Sie knallte die Tür zu, hatte aber Gewissensbisse wegen der ruppigen Abfuhr und rief durch die Tür: »Komm gut heim.«

»Danke«, antwortete er mit gedämpfter Stimme. »Übrigens, ich hab Ihre Misty-Kolumne über Dope gelesen. Ausgezeichnet.«

Paddy schämte sich ein bisschen. Sie hatte behauptet, dass Kiffer viel seltener Prügeleien in Bars anfingen als Trinker, und Alkohol nur deshalb nicht verboten wurde, weil er so hohe Steuergelder einbrachte.

»Danke«, sagte sie zur Tür. »Eigentlich stammt die These von Bill Hicks. Ich hab sie mir geborgt und den Namen des Urhebers verschwiegen.«

»Gut gemacht«, erwiderte er durch die Tür. Der Junge würde es weit bringen.

Sie horchte, wie er den Fuß auf die erste Stufe setzte, folgte dem Klang seiner Schritte zwei Treppen tiefer und aus dem Gang hinaus. Die Haustür schlug laut hinter ihm zu.

Sie hatte Glück gehabt. Die größte Verbrecherstory der letzten zwanzig Jahre war ihr nicht unbedingt in den Schoß gefallen, sondern hatte sich vielmehr direkt vor ihren Augen abgespielt. Callum Ogilvy und ein anderer kleiner Junge namens James waren vor neun Jahren des brutalen Mordes an einem Kleinkind für schuldig befunden worden. Damals war Paddy eine ehrgeizige junge Reporterin gewesen und mit Callums Cousin Sean verlobt. Dank Paddys Ermittlungen wurden die Männer, die die Jungs zu der Tat überredet hatten, gefunden und vor Gericht gestellt. Callum und James wurden nur wegen Totschlags verurteilt, worauf eine sehr viel geringere Strafe stand als auf Mord.

Sie wusste selbst nicht, ob es eine gute Idee war, die beiden auf freien Fuß zu setzen, aber es gab keine rechtliche Grundlage, aufgrund derer man sie noch länger festhalten konnte.

Sie war Callum nicht mehr begegnet, seit er ins Gefängnis gekommen war. Sie wusste sehr wenig über ihn, abgesehen von den zensierten Berichten über die Gespräche, die Sean bei seinen Gefängnisbesuchen mit ihm führte, und den gelegentlich erscheinenden Artikeln über sein Leben dort. Sean wollte, dass sie ein großes Interview mit Callum führte, wenn er entlassen wurde. Sean hatte die vergangenen sechs Jahre für Zeitungen gearbeitet und wusste, dass Callum gejagt und gestellt werden würde, wahrscheinlich von einem Journalisten ohne jegliches Mitgefühl. Mit dem Bericht würde auch ein Bild abgedruckt werden und damit das wenige an Anonymität, das ihm geblieben war, auch noch zerstört. Die meisten Journalisten hätten Sean aus Dankbarkeit für dieses Angebot die Füße geküsst, aber Paddy hatte Zweifel: Sie konnte nicht garantieren, dass eine wohlwollende Story dabei herauskam, und außerdem wollte Callum sowieso mit niemandem sprechen.

Sie blieb im Flur stehen, sah auf die Kisten mit Dubs Schallplatten. Vor einem Monat hatten sie das Auspacken eingestellt und nahmen die Kisten jetzt nur noch wahr, wenn sie gezwungen waren, sie aus einem ungewohnten Blickwinkel zu betrachten.

Die Wohnung hatte hohe Decken. Im viktorianischen Zeitalter hatte man Wohnhäuser noch ernst genommen und sie in großem Stil gebaut, so geräumig, dass Bälle darin stattfinden konnten, und Lansdowne Crescent war eine der ältesten Wohnanlagen im Glasgower West End.

Bevor Paddy die Wohnung gekauft hatte, hatten Studenten darin gewohnt: Der Flur war oben lilafarben und darunter kanariengelb gestrichen, das wunderbar verzierte Deckenfries verschwand unter anderthalb Jahrhunderten dicken Farbschichten. Die Wände der drei Schlafzimmer hatten Farben, die jeden Kater zur unerträglichen Qual werden ließen, und die Küchendecke war derart vom Nikotin eingefärbt, dass sich nur schwer sagen ließ, ob sie ursprünglich weiß oder räucherheringsgelb angelegt worden war.

Paddy war siebenundzwanzig Jahre alt, und dies war ihre erste eigene Wohnung ohne ihre Familie. Sie spazierte noch immer darin herum wie ein verzücktes Kind in einem lange ersehnten Puppenhaus.

Im Wohnzimmer grinste Dub sie an. An den Krümeln auf seinem T-Shirt erkannte Paddy sofort, dass er ihr Kekse geklaut hatte.

»Wer war das?«

»Ein junger Journalist von der *Mail*. Hat nach Callum Ogilvy gefragt. Wie ist die Show diese Woche?«

»Ach, herrlich, noch schlimmer als sonst.«

»Das geht gar nicht.«

Sie sahen sich an, als George H. Burns das Publikum um einen herzlichen Begrüßungsapplaus für einen Gast bat, wobei seine Augen vor Wut blitzten, und er selbst seitlich von der Bühne abging. Der Vorhang hob sich und gab den Blick auf einen schwitzenden Bauchredner mit einer Kuhpuppe auf den Knien frei, deren unübersehbares Euter im Scheinwerferlicht bebte.

Die *Saturday Night Old Time Variety Show* war zum Davonlaufen schlecht. George H. Burns' Moderationsstil bestand aus pausenloser Publikumsbeschimpfung. Beispielsweise erkundigte er sich nach der Herkunft seiner Gäste und erzählte anschließend Witze über Geizhälse aus Aberdeen und Schwachmaten aus Dundee. Was er zu bieten hatte, war völlig vorhersehbar, die Darsteller mittelmäßig, die Musiker unbegabt.

»Sogar die Vorhänge wirken schlapp«, sagte Dub.

Die Einschaltquoten waren spektakulär: Die Zahlen halbierten sich von Woche zu Woche. Aber eigentlich war das nicht lustig, denn wenn Burns' Karriere den Bach runterging, würde er Paddy kein Geld mehr geben, nicht mal mehr sporadisch und wie's aussah, war sie jetzt schon knapp bei Kasse.

Dub war Georges Manager gewesen, als er von der Fernsehgesellschaft angesprochen worden war und man ihm eine eigene Show angeboten hatte. Dub hatte Burns geraten, die Sendung nicht zu moderieren, weil er wusste, dass Mist dabei herauskommen würde. Burns aber, ehrgeizig und stur, hatte den Mann rausgeworfen, der ihn an die Schwelle des Ruhms gebracht hatte, und durch einen Manager in Glitzerhemden ersetzt, der mit keiner Frau sprechen konnte, ohne ihr auf die Titten zu starren. Jetzt hatte selbst er begriffen, dass die Show Schrott war. Er war sauer, gab dem Produzenten, den Autoren und den Darstellern die Schuld, dabei lag der Fehler schon im Konzept: Varietétheater hatte nur deshalb ein Revival nötig, weil es vom Aussterben bedroht war, und es war vom Aussterben bedroht, weil es langweilig war und keine Substanz hatte. Noch schlimmer aber war, dass George es sich bei seinem unglücklichen Übergang in die Niederungen der Unterhaltung mit all seinen alten Kollegen aus der alternativen Comedy-Szene verscherzt hatte. Plötzlich war er außerhalb seiner Show nur noch für Gastauftritte bei der Arbeiterwohlfahrt gefragt.

»Heilige Mutter Gottes«, murmelte Paddy und ließ sich in ihren Sessel fallen. »Wo nehmen die nur diese Leute her? Hinter der Bühne muss es zugehen wie im Bus nach Lourdes.«

»Das sind alles echte Schausteller. Dinosaurier. Genau genommen, Minisaurier. Babysaurier.« Er lag grinsend mit dem Kopf auf der Sofalehne, sodass sich unter seinem Kinn am Hals die einzige Speckfalte an seinem gesamten ein Meter achtundachtzig großen Körper bildete. Sie teilte sich nun seit zwei Monaten ihre Wohnung mit ihm und sah, wie viel er aß. Sie hatte immer gehofft, dünne Menschen würden lügen und in Wirklichkeit gar keine Riesenmahlzeiten verdrücken, aber Dub schob sich vor dem Essen Erdnussbuttersandwiches rein, verputzte zwischendurch komplette Kekspackungen und war trotzdem dürr wie ein Stecken. Als sie sich setzte, spürte Paddy, wie sich die Fettpolster an ihrem Bauch übereinanderwölbten. Es war einfach ungerecht.

Ein Klopfen hallte durch den langen Flur. Paddy seufzte und stand erneut auf. »Sag ihm, er soll sich verziehen«, sagte Dub.

Aber es klang nicht so, es klang nicht wie das muntere, gespielt freundliche Klopfen eines Journalisten. »Ich hab ihm schon gesagt, dass er sich verpissen soll.« Sie wischte sich die Hände an ihrer Schlafanzughose ab. »Ich kann's ihm aber gerne noch mal sagen.«

Als sie über die Kisten stieg, klopfte es immer noch, ein rhythmisches, stetiges Klopfen auf Holz, langsam und gemessen. Paddys Herz stieß eine Warnung aus.

Ihre Hand zögerte am Griff. Es konnte ein verwirrter Säufer sein, der den Gang entlanggetorkelt war, oder ein Journalist von einer seriösen Zeitung, der das Entlassungsdatum von Callum Ogilvy in Erfahrung bringen wollte. Oder George Burns unter dem Einfluss von Beruhigungsmitteln. Oder der gottverdammte Terry Hewitt. Oh, Gott, bloß nicht Terry, bitte.

Sie schob laut klappernd die Sicherheitskette vor, in der Hoffnung, dass sie stabiler klang, als sie war, und öffnete die Tür zwei Zentimeter breit.

Zwei ihr unbekannte Polizeibeamte, ein Mann und eine Frau, standen Schulter an Schulter und in voller Uniform vor der Tür und sahen sie ernst an.

Paddy knallte ihnen die Tür vor der Nase zu.

Als sie alleine im Flur stand, gaben ihre Knie nach. Sie hatte oft genug Polizisten nachspioniert, um zu wissen, wie sie aussahen, wenn sie jemandem eine Todesnachricht überbrachten: Es waren stets zwei uniformierte Beamte mit versteinerten Gesichtern, einer davon eine Frau, die zu unerwarteter Uhrzeit auftauchten.

Als Paddy noch im Nachtdienst gearbeitet hatte, war sie mit ihnen an die Tür gegangen und hatte gemeinsam mit ihnen Mitgefühl geheuchelt, aber sie hätte nicht damit gerechnet, dass sie jemals zu ihr kommen würden. Gemeinsam mit ihnen hatte sie während des Gesprächs keine Miene verzogen und hinterher im Wagen Witze gemacht, sich vor Lachen weggeworfen über die Kleider und die Einrichtung, die Familienkonstellationen und unterschwelligen Konflikte, die toten Ehefrauen, die im Bett ihres Liebhabers gefunden wurden, die alkoholbedingten Autounfälle und einmal auch über einen Ehemann, der leblos in der Damenumkleidekabine eines Kaufhauses gefunden wurde, wo er offensichtlich gerade Mieder anprobiert hatte. Sie lachten, nicht weil irgendetwas daran lustig, sondern weil es ziemlich traurig war.

Jemand, der ihr nahestand, war gestorben. Er oder sie musste gewaltsam zu Tode gekommen sein, denn sonst wäre sie vom Krankenhaus benachrichtigt worden und er oder sie musste alleine gestorben sein, sonst hätte sie jemand aus ihrer Familie angerufen. Es musste Mary Ann sein.

»Dub?« Ihre Stimme klang hoch und zittrig. »Würdest du bitte mal eine Minute herkommen?«

Dub ließ sich Zeit. Als er im Türrahmen auftauchte, blickte er im Gehen noch zum Fernseher zurück. »Was?«

»Zwei Polizisten. Draußen. Ich glaube, da ist was passiert.«

Sie sahen ängstlich zur Tür, versuchten aus der klumpigen gelben Farbe eine Antwort herauszulesen.

Dub kam zu ihr und wirkte noch erschrockener als sie selbst.

»Vielleicht eine Beschwerde wegen Ruhestörung? Ein Irrtum? Der Journalist, der junge Typ, hat der beim Weggehen Krach gemacht?«

Paddy hielt sich die Hand vor den Mund.

»Vielleicht ist es Mary Ann.«

»Dann mach auf.« Dub griff rasch über sie hinweg, zog die Kette ab und öffnete die Tür.

Der Beamte war ein Schrank von einem Mann, dick und breit, mit roten Flecken im Gesicht, der Brustkorb hob und senkte sich nach dem anstrengenden Treppenaufstieg. Die Frau war blond und hatte die Haare so streng zurückgekämmt, dass sie wie aufgemalt wirkten. Sie hatte etwas Vogelartiges: eine spitze Nase, trübe Augen, dünne Lippen. Familienfürsorge. Es wird immer eine Frau von der Familienfürsorge mitgeschickt, die Händchen halten soll, wenn das große Heulen anfängt.

Die Polizistin versuchte es mit einem Lächeln, aber es erstarb gleich wieder auf ihren Lippen und sie wich Paddys Blick aus. Sie hatte noch nicht oft Todesnachrichten überbracht, hatte noch keine Übung darin, der Trauer ins Gesicht zu blicken.

»Hallo.« Der beleibte Beamte nahm das Heft in die Hand. »Ich bin PC Blane und das ist EPC Kilburnie. Sind Sie Paddy Meehan?«

Sie warteten auf eine Antwort, aber Paddy war starr vor

Schreck. Sie schien einfach keine Luft in die Lungen zu bekommen.

»Ich weiß, dass Sie es sind.« Er lächelte Paddy unsicher an. »Ich kenne Ihr Gesicht aus der Zeitung.«

Paddy tat, was sie immer tat, wenn sie ein Fan ansprach. Sie zeigte höflich die Zähne und nuschelte ein belangloses: »Danke schön.«

Dub schob sich vor sie. »Ist es Mary Ann?«

Blane überging die Frage, trat über die Türschwelle und sah ausschließlich Paddy an. »Dürfen wir hereinkommen?« Sie wich zurück, ließ die Beamten eintreten, erlaubte dem Tod in ihr Puppenhaus einzudringen.

Niemand beachtete Dub. Normalerweise war er sehr gut darin, Situationen in die Hand zu nehmen. Er hatte viele Jahre Stand-up-Comedy gemacht und war ausgezeichnet darin, in einem Nachtclub voller Betrunkener die Aufmerksamkeit auf sich zu ziehen, aber komischerweise nahm keiner der beiden Beamten jetzt Notiz von ihm.

»Er ist ein Freund«, sagte Paddy und deutete auf ihn.

Blane und Kilburnie blickten einander misstrauisch an. »Dürfen wir durchgehen?«

Als sie über die Kisten stieg und den Flur entlangging, fühlten sich Paddys Beine wackelig an. An der Wohnzimmertür angekommen, verlangsamte sie ihre Schritte und zögerte, als könne sie das Nichtwissen unendlich verlängern. Doch Blane nahm sie am Ellbogen, stützte und schob sie gleichzeitig weiter.

»Bitte setzen Sie sich.« Er führte Paddy durch die Tür zum Sofa. Blane musterte George Burns im Fernsehen, der am Bühnenrand kauerte und mit einer vollbusigen Frau im Publikum sprach.

»Burns«, murmelte er abfällig und ließ den Kommentar im Raum stehen.

Bevor er Comedian wurde, war Burns Polizist gewesen. Jeder Bulle in Glasgow hatte eine Geschichte über ihn, die meisten davon nicht gerade schmeichelhaft – man erzählte sich, dass es in jeder Einheit mindestens zehn gab, die lustiger waren als er, und jene, die ihre Ausbildung mit ihm absolviert hatten, behaupteten, er sei damals schon ein Blödmann gewesen. Diese Anekdoten wurden immer aufgekratzt und grinsend präsentiert, da sich derjenige, der sie erzählte, wichtig vorkam, weil er jemanden aus dem Fernsehen kannte.

Dub wollte sich, fest entschlossen an dem Gespräch teilzunehmen, neben Paddy auf das Sofa fallen lassen und nach ihrer Hand greifen, doch Kilburnie gelang es, sich mit ihrer kantigen Statur zwischen die beiden zu zwängen.

»Sagen Sie's mir«, sagte Paddy, atmete tief ein, hielt die Luft an und machte sich auf einen Schicksalsschlag gefasst.

Kilburnie nickte Dub zu und riss die Augen auf.

»Vielleicht wäre es besser, wenn wir mit Ihnen alleine sprechen könnten.«

»*Sagen Sie's mir.*«

»Also …« Sie wirkte verunsichert. »Ich fürchte, wir haben schlechte Nachrichten für Sie, Miss Meehan.«

»Was ist passiert?«

»Ich fürchte«, Kilburnie fuhr mit ihrer Standardformulierung fort, die sie bestimmt schon im Wagen geübt hatte. »Gestern wurde außerhalb der Stadt in der Nähe von Port Glasgow eine Leiche gefunden …«

Zwei dicke Tränen rannen über Paddys Wangen. »Sagen Sie's schon.«

31

Kilburnie sah auf ihren Schoß, klopfte sich mit beiden Händen auf die Knie und richtete sich auf. »Terry Hewitt ist tot. Ein Kopfschuss. Wir wären früher gekommen, aber er hatte keine Papiere bei sich, und wir konnten erst jetzt seine Wohnung ausfindig machen und seine Habe durchgehen ...«

Paddy setzte sich auf. »Terry *Hewitt*?«

Verwirrt sah Kilburnie Blane an. »Ich fürchte, er ist tot. Es tut mir sehr leid.«

Dub beugte sich vor. »Terry Hewitt?«

»Ein einziger Schuss in den Kopf.« Kilburnie blickte besorgt zu Blane.

»Er ist tot, fürchte ich.«

Dub blickte sie über Kilburnie hinweg an. »Paddy? Hast du dich wieder mit ihm getroffen?«

»Nein«, murmelte sie, »nicht mehr seit ... früher. Ich hab ihn seit Fort William nicht mehr gesehen.«

»Wieso teilen Sie ihr das mit?«

Kilburnie wandte sich an Dub. »Entschuldigung.«

»Wofür entschuldigen Sie sich?«

Kilburnie sah von Dub zu Paddy. »Es tut mir leid, dass ich vor Ihrem Ehemann darüber sprechen muss.«

»Äh«, Dub sah beide irritiert an. »Ach, nein, wir wohnen nur zusammen. Wir sind Freunde.«

»Nicht verheiratet«, sagte Paddy. »Geht es Mary Ann gut?«

»Wer ist Mary Ann?«, fragte Kilburnie.

»Das ist meine Schwester. Sie arbeitet in einer Suppenküche. Sie ist Nonne. Als Sie gesagt haben, außerhalb der Stadt, habe ich gedacht, sie sei entführt worden. Ich dachte, man hätte sie vergewaltigt ...« Paddy hielt sich den Mund zu, um nicht weiterzureden.

Sie wusste, dass jedes Wort des Gesprächs auf der Wache wiederholt werden würde. Eine unvorbereitet angetroffene Provinzprominente in einem schäbigen Schlafanzug. Polizisten hatten ausreichend Pausen und mehr als genug Gelegenheit zu tratschen. Sie würden den lila- und gelbfarbenen Flur beschreiben, von ihrem nicht angetrauten Mitbewohner berichten, dass sie Burns' Show im Fernsehen sah und Kekse statt warmer Mahlzeiten verdrückte. Und sie würden allen von dem Riss in ihrer Schlafanzughose erzählen.

»Es geht darum …« Kilburnie beendete den Satz nicht. »Ich fürchte, wir brauchen Sie zur Identifizierung der Leiche.«

»Wieso ich? Es muss doch jemanden geben, der ihn nach mir noch gesehen hat. Ich jedenfalls habe Terry seit sechs Monaten nicht gesehen.«

»Aber in seinem Pass sind Sie als nächste Angehörige eingetragen. Wir haben ihn bei ihm zu Hause gefunden. Daher haben wir auch diese Adresse.«

»Er hatte mich unter dieser Adresse eingetragen?«

»Ja.«

Dub hörte aufmerksam und interessiert zu, jetzt da er wusste, dass Mary Ann nichts zugestoßen war.

»Aber wir sind erst vor zwei Monaten eingezogen.« Sie sah sich im Wohnzimmer um, betrachtete die orangefarbenen Wände, die sparsame Möblierung, sorgfältig in Trödelläden und bei Auktionen ausgewählt. Terry war nie hier gewesen. Sie war erstaunt, dass er ihre neue Adresse überhaupt kannte.

»Sie sind also nicht miteinander verwandt?«

»Nein. Terrys Eltern sind schon vor Jahren gestorben. Ich weiß nicht, ob er sonst noch jemanden hatte. Er war

Auslandskorrespondent, ist viel gereist, er hatte nicht viele Freunde. Ich nehme an, deshalb. Überraschend finde ich das eigentlich nicht, wenn ich ehrlich bin. Er war nicht sehr glücklich.«

Paddy stand auf. Ihr fiel ein, dass sie zur *Daily News* fahren und den Artikel über Terrys Selbstmord schreiben sollte. Das war keine große Geschichte, aber der Gedanke an Arbeit beruhigte sie, ihre Muskeln entspannten sich, ihr Blut kam zur Ruhe. Mit einem Notizblock in der Hand konnte sie durch Feuer gehen, ohne dass es ihr etwas ausmachte.

Die Beamtin stand ebenfalls auf. »Sie müssen bitte mitkommen und einen Blick auf ihn werfen.«

»Ich will mich nur schnell umziehen.«

Als sie an Blane vorbei das Wohnzimmer verlassen wollte, platzte er heraus: »Ich liebe Ihre Kolumne. Ich bin immer ganz Ihrer Meinung. Sie schreiben Sachen, bevor ich sie überhaupt denken kann.«

Paddy zeigte höflich die Zähne. »Danke schön«, sagte sie.

3

Embassy Regal und Irn-Bru

I

Paddy kurbelte das Fenster herunter. Als sie den roten Rücklichtern des Polizeiwagens folgte, streichelte der warme Wind ihr Gesicht und brachte den Geruch des Hochsommers nach Staub und fauligem Gemüse mit.

Blane und Kilburnie saßen im Wagen vorne, lachten sich zweifellos über ihren lilafarbenen Flur kaputt und tauschten pikante Detailinformationen über sie und George Burns aus. Spätestens am nächsten Morgen würden alle wissen, was in Terrys Abschiedsbrief stand. Sie würden jede Einzelheit genau ausführen: Terry hatte sich wegen ihr das Leben genommen, sie aber liebte Burns immer noch und sah sich deshalb seine Show an, sie hatte ihren Flur lilafarben und gelb gestrichen und Dub war ihr Freund oder ein Ablenkungsmanöver. In gleichem Maße wie ihr Erfolg, hatten auch die Gerüchte zugenommen, sie sei eine Lesbe. Dahinter stand die Absicht, sie schlechtzumachen, doch ihr gefiel die Vorstellung, unbezwingbar zu sein – in jeder Hinsicht.

Eine grüne Ampel sprang auf Gelb, als der Polizeiwagen daran vorbeifuhr. Unnötigerweise bremste Paddy ab, hielt an, noch bevor sie auf Rot schaltete. Scheinbar aus dem Nichts tauchte vor ihr ein Pulk von Menschen auf und überquerte die Straße. Sie sah sich um. Sie strömten aus der Ramshorn Kirk, einer Kirche, die sie in diesem Jahr zum ersten Mal wahrgenommen hatte und die anlässlich der Wahl Glasgows zur europäischen Kulturhauptstadt in ein Theater umgebaut worden war.

Ein Jahrhundert lang war Glasgow ein Synonym für Elend und Messerstechereien unter Jugendlichen gewesen, aber in den vergangenen Jahren hatte man die dicke schwarze Rußschicht mit Sandstrahlgebläse von den alten Gebäuden entfernt, und den hellgelben Stein, der in der Sonne glänzte, oder auch die blutorangefarbenen Fassaden freigelegt, die einen hübschen Kontrast zum blauen Himmel bildeten. Internationale Theatergesellschaften und Künstler kamen in die Stadt und ließen sich an ungewöhnlichen Veranstaltungsorten, alten Kirchen, Schulen, Märkten und leer stehenden Schuppen nieder, an Orten, die die Einheimischen im Alltag schon gar nicht mehr wahrgenommen hatten. Die Glasgower hatten nun nicht mehr das Gefühl, ständig ihre Heimat verteidigen zu müssen, und begannen sie mit neuem Interesse zu betrachten, wie ein Ehepartner in einer schal gewordenen Beziehung, der plötzlich herausfindet, dass der Angetraute im Ausland als Herzensbrecher gilt.

Die Ampel schaltete auf Grün, doch Paddy blieb still sitzen, beobachtete die Fußgänger, die vor ihr die Straße überquerten. Für Theaterbesucher waren sie jung, sie rauchten im Freien, jetzt da sie wieder durften, und plauderten angeregt über das Stück, das sie gerade gesehen hatten.

Ein paar Männer warfen bewundernde Blicke auf ihren Wagen. Es war ein großer weißer Volvo, ein Angeberschlitten, den sie gekauft hatte, um der Männerwelt, in der sie sich bewegte, zu zeigen, dass sie Erfolg hatte und das nötige Kleingeld für einen großen Wagen besaß. Sie mochte ihn nicht. Er steuerte sich wie ein Panzer und war zu groß und klobig, um in die praktischen kleinen Lücken zu passen, in die sie früher ihren Ford Fiesta bugsiert hatte. Parkte man den Volvo in einer auch nur annähernd ärmlichen Gegend, wurde dies von den Anwohnern als direkte Aufforderung betrachtet, einen Schlüssel über den Lack zu ziehen.

Die Menschenmenge dünnte aus, sie löste die Handbremse und fuhr vorsichtig an. Vor ihr war der Polizeiwagen an die Seite gefahren, damit sie nicht abgehängt wurde, als hätte sie das städtische Leichenschauhaus nicht alleine gefunden.

Sie fuhren weiter, bogen in die steile, gewundene High Street ein, einst das Rückgrat der Stadt, jetzt eine finstere Straße, die an brachliegenden Grundstücken vorbeiführte. Das siebenstöckige Mauthaus auf seiner kleinen Verkehrsinsel war alles, was von dem mittelalterlichen Gefängnis, in dem seinerzeit Hexen gehängt wurden, übrig war.

Das Leichenschauhaus von Glasgow City war ein unauffälliges einstöckiges Gebäude an der Ecke zum Gericht. Auf beiden Seiten des tief gelegenen Türeingangs befanden sich Fenster, was die Front des aus rotem Backstein erbauten Gebäudes wie ein Gesicht mit eingeschlagener Nase aussehen ließ.

Der eigentliche Betrieb fand im weiß gekachelten Keller des Gebäudes statt.

Der Streifenwagen hielt im absoluten Halteverbot direkt davor. Paddy folgte seinem Beispiel und stellte sich dahinter. Kilburnie und Blane warteten jetzt deutlich besser gelaunt auf dem Bürgersteig, verhielten sich ihr gegenüber aber distanziert und aufmerksam. Sie hatten über sie geredet, das konnte sie riechen.

Vom Leichenschauhaus sah man auf den Glasgow Green Park, einer schlecht beleuchteten Rasenfläche, südlich begrenzt durch den Clyde River und eingerahmt von den Hochhäusern der einst berüchtigten Gorbals auf der einen Seite und den baufälligen Wohnhäusern an der Gallowgate auf der anderen. Nachts war der Park Treffpunkt für Straßennutten und betrunkene Männer, die diese entweder vögeln oder ausrauben wollten. Regelmäßig lösten sich Schatten aus der feuchten Nacht und strebten auf das Leichenschauhaus zu; vielleicht zogen die Lichter sie an oder auch die vage Hoffnung, dort Drogen zu bekommen, doch vermutlich wusste keiner von ihnen genau, weshalb er kam und gegen die Eichentür hämmerte oder an den Fenstern kratzte.

Der schmale Treppenabsatz vor der Tür war zu eng für die drei Personen. Blanes ausladende Statur schluckte das Licht. Die Klingel summte vergeblich, als Blane auf den Knopf drückte.

»Überbringen Sie beide öfter Todesnachrichten?«

»Nicht oft«, sagte Blane.

»Na ja, ich fürchte, ich arbeite für die Familienfürsorge.« Kilburnie lächelte traurig und neigte ihren Kopf zur Seite, womit sie Paddy an ihre Rolle als trauernde Betroffene erinnerte. »Ich bin recht oft hier, fürchte ich.«

»Sie fürchten sich ganz schön viel«, nuschelte Paddy leise.

Blane grinste seine Schuhe an. Erzähl das ruhig deinen Kumpels, lag es Paddy schon auf der Zunge: Meehan reißt

Witze an der Tür zum Leichenschauhaus, wo sie einen Toten identifizieren soll.

Sie hatte während der gesamten Fahrt in die Stadt vermieden, an Terry zu denken, hatte sich stattdessen mit Pete beschäftigt und überlegt, wie sie die neue Wohnung streichen und wann sie endlich ins Büro fahren würde, um die Geschichte aufzuschreiben. Denn ganz egal, wie viel Zeit sie auch darauf verwenden würde, auf den Anblick einer Leiche konnte man sich nicht vorbereiten. Das wusste sie aus Erfahrung.

Als ihr Vater Con gestorben war, hatte die Familie nachts Totenwache am offenen Sarg gehalten. Con Meehan war zum grauen Abbild seiner selbst geworden: Er war nicht mehr derselbe Mann, sondern ein Hochstapler in Daddys bestem Anzug. Sie hatte sich an ihren Schmerz geklammert, gewusst, dass es die letzte Gefühlsregung sein würde, die ihr Vater jemals in ihr auslösen würde.

Es war ein schrecklicher Tod gewesen: Er war achtundfünfzig Jahre alt und von Geschwüren zerfressen gewesen, aber in den letzten elenden Monaten waren die körperlichen Schmerzen nichts im Vergleich zu seiner Wut. Er wehrte sich bis zum Schluss, kratzend und weinend, wollte nicht akzeptieren, dass seine Zeit gekommen war. Jeder in der Familie ging damit so gut um, wie er konnte: Seine Frau Trisha glaubte, es läge daran, wie alles mit Paddy und Caroline gelaufen war und daran, dass die Jungs nicht gläubig waren. Caroline schrieb seine Wut seiner langen Arbeitslosigkeit zu, während der er keinerlei Unterstützung bekommen hatte. Die Jungs sagten, die Medikamente seien schuld, Mary Ann behauptete, es sei der Schmerz. Aber als ihm Paddy in die Augen sah, begriff sie, dass es das Bedauern war, das sich in ihm aufbäumte. Con war ein zurückhaltender Mann gewesen. Sein Leben lang war er Konflikten aus dem Weg gegangen, hatte jedermann die Tür aufgehalten, stets abgewartet und jetzt plötzlich war seine Zeit abgelaufen.

Sie hatte es aufgegeben, den Tod begreifen zu wollen. Sie hatte eine Methode entwickelt, sich einzureden, Con befände sich auf einer langen glücklichen Reise und sie würde ihn eines Tages wiedersehen und dann wäre alles besser, er wäre tumorfrei, das Bedauern und die Distanz zwischen ihnen wären verschwunden.

Erst viel später begriff sie, dass ihre Mutter denselben Trick anwandte, nur sein Reiseziel, anders als Paddy, »Himmel« nannte.

Blane blickte nervös auf den nebligen Park hinaus und schimpfte kaum hörbar, als er noch einmal die Klingel betätigte. Kilburnie sah Paddy ausdruckslos an, bis ihr wieder einfiel, was sie während ihrer Ausbildung gelernt hatte: Ihr Gesichtsausdruck wurde sanft und sie griff stützend nach Paddys Arm, schreckte jedoch zurück, als sie deren grimmigen Blick sah.

Paddy fürchtete, zu hart zu wirken. »Hat er einen Abschiedsbrief hinterlassen?«

Blane guckte verwirrt. »Wer?«

»Terry. Hat er geschrieben, weshalb er's getan hat?«

Als er seinen Fehler begriff, bekam Blane den Mund fast nicht mehr zu. »Nein, nein, Entschuldigung. Er hat es nicht selbst getan«, stammelte er schließlich.

Kilburnie gelang es, Paddy besänftigend am Arm zu berühren. »Er wurde ermordet.«

»Sie wollen mich wohl verarschen …«

»Oh doch, ganz bestimmt. Da waren Reifenspuren am Straßenrand, aber kein Wagen, und wir haben auch keine Waffe gefunden. Er war nackt, weit und breit keine Klamotten. Er wurde ermordet.«

»Terry war *nackt?*«

Blane nickte. »Splitterfasernackt.«

Sie wusste, dass es Mord gewesen sein musste: Selbst wenn die Tatwaffe da gewesen wäre, hätte Terry nicht gewollt, dass man ihn nackt findet. Er war ein bisschen pummelig, hatte einen ziemlich dicken Hintern und schämte sich dafür. Er hatte auch immer das Licht ausgemacht, bevor er sich in ihrer Gegenwart ausgezogen hatte. Das hatte sie an ihm gemocht. »Aber wer würde Terry Hewitt umbringen wollen?«

Blane beugte sich vertraulich zu ihr vor. »Es heißt, es sähe nach einem Mord der IRA aus.«

Paddy wirbelte auf dem Absatz herum. »So ein Blödsinn, hören Sie auf!«

Er nickte aufgeregt, denn er wusste, was das alles mit sich brachte. »Alle ›typischen Kennzeichen‹ hat es geheißen.«

»Aber wir sind doch hier in Schottland. Wir sind neutral. Und Terry hatte nichts mit Irland am Hut.«

»Na ja«, sagte er, »ich bin sicher, das wird uns in der Presseerklärung noch mitgeteilt werden. Das ist doch so üblich, oder?«

Kilburnie trat zwischen sie und räusperte sich demonstrativ, womit sie Blane an seine Pflicht zur Diskretion erinnern wollte. Schuldbewusst wandte er sich wieder der Tür zu, wobei seine Schulter die von Kilburnie berührte und die beiden eine Wand vor Paddy bildeten. Zum dritten Mal drückte er auf die Klingel.

»Jedenfalls hat man uns das so gesagt«, murmelte er beschwichtigend.

»Das kann nicht sein«, Paddy sprach zu den Rücken ihrer Begleiter. »Er war Journalist. Das würden nicht mal die Amerikaner zulassen.«

Die Sprechanlage knisterte: »Ja?«

Blane beugte sich vor. »PCs Blane und Kilburnie aus der Pitt Street. Wir werden zu einer Identifizierung erwartet.«

Die Tür summte und sprang einen Spalt weit auf, stechender Zitronengeruch entwich. Paddy hatte das städtische Leichenschauhaus bereits mehrfach besucht, empfand den Geruch deshalb aber nicht weniger beunruhigend. Sie holte noch einmal tief Luft, bevor sie in die dunkle Eingangshalle trat.

Blane achtete darauf, die Tür fest hinter ihnen zu schließen.

Der Eingangsbereich war schwach beleuchtet. Ein übernächtigter Sicherheitsbeamter saß steif an einem Schreibtisch und prüfte misstrauisch den Terminkalender vor sich. Als ihm Blane und Kilburnie ihre Dienstausweise zeigten und sich eintrugen, trat Paddy zur Seite und entdeckte den Zipfel eines Kissens auf seinem Schoß.

Blane lächelte den Beamten an und nannte ihn im Verlauf einer belanglosen Begrüßung gleich zweimal beim Namen. Polizeibeamte nennen Menschen gerne beim Namen. Dadurch haben sie das Gefühl, dazuzugehören. Er stellte Paddy vor, aber der Sicherheitsbeamte reagierte nicht auf ihren Namen. Kein Leser der *Daily News*.

Blane gab seine Plauderversuche auf, und Kilburnie und Paddy mit einem Kopfnicken zu verstehen, dass sie den Gang entlang zu der Tür mit der Aufschrift »Absolut kein Zugang« gehen sollten. Hinter der Tür und am anderen Ende eines langen Treppenabsatzes führten Steinstufen in das Herzstück des Gebäudes, ein unübersichtliches Geflecht aus weiß gekachelten Gängen.

Am Fuß der Treppe wandte sich Kilburnie Paddy zu.

»Das mit der IRA – das ist nur ein Kantinengerücht.«

Paddy nickte. »Verstanden.«

»Das sollte nicht in die Zeitung kommen. Könnte die Leute erschrecken und Irritationen auslösen.«

»Schon gut«, sagte Paddy vage und konnte es jetzt kaum noch abwarten, in die Redaktion zu fahren.

»Also das hier …« Kilburnie deutete auf den Gang. »Ich bin zu Ihrer Unterstützung hier. Sind Sie sicher, dass Sie bereit sind?«

»Ja«, sagte Paddy kurz angebunden.

Sie sah, dass Kilburnie vor ihrer Gefühlskälte zurückschreckte. Paddy hätte ein kleines Trauma vortäuschen können, aber darum ging es schließlich nicht. Die unaufhörlichen Versuche der Polizistin, Emotionen in ihr auszulösen, gingen ihr auf den Zeiger.

Das Licht im angrenzenden Zimmer ließ die Schwingtüren aus durchsichtigem Plastik gelblich leuchten. Dahinter dudelte ein Radio, gedämpft nur durch das verkratzte, lederartige Material. Kilburnie streckte beide Hände vor und drückte sie auf. Der Geruch traf Paddys Nase wie ein Schlag aus dem Hinterhalt. Fauliges Fleisch und beißender Alkohol. Sie zwang sich weiterzuatmen. Sie wäre schon einmal im Leichenschauhaus beinahe umgekippt, weil sie nicht genug geatmet hatte.

Die bizarre Szenerie, die sich vor ihnen auftat, ließ sie erstarren. Kilburnie rang nach Luft und fürchtete ganz zweifellos schon wieder irgendwas.

Eine Elfe in grüner OP-Kleidung stand ganz allein vor einer glänzenden Edelstahlwand, ihre Gesichtsmaske baumelte lose an einem Ohr. Ihre Hände hingen seitlich an ihr herab, und sie wandte sich ihnen zu wie Jesus auf einem Gemälde, der Sünder willkommen heißt. Ihr wildes braunes Haar war über den Schultern gerade abgeschnitten. Sie lächelte steif, riss die Augen ein wenig zu weit auf. Sicher hatte sie mitbekommen, wie sie die Treppe heruntergekommen waren, wahrscheinlich sogar schon den Summer und die Tür gehört. Ihre Begrüßungshaltung wirkte daher fast wie eingefroren.

»Hallo.« Die seltsame kleine Frau erneuerte ihr Lächeln. Sie war jung, die Haut perfekt, ihre Figur schmal, als würde die Pubertät erst noch einsetzen.

Blane runzelte die Stirn. »Ist John da?«

Die Leichenelfe musterte Paddy, die in einem schwarzen Wickelkleid und orangefarbenen Turnschuhen mit dicken Plateausohlen einigermaßen auffällig gekleidet war. »Er hat sich hinten aufs Ohr gelegt.«

Paddys Journalistenfantasie ging mit ihr durch, und sie stellte sich vor, die seltsame kleine Frau sei aus dem Park hergeschlichen und ins Leichenschauhaus eingebrochen, um aus irgendeinem kranken Grund John zu ermorden.

Jetzt legte sich die Frau eine Hand auf die Brust.

»Aoife McGaffry«, sagte sie, und ihr nordirischer Akzent klang ausgeprägt und warm. »Ich bin die neue Pathologin.«

Blane, der offensichtlich einen ähnlichen Gedanken gehabt hatte wie Paddy, lächelte. »Ach, und ich dachte schon, Sie ticken nicht ganz richtig. Was machen Sie Samstagnacht um die Uhrzeit hier?«

Aoife trat einen Schritt zurück und winkte sie in den großen Saal. »Den Neuzugang finden Sie dort.«

»Der alte Graham Wilson hatte letzte Woche einen Herzinfarkt«, erklärte Blane Paddy. »Bis die neue Abteilung aufmacht, werden alle hier abgeladen.«

Paddy hatte Graham Wilson nie persönlich kennengelernt, aber sie hatte ihn einige Male im Zeugenstand vor Gericht gesehen. Er war ein ungepflegter Mann, hatte in seinem zerknitterten Dreiteiler und mit dem Kneifer immer ausgesehen, als sei er gerade erst aufgestanden.

»Ist direkt bei der Sache gestorben«, sagte Aoife. »Nicht bei *der* Sache, natürlich«, korrigierte sie sich, »aber bei der Sache hier, bei der Arbeit.« Sie zeigte auf den Boden vor sich. »Mit Sex hatte das natürlich nichts zu tun.«

Es war als Witz gemeint gewesen, aber Blane wich zurück.

Aoife McGaffry wirkte erschrocken. Polizeibeamte machen sich zwar über anderer Leute Schlafanzüge lustig, wenn sie sie rausklingeln und über den Tod eines geliebten Menschen informieren und sogar an Unfallorten reißen sie Witze, doch wenn sich jemand anderes dasselbe herausnimmt, beharren sie plötzlich auf den Grenzen, die der Anstand gebietet, und jede Anspielung darauf, dass ein Kollege bei einer nekrophilen Orgie ums Leben gekommen sein könnte, finden sie überhaupt nicht zum Lachen. Paddy mochte Aoife sofort.

»Ich bin Paddy Meehan.« Sie trat einen Schritt vor und streckte ihr die Hand entgegen. Aoife lächelte. »Sie würden es mir nicht danken, wenn ich einschlüge. Den Geruch werden Sie eine ganze Woche lang nicht wieder los.« Sie verrenkte den Hals, um hinter sich zu sehen. »Die sind ein bisschen überreif, wenn sie erst einmal eine Woche hier liegen.«

»Ich soll jemanden identifizieren …«

Hinter ihr las Blane wichtigtuerisch »AMR Ref 2372/90« aus seinem Notizbuch vor.

Aoife hörte ihm zu, tat ihn mit einem flüchtigen Blick ab und sah erneut Paddy an. Jetzt, da sie in professioneller Funktion tätig werden konnte, war ihre Unbeholfenheit wie verflogen. »Stand er Ihnen nahe?«

»Nicht so richtig. Er war ein Bekannter. Er hatte sonst niemanden mehr.«

»Okay.« Sie nickte. »Ich bin erst seit zwei Tagen hier und hatte noch keine Zeit, ihn herzurichten. Ich weiß nicht, in welchem Zustand sich Ihr Freund befindet, aber wir haben zwei Möglichkeiten: Ich kann ihn in Ordnung bringen, was aber dauern wird, oder ich kann Sie einfach so zu ihm führen. In welcher Verfassung sind Sie?«

Paddy zuckte mit den Schultern. Genau genommen war sie in beschissener Verfassung, aber sie wollte in die Redaktion und die Story eintüten, bevor die nächste Ausgabe in Druck ging.

»Mehr bis minder.«

Aoife lächelte, weil sie die Anspielung verstanden hatte. »Beckett«, sagte sie. »Kommen Sie mit, dann lassen Sie uns mal nach Ihrem Freund sehen.«

Aoife führte Paddy einen schmalen Gang entlang zu einer großen Stahltür, die Polizisten trotteten hinter ihnen her. Ein Messgerät an der Wand daneben zeigte die Temperatur an. Paddy hatte hier schon einmal eine Leiche gesehen, lange war das her.

»Werden die Schubladen nicht mehr benutzt?«

»Die Dinger haben schon vor Ewigkeiten den Geist aufgegeben. Hier liegen sie dicht an dicht.« Mit der Wucht ihres gesamten Federgewichts stemmte Aoife eine große Tür auf. Ein eisig kalter Schwall alkoholgeschwängerter Luft schlug in den Gang. Gleißende Neonröhren flackerten in dem Kühlraum auf und warfen tintenschwarze Schatten unter die mit Tüchern abgedeckten Rollbahren. Die Kammer war vollbesetzt. Aoife musste sich seitlich zwischen den Bahren durchschlängeln, um ans hintere Ende des Raums zu gelangen.

»Welche Nummer haben Sie gesagt?«, rief sie ihnen zu.

Blane sah noch einmal in seinem Notizbuch nach und wiederholte die Nummer.

Sie prüfte einige der Schilder, die an den Zehen der Leichen befestigt waren, und murmelte: »Da haben wir ihn ja«, als sie Terry gefunden hatte. Sie warf einen Blick quer durch die volle Kühlkammer und atmete seufzend eine weiße Wolke aus. »Verdammt. Wenn wir ihn rausholen wollen, müssen wir den ganzen Laden ausräumen.«

Mehr als ein Dutzend Leichen lagerten dort. Es würde eine Weile dauern, alle Bahren rauszuschieben, und danach konnten sie sich auch schlecht einfach so aus dem Staub machen und Aoife mit den Leichen im Gang stehen lassen.

»Wissen Sie was, ich komm einfach rein«, sagte Paddy, nahm all ihren Mut zusammen und trat in die Kälte. Mit hoch erhobenen Händen schob sie sich zwischen den mit Tüchern abgedeckten Leichen hindurch und versuchte, möglichst nirgendwo anzustoßen.

»Ich auch«, sagte Kilburnie schnell. Familienfürsorge. Ellbogen-Grabscher. Uniformiertes Mitgefühl. Sie folgte

Paddys Route an den Rollbahren vorbei, blieb ihr dicht auf den Fersen, bis sie beide Aoife gegenüber an der richtigen Bahre standen und Dunstwolken über dem kalten weißen Laken ausstießen. Paddy blickte hinunter. Terry lag da drunter. Ein terryförmiges Stück Fleisch. Nackt. Verwesend. Plötzlich war der Tod kein ausgedehnter Urlaub mehr. Er war Wirklichkeit geworden.

Aoife McGaffry spürte ihre Anspannung. »Waren Sie mit ihm verwandt?«

»Nein.« Paddy konnte nicht verhindern, dass ihre Augen die Hügel und Täler des Lakens vor sich taxierten. »Nein, nein. Wir kannten uns nur sehr lange, das ist alles.«

Aber das war nicht alles. Sie hatten sich elf Jahre lang gekannt, und als er weg war, hatte sie an ihn gedacht, sich Sorgen um ihn gemacht, sich in seiner Abwesenheit vorgestellt, was er von dem halten würde, was sie so trieb. Terry Hewitt war für sie fast zehn Jahre lang der Maßstab aller Dinge gewesen. Er war die Messlatte ihres Erfolgs, der Ansporn aktiv zu werden, eine Aufforderung anständig zu bleiben. Sie wünschte, er wäre nie nach Glasgow zurückgekommen.

Paddy bemerkte, dass Aoife mit ihr redete. »… ziehe das Tuch langsam zurück. Sie sehen ihn am besten erst an, wenn ich das Laken entfernt habe, nicht wenn ich es herunterziehe. Dann ist es einfacher. Und treten Sie lieber einen kleinen Schritt zurück.«

Wie betäubt wich Paddy ein Stück zurück, stieß mit dem Hintern an die nächste Bahre, zuckte zusammen, stellte sich vor, dass ihr eine Leiche an den Arsch grapschte.

»Keine Panik, treten Sie einfach nur zurück. Es ist ganz gut, wenn sich außer dem Verstorbenen noch anderes in Ihrem Blickfeld befindet. Immer schön die Relationen im

Auge behalten. Wenn es Ihnen zu viel wird, sehen Sie mich an. Bereit?«

Sie fasste den oberen Rand des Lakens mit den Händen. Paddy starrte Aoife ins Gesicht und nickte.

»Gut, dann geht's los.«

Entgegen der Anweisungen beobachtete Paddy, wie Aoife das Tuch zurückschlug und es Terry unter das Kinn steckte, als wäre er ein schlafendes Kind. »Versuchen Sie jetzt kurz einen Blick drauf zu werfen.«

Zunächst sah Paddy nur das ganze Schlamassel. In der Schläfe befand sich ein schwarzes Loch von der Größe einer Faust. Die Zunge … war das überhaupt eine Zunge? Rosa und aufgequollen steckte sie zwischen blutigen Lippen. Er musste auf der Seite gelegen haben, nachdem er erschossen worden war, weil die blutigen Rinnsale quer über seinem Gesicht getrocknet waren, wie eine schwarze Krake, die aus dem Loch über seinem Ohr gekrochen kam. Hinter alldem konnte sie Terry zunächst gar nicht entdecken. Sie wandte den Blick ab, sah über Aoifes Schulter hinweg, riss sich noch einmal zusammen und betrachtete ihn erneut durch eine Wolke aus weißem Atem.

Das Erste, was sie wiedererkannte, war die Impfnarbe auf seinem Oberarm. Die hatte sie geküsst und in dem dämmrigen Zimmer in Fort William angestarrt, als Terry von San Salvador erzählte, sie kannte jede Furche an der pennygroßen Stelle, jede Sommersprosse. Dann sah sie, dass es Terrys Nase war. Es war auch sein Doppelkinn. Sie sah die Haare hinten an seinem Hals: schwarz, kräftig, gegelt, bei Berührung klebrig. Sie war diesen Hals mit den Fingerspitzen entlanggefahren, hatte gespürt, wie weich er war, ihn gekratzt und geküsst, ihre Zungenspitze über die weichen

Haare am Ansatz gleiten lassen, ihn geschmeckt. Ihr Mund füllte sich mit salziger Flüssigkeit.

»Er … das ist er.«

Ihr Kopf wurde plötzlich ganz leicht, sie fühlte sich wacklig auf den Beinen. Sie befahl sich, tapfer zu bleiben, und sah zu Aoife auf, doch ihr Blick wanderte über deren dichtes braunes Haar hinweg, raste die Wand hinauf und sprang an die Decke auf eine brennende Neonröhre.

Paddy knallte auf den Boden, noch bevor sie merkte, dass sie fiel.

II

Das Licht über ihr war so grell, dass Paddy den Arm vors Gesicht schlug und sich auf die Seite rollte, um ihm zu entgehen. Aoife sprach meilenweit von ihr entfernt. »Ihr geht's gut. Keine Sorge. Sie können sich jetzt um Ihre anderen Aufgaben kümmern.«

Paddy hörte Blane etwas sagen. Oder war es Kilburnie? Aoife erwiderte etwas und irgendwo schnappte eine Tür zu.

Das Gesicht in den Händen vergraben, setzte sich Paddy auf. Sie lag auf einem niedrigen Bett, einer Lederliege mit einem langen breiten Papierstreifen darauf, wie beim Frauenarzt. Sie war vor den Polizisten ohnmächtig geworden und hatte dabei ein Kleid getragen. Blane und Kilburnie hatten jetzt richtig was zu erzählen: Burns im Fernsehen, lilafarbener Flur und sie selbst auf dem Boden, alle viere von sich gestreckt, im ausgezeichnet sichtbaren, grau verfärbten Schlüpfer. Fluchend schwang sie die Beine zur Seite und zwang sich, die Augen zu öffnen.

Sie mussten sie hier hereingetragen haben. Es war ein kleines Büro, durch hölzerne und gläserne Trennwände vom Rest des Leichenschauhauses getrennt. Graue Aktenordner und Papiere stapelten sich auf allen verfügbaren Flächen. Auf dem billigen Pressspanschreibtisch stand ein großer weißer Computer und auf dem Bildschirm blinkte es grün.

Aoife beobachtete sie von einem Drehstuhl aus und rauchte eine Zigarette, obwohl sie nicht mal alt genug aussah, um welche kaufen zu dürfen.

»Tschuldigung, tut mir leid … wirklich«, entschuldigte sich Paddy doppelt und dreifach. Etwas anderes fiel ihr nicht ein. »Ich gehe, tut mir leid.« Unsicher stand sie auf und sah sich um. »Wo ist mein Mantel?«

»Sie hatten keinen Mantel.«

»Hatte ich nicht?«

»Sind Sie schwanger oder so?«

Paddy fasste sich betroffen an die Rundung ihres Bauchs.

»So hab ich das nicht gemeint … Sie sehen nicht aus, als wären Sie's.« Aoife wedelte mit ihrer Zigarette an Paddys Körper auf und ab. »Nur für den Fall, dass es etwas anderes ist, als ein Schock. Ich bin Ärztin, ich muss solche Fragen stellen.«

Paddy erinnerte sich an die entsetzlichen Augenblicke, bevor sie ohnmächtig geworden war. Sie schlug erneut die Hände vors Gesicht und presste stöhnend Terrys Namen hervor.

»Ihr Freund«, stellte Aoife nüchtern fest.

Paddy sah auf. »Freund.« Das Wort klang unglaublich zärtlich. Ihr war nach Weinen zumute. »Wer schießt ihm bloß in den Kopf? Er war ein guter Kerl.« Sie erinnerte sich

51

an das Hotelzimmer in Fort William. »Das heißt ziemlich gut. Auf jeden Fall okay.«

Aoife betrachtete ihre Zigarette. »Als Sie nicht bei Bewusstsein waren, meinten die Polizisten, die Provos hätten ihn erschossen.«

»Terry hatte mit den Unruhen in Irland nichts am Hut. Er hat sich nicht mal besonders dafür interessiert.«

Aoife schnaubte verächtlich und schlug die Beine übereinander. »Es braucht nicht viel, diesen Schweinen in die Quere zu kommen. Ich habe in Belfast unterrichtet. Hab ein paar echte Sauereien zu Gesicht bekommen. Die meisten sind bloß Schläger, die sich politisch rechtfertigen. Auf beiden Seiten. Blöde Wichser.«

Sie sah nicht nur aus wie ein Kind, sie redete auch so: unbedarft ordinär. Ihr Pferdeschwanz hatte sich seitlich gelöst, wahrscheinlich als sie geholfen hatte, die leblose Paddy zu tragen. Ihre Haare waren drahtig. Jede Strähne wirkte dicht und kräftig wie ein Pferdeschweif.

»Meine Güte, Sie haben vielleicht Haare auf dem Kopf«, sagte Paddy und ließ, jetzt da sie alleine waren, ihren irischen Akzent durchschimmern.

Aoife starrte sie kurz irritiert an. Dann platzte ein Lachen aus ihr heraus. Paddy lachte mit.

Die Gerichtsmedizinerin zeigte auf die Tür. »Hey, der dicke Typ da hat gesagt, dass Sie so was wie ein Promi sind.«

»Stimmt.« Paddy fuhr sich über das Gesicht. »Wüsste aber gerade nicht welcher.«

»Vielleicht sind Sie ja Sean Connery?«

»Das wär'n Ding, was?«, sagte Paddy lächelnd. »Dabei bin ich sogar schon Mutter.«

Wieder lachten sie zusammen, diesmal stiller. Aoife zeigte mit ihrer brennenden Zigarette auf sie. »Ich sag Ihnen eins: Nie und nimmer haben die Provos Ihren Kumpel auf dem Gewissen.«

»Woher wollen Sie das wissen?«

»Die machen das anders. Die schießen in den Mund oder in den Hinterkopf, normalerweise hinter dem Ohr, nicht in die Schläfe. Auf die Art könnte man jemandem einfach nur die Augen wegschießen, sodass er's überlebt und eine Aussage machen kann.«

»Wieso glauben die dann, dass es die Provos waren?«

»Ich denke mal, weil Mord durch einen Kopfschuss aus nächster Nähe außerhalb Nordirlands relativ selten vorkommt.«

Aoifes Augenlid zuckte verräterisch. Sie hatte sich gerade als Protestantin zu erkennen gegeben. Eine Katholikin hätte vom »Norden Irlands« gesprochen. Und sie musste wissen, wie es sich mit Paddys Sympathien verhielt, denn sie wusste, wie sie hieß.

Paddy beugte sich vor und berührte ihr Knie. »Hey, ist mir egal, wie Sie's nennen.« Aoife lächelte bemüht. »Sie haben einen seltsamen Namen, für eine Protestantin«, fuhr Paddy fort.

»Stimmt. Mein Pa hat den Namen ausgesucht. Ich glaube, nur um meine Mutter zu ärgern. Die beiden haben sich damals schon nicht verstanden – aber Sie sind wegen der Kinder zusammengeblieben, die Guten.« Aoife lächelte sarkastisch.

»Tut mir leid.«

»Na ja, egal.« Sie nahm einen tiefen Zug von ihrer Zigarette. »Verstehen Sie sich mit Ihrem Ehemann?«

»Ich bin nicht verheiratet.« Paddy stand auf und strich sich den Rock glatt.

Aoife zwinkerte. »Aber Sie *waren* verheiratet?«

Paddy schüttelte den Kopf und hielt nach ihrer Tasche Ausschau. Sie hatte bereits erwähnt, dass sie ein Kind hatte – also gab es kein Zurück mehr.

Wenn Männer erfuhren, dass sie alleinerziehende Mutter war, gaben sie sich meist verständnisvoll, oder aber sie hielten sie für eine Schlampe und betrachteten die Information als Einladung, es drauf ankommen zu lassen. Frauen dagegen hatten Mitleid. Paddy fürchtete sich davor, Aoife anzusehen. Sie mochte sie, aber sie wusste auch, woher sie kam. Sie wusste, wie sehr der Druck der Anstandsregeln auf irischen Familien lastete und wie über alleinerziehende Mütter hergezogen wurde.

»Wie alt ist Ihr Kind?« Aoifes winziges Gesicht blieb regungslos, aber ihre Mundwinkel zuckten leicht.

»Fünf. In ein paar Monaten wird er sechs.« Paddy nahm ihre Tasche vom Boden und wandte sich zum Gehen Richtung Tür. »Er heißt Pete.«

»Oh!«, rief Aoife aus, um ihren missbilligenden Blick wiedergutzumachen. »Das ist ein sehr schöner Name.«

»Nach einem alten Freund«, sagte Paddy, öffnete die Tür und zog sie hinter sich zu.

III

Die Redaktionsräume der *Daily News* lagen nicht weit vom Leichenschauhaus entfernt. Eine engagierte Journalistin wäre zu Fuß hingerannt, um ihren Exklusivartikel zu verfassen. Egal, was dahintersteckte, der Mord an Terry würde dicke fette, skandalträchtige Schlagzeilen bringen. Die Presse würde sich darauf stürzen, weil man es so aussehen lassen konnte, als nehme man sich edelmütig eines lebensgefährlichen Unterfangens an, und die schottische Öffentlichkeit würde die Nachrichten verfolgen, in der Erwartung, man stehe bereits an der Schwelle zum Bürgerkrieg. Sie könnte die Geschichte als anonyme Nachrichtenmeldung bringen, und den Gerüchten in ihrer Mittwochskolumne dann in Bausch und Bogen den Garaus machen und trotzdem würden sie sich hartnäckig halten.

Anstatt sich jedoch auf schnellstem Wege ins Büro zu begeben, kurvte Paddy wie betäubt umher, bog in Straßen ein, die sie von der Redaktion entfernten, umkreiste langsam das Stadtzentrum und fuhr schließlich auf den Fluss zu.

Das Licht über der Kellertür war grell und schmerzte in ihren Augen. Es war ein dunkler Stadtteil, ein enges Straßengewirr zwischen Lagerhäusern am Südufer des gemächlich dahinfließenden Flusses, in einer Gegend, die einst ein florierendes Handelszentrum am Hafen war. Darüber schwebte feuchte Kälte. Als Paddy aus dem Wagen stieg und über die Straße zur Tür ging, schlug ihr die nasskalte Luft ins Gesicht und sie fröstelte in ihrem dünnen Kleid.

Samstags war in der Suppenküche nie viel Betrieb. Alle, die dort arbeiteten, hatten eine andere Theorie, weshalb: An Wochenenden waren selbst die Obdachlosen irgendwo eingeladen, oder zu betrunken, um es bis in die Suppenküche zu schaffen. Außerdem verschenkten manche Imbisse nach Feierabend übrig gebliebenes Essen, und für diese Art Almosen musste man weder nüchtern bleiben noch beten.

Zwei Männer saßen in ihren Mänteln an einem Tisch in der Nähe der Tür, vor sich Krümel und leere Suppenschalen. Einer schlief, der andere blinzelte, verwirrt und unschuldig wie ein verlassenes Kind. Zwei weitere Männer saßen näher am Tresen und aßen. Einige waren ordentlich gekleidet, mit Anzügen oder sauber gebügelten Jeans. Im Talbot Centre musste wieder einmal saubere Kleidung verschenkt worden sein. Die Edelstahltheke glänzte im Licht der Neonleuchten. Außer Reichweite standen dahinter Tabletts voller Butterbrötchen, aus denen rotes Fruchtgelee tropfte. Neben einem Turm Suppenschüsseln stand ein riesiger Topf auf dem Tresen, ein Elektrokessel aus Plastik, der an eine Steckdose in der Wand angeschlossen war.

Schwester Tansy war alleine hinter der Theke, hatte den Mund in Falten gelegt wie ein zugezogener Matchbeutel, ihre Augen musterten alles, was sich in ihrem Blickfeld befand mit Verachtung. Schwester Tansy trug das lange weiße Gewand, das die Nonnen immer in der Küche trugen. Damit wirkte sie wie eine Mischung aus Schulkantinenköchin und Ärztin. Sie sah Paddy näher kommen, zog in stiller Entrüstung die Schultern hoch und tat, als fordere der linsenverkrustete Suppenkessel ihre ganze Aufmerksamkeit.

Als Paddy einmal behauptet hatte, Schwester Tansy sei nur noch einen einzigen trockenen Sherry davon entfernt, ein Massaker zu begehen, hatte Mary Ann laut losgelacht und sich die Hand vor den Mund gehalten.

»Hallo Schwester, ist Mary Ann da?«

»Nein«, fauchte Schwester Tansy und stocherte missmutig in dem Kessel herum, aus dem eine mehlig grüne Wolke aufstieg.

»Hm.« Paddy ließ sich nicht abwimmeln. »Ich muss sie sehen.«

»Äh, nun ja«, sagte die Schwester säuerlich, »ich denke, das ist wirklich nicht der Ort für …«

»Paddy.«

Mary Ann tauchte hinter Schwester Tansy auf und lächelte Paddy über deren Schulter hinweg zu. Sie trug den weißen Köchinnenkittel, die blonden Haare mit einem Haarnetz zurückgehalten, die Wangen rosig von der Küchenhitze.

»Hi.« Paddy starrte ihre Schwester an und allein ihr Anblick hatte eine beruhigende Wirkung auf sie.

»Alles okay?«

»Ja, prima.« Paddy bekam ein müdes Lächeln hin. »Wollte dich bloß sehen.«

Schwester Tansy trat zwischen sie und ließ ihr falsches Lachen hören.

»Äh, hä, hä, wir haben ziemlich viel zu tun, *eigentlich.*«

Paddy lehnte sich zur Seite, um Mary Ann noch einmal anzusehen. Sie grinste oder zwinkerte nicht und gab ihr auch sonst keinen Wink, trotzdem wusste Mary Ann genau, was Paddy dachte, und ihr Gesicht verzog sich zu einer angespannten Maske, bis sie beide Hände davorschlug und sich verzog, um auf dem Klo vor Lachen laut loszuprusten.

»Sie haben hier nichts zu suchen.« Schwester Tansy rührte schwungvoll in der Suppe. »Das wurde Ihnen bereits gesagt.«

»Schwester, die Polizei kam heute Abend zu mir, um mir mitzuteilen, dass eine mir nahestehende Person gestorben ist. Ich dachte erst, es sei Mary Ann, und hatte schreckliche Angst. Ich wollte sie nur kurz sehen.«

»Das ist kein Argument«, sagte sie, ihre Standardantwort auf Gnadengesuche. Schwester Tansy hätte dasselbe gesagt, wenn man ihr von Hiroshima erzählt hätte. »Sie können nicht einfach herkommen …«

»Es war mein Freund. Mein Ex. Kopfschuss. Er war nackt.« Das hatte sie aus reiner Gemeinheit gesagt und es fühlte sich gut an. Sie gab der Versuchung nach und setzte noch eins drauf. »Man glaubt, die IRA habe ihn ermordet.«

Schwester Tansy war sprachlos vor Entsetzen. Paddy wandte sich um und ging. Sie wusste, dass ihre Schwester diesen dreisten Auftritt würde ausbaden müssen.

Draußen dachte sie, wie gut sie es hatte, dass sie herkommen und ihre Schwester besuchen konnte. Wie Priester arbeiteten Nonnen nur selten in der Nähe ihrer Heimatgemeinde. Meist wurden sie weit entfernt von ihren Familien eingesetzt. Die Kirche behauptete, sie könnten sich so besser auf ihre Berufung konzentrieren, aber Paddy sah darin den Versuch, ihnen die eigene Persönlichkeit zu nehmen und bestehende Bindungen zu zerstören, damit ihre Loyalität ausschließlich der Kirche galt. Die Bräute Christi sollten keine Familie außer der Kirche haben, die ja auch gleichzeitig ihr Arbeitgeber war. Manager *und* Freund. Als Schauspielerin hätte man gegen solche Arbeitsverhältnisse vor Gericht ziehen und Klage erheben können.

Sie ging zum Wagen zurück. Ohne nachzudenken, fuhr sie auf die leere graue Autobahn und schlug den Weg zu der Stelle ein, an der man Terrys Leiche gefunden hatte.

Als sie die Ausfahrt zum Flughafen Glasgow erreicht hatte, fuhr sie ab.

Die Lobby war menschenleer, alle Check-in-Schalter geschlossen und unbesetzt. Ein blau uniformierter Sicherheitsbeamter zog lustlos an seiner Zigarette. Er nickte schuldbewusst, als Paddy durch die Automatiktür trat.

»Kurze Zigarettenpause«, erklärte er.

Paddy nahm die Entschuldigung mit einem Lächeln an.

Während sie zwischen Schokoriegeln und Chipstüten herumspazierte, wurde sie von einer nicht mehr ganz jungen verschlafenen Frau in einem seltsamen Umhang beobachtet, die mit schweren Lidern und vorwurfsvollem Blick an der Kasse des ansonsten leeren Zeitungsladens saß.

Obwohl Paddy Hunger hatte, war ihr nicht nach Essen zumute. Sie dachte an das Loch in Terry Hewitts Kopf, an die schwarze Spinne, die ihm über das Gesicht kroch, und ein zu hastiger Atemzug blieb ihr fast in der Kehle stecken. Sie starrte in das grellweiße Licht des Getränkekühlschranks, zwinkerte, um die Tränen zurückzuhalten, und fragte sich, was zum Teufel mit ihr los war. Sie hatte schon vorher Leichen identifiziert, entsetzliche Verletzungen, auch Gesichtsverletzungen, gesehen, und außerdem hatte sie Angst vor Terry gehabt. Sie sollte froh sein, dass er sie jetzt nicht mehr belästigen konnte. In dem Bewusstsein, beobachtet zu werden, nahm sie eine eiskalte Dose Irn-Bru aus dem Kühlschrank und trug sie zur Kasse.

Die Verkäuferin setzte eine erwartungsvolle Miene auf, als Paddy an ihr vorbei auf das Regal mit den Tabakwaren sah, ein Päckchen Embassy Regal verlangte, drei Pfund bezahlte und sich mit ihren Zigaretten und dem Softdrink entfernte. Das kalte Metall der Dose brannte in Paddys Hand.

Zurück auf dem Parkplatz verriegelte Paddy die Autotüren und blieb erst einmal sitzen. Sie umklammerte fest die Getränkedose und konzentrierte sich auf den frostigen Schmerz an ihren Fingerspitzen. Dann ließ sie den Wagen an, parkte aus und fuhr mit hundertsechzig Sachen auf die Autobahn.

IV

Ein schottischer Sommermorgen beginnt mitten in der Nacht. Kurz nach drei Uhr klart der grenzenlose Himmel auf und die Sonne lugt wie eine Straßendiebin hinter dem Horizont hervor.

Die Autobahn machte einen Bogen um einen Berg herum und plötzlich blickte Paddy über die weite Ebene der Clyde-Mündung. Die Ebbe hatte grauen, leicht geriffelten Sand zum Vorschein gebracht, dessen Quecksilberanteil in den ersten Sonnenstrahlen funkelte. Kleine Boote lagen zur Seite gekippt im weichen Uferschlamm. Zwei große Granithügel erhoben sich, massiv und rund wie Murmeln.

Die erste Stadt, die sie erreichte, war Port Glasgow. Eine Wohnsiedlung aus Beton kauerte dem Wasser zugewandt am Fuße einer Anhöhe, pandaäugige Fenster spähten aufs Meer hinaus. Auf der Küstenseite der Straße wurden verlassene Lagerhäuser von zitternden Büschen besiedelt, die zwischen den Mauersteinen hervorbarsten. Die Rezession der Achtzigerjahre hatte die Schiffsbauwerften der Gegend so schlimm getroffen, dass Instantkaffee zu einer Art Währung geworden war: In der Gegend hatte es kein Geld gegeben, das man hätte stehlen können, aber die Kaffeegläser, die im Laden problemlos zu klauen waren, besaßen einen exakt definierbaren Wert.

Paddy weinte. Sie wusste nicht weshalb, sie wollte es gar nicht, aber ihre Augen schmerzten und brannten, ihr Gesicht glühte, Tränen tropften ihr vom Kinn. Es wurde so schlimm, dass sie kaum noch etwas sehen konnte.

Sie bog auf einen leeren Parkplatz ein, schaltete die Scheinwerfer aus und blieb sitzen, starrte tränenblind hinter dem Lenkrad hervor, weinte immer noch, verwirrt und wütend auf sich selbst. Sie kurbelte das Fenster herunter und streckte den Kopf heraus, hoffte, die frische Meeresluft würde ihr die Traurigkeit aus dem Gesicht fegen. Von hinten schlich sich die Sonne an, goldgelb und höhnisch grell.

Eine fette Möwe zog knapp über das Autodach hinweg und landete neben dem Wagen. Mit fiesen Augen starrte sie Paddy von der Seite an, schnappte hungrig mit dem Schnabel. Sie war verdammt riesig. Paddy zog den Kopf wieder ein und kurbelte die Scheibe hoch. Draußen schnappte die Möwe noch einmal enttäuscht in die Luft, drehte sich um, breitete die langen Flügel aus und flog davon.

Sie sah auf den Beifahrersitz. Regal und Bru.

Paddy und Terry hatten, als sie jung und ein Paar waren, zum Frühstück Embassy Regal geraucht und Irn-Bru getrunken. Sie hatten auf Terrys schmutzigem orangefarbenem Bettzeug gesessen und ihre Dosen geschlürft, einander die Kippe gereicht und über die Leute in der Redaktion gelästert. Damals kam ihnen alles blöd vor. Die Redakteure und die älteren Journalisten waren Relikte aus der Steinzeit und die Bibliothekarin Helen war eine statusbesessene Idiotin. Sie sonnten sich in ihrem Glauben an die eigene Unfehlbarkeit und Bedeutung. Genau genommen hatte Paddy nie daran geglaubt, aber sie hatte sich ein bisschen was von

Terrys grenzenlosem Selbstvertrauen geborgt. Damals sah er gut aus, war kräftig, aber nicht dick, hatte dunkle Augen. Wenn er saß, hielt er die Knie zusammen und spielte nachdenklich an einem Ohr.

Sie fing wieder an zu weinen. Wie jung er damals war, und ihr war gar nicht aufgefallen, wie einsam er gewesen sein musste, als er in dem billigen Zimmer gelebt und sich das Badezimmer mit Nachbarn geteilt hatte, die er gar nicht kannte. Sie selbst hatte immer ihre Familie gehabt, war in deren Geschichte und Bedürfnissen gefangen. Terry war ihr immer wunderbar frei vorgekommen – nicht allein, nicht verlassen. Sie dachte daran, wie einsam er gewesen sein musste, um sie als nächste Angehörige einzutragen, obwohl sie nicht einmal mehr seine Anrufe erwiderte.

Der Zigarettenanzünder glühte rot und als sie sich eine Kippe daran anzündete, spürte sie seine Wärme an der Nasenspitze. Das Nikotin prickelte ihr bis in die Zehen, und sie blies den Rauch aus. Flach und kreisförmig waberte er über die Windschutzscheibe.

Sie zwinkerte und sah wieder Terrys Kopf vor sich, seine Haare, seine schönen schwarzen Haare.

Neulich bei Babbity's im Gedränge an der Bar hätte sie mit ihm sprechen sollen. Sie hätte nicht davonlaufen dürfen, aus Angst, er würde ihr eine Szene machen. Sie hätte zu ihm hingehen und sich dafür entschuldigen müssen, dass sie ihn in Fort William hatte sitzenlassen, hätte ihm die Arme um die schönen Schultern legen und ihn küssen sollen, seine Lider, seinen Mund und ihm sagen sollen, dass er geliebt wurde, dass sie ihn liebte. Sie liebte ihn. Jemand liebte ihn.

Zwei Zentimeter graue Asche fielen ihr in den Schoß

und brachen auseinander. Sie wischte sie mit einer hastigen Bewegung weg.

Die Möwe war wieder da und betrachtete den Wagen, als würde sie sich überlegen, ihn zu attackieren.

»Verpiss dich«, murmelte Paddy und fuhr sich über das nasse Gesicht.

Die Möwe blieb sitzen, also hupte Paddy zweimal, was den Vogel zwar kurz aufschrecken ließ, aber auch seine Neugier weckte. Er landete wieder und betrachtete sie mit zuckendem Kopf.

Etwas an der Gegend ließ sie an *Shadow of Death* denken, das Buch, das sie über einen Justizirrtum der Sechzigerjahre geschrieben hatte. Der Fall hatte sie ihr Leben lang verfolgt, schon weil der Täter genauso hieß wie sie. Sie war Journalistin geworden, weil der Mann, der die Kampagne zu seiner Befreiung leitete, ebenfalls zur schreibenden Zunft zählte, und schließlich hatte sie sogar den Mann selbst kennengelernt, dessen Geschichte sie in der Presse verfolgt hatte. Patrick Meehan war als Mörder verurteilt worden und sehr verbittert. Er behauptete, die Geheimdienste hätten ihm den brutalen Mord an einer Rentnerin angehängt, um sich dafür zu rächen, dass er unter dem Eisernen Vorhang hindurchgeschlüpft war und dem Feind geheime Informationen über britische Gefängnisse, in denen Spione untergebracht waren, verkauft hatte. Doch es gab keine Belege für eine Verschwörung in größerem Stil, und sie verstand genug von ihrem Fach, um es in ihrem Buch bei Anspielungen zu belassen. Etwas an Greenock erinnerte sie an Meehan, aber sie kam nicht drauf, was es war. Irgendwie musste sie wegen der Meeresluft an ihn denken, wegen der schreienden Möwen, dem Zigarettenrauch im Wagen bei geschlossenen Fenstern. Sie sah seine gerötete Haut vor sich, das gelbliche Weiß in seinen Augen und seine abwehrenden runden Schultern. Sie war nie mit Meehan an der Küste gewesen; ihre Interviews hatten sie allesamt im Pub geführt und einmal auch in einem Restaurant, trotzdem erinnerte sie irgendetwas an dieser Gegend an ihn. Sie sah landeinwärts und entdeckte es: Es war das Schild, das nach Stranraer wies.

Sie setzte sich auf. Stranraer.

Meehan hatte kein Alibi für die Nacht gehabt, in der Rachel Ross ermordet worden war. Er hatte am Innenausbau des Finanzamtsgebäudes von Stranraer gearbeitet, dem Ort, von dem die Fähren nach Irland ablegten. Jeder IRA-Mann in Schottland kannte diese Straße mit den vielen Abzweigungen bestens und wusste, wo Verkehr herrschte und wo es ruhig war. Genau hier würde man eine Leiche ablegen.

Die Möglichkeit erstaunte sie. Die Unruhen in Nordirland hatten so viele Menschen hierher ins Exil verschlagen, hauptsächlich Loyalisten, aber unter den Iren in Schottland gab es auch einige IRA-Sympathisanten. Gerüchten zufolge wurden Waffen über Glasgow verschifft. Wenn Terry wirklich von der IRA getötet worden war, dann hatte sich der Konflikt bis hierher ausgebreitet, Schottland wäre nicht mehr neutral und es würde ein Blutbad geben. Und wenn überhaupt ein Journalist von dieser Entwicklung Wind bekommen hatte, dann Terry Hewitt.

Ein schmales Bett Anfang der Achtzigerjahre, schmutzige orangefarbene Bettwäsche und ein Blutfleck in ihrer Unterhose, Terrys ungeübte Hände wanderten über ihren

Körper, ihre enge Öffnung, sie atmete schwer, wartete, bis es vorbei war.

Als er nach Südamerika abreiste, half sie ihm seine Taschen zum Zug nach London zu bringen, lächelte und winkte vom Bahnsteig aus, weinte die gesamte Fahrt über im Bus nach Hause. Er ließ sie zurück, damit sie sich um ihre Mutter und ihren Vater kümmerte, sich langsam bei der *Daily News* hocharbeitete, die Nachtschicht im Reporterwagen übernahm, dann die Frauen- oder Kummerkastenseite, und sich gleichzeitig mit ihrem Buch über Patrick Meehan abquälte. Wenn sie in der feuchten Garage ihrer Eltern saß und so tat, als würde sie arbeiten, las sie heimlich Terrys Artikel über Angola und Mittelamerika. Sie sah ihn vor sich, wie er durch den Dschungel robbte, in tropischen Hotels unter langsam rotierenden Ventilatoren schwitzte und afrikanischen Diktatoren begegnete. Als *Shadow of Death* endlich erschien, brachte sie Terrys Adresse über seine Nachrichtenagentur in Erfahrung und schickte ihm eine Einladung zur Buchpräsentation. Er reagierte nicht.

In ihrer Erinnerung war er schlank, braun gebrannt und groß gewesen, der Inbegriff eines ehrenwerten Wahrheitssuchenden – bis er zurückkam.

Sie kurbelte das Fenster herunter und warf den abgebrannten Zigarettenstummel auf den Asphalt, nicht unbedingt in der Absicht, die tyrannische Möwe zu ärgern, trotzdem beobachtete sie schadenfroh, wie diese den öligen Stummel aufpickte und gleich wieder fallen ließ.

»Blödes Mistvieh.« Sie zündete sich eine weitere Zigarette an und beobachtete die Möwe, die bestimmt schon ihren nächsten Schachzug ausheckte. »Fettes, gieriges Mistvieh. Blöder Pissvogel.«

Die Dose mit dem Softdrink war immer noch kalt.

Als er wiederkam, trank Terry kein Irn-Bru mehr. Er meinte, er habe es im Ausland nicht bekommen und den Geschmack daran verloren. Cola sei ihm jetzt lieber. Und er lachte, als sie ihn zu einem Tunnock's Tea Cake in der Kantine einlud.

»Die hatte ich aber größer in Erinnerung«, meinte er spitz.

Das war unnötig. Gemein von ihm. Sie verstand nicht, was daran witzig sein sollte. Sie hätte sich auf keinen Fall noch einmal mit ihm einlassen sollen.

Sie nickte der Möwe zu. »Ich hätte nicht mit nach Fort William fahren sollen«, erklärte sie ihr. Zwinkernd erwiderte der fette Vogel ihren Blick.

4

Die Daily News

I

Es war fünf Uhr morgens, aber Paddy konnte schon vom Parkplatz aus sehen, dass sich die *Daily News* für den Tag bereitmachte. In dem langgestreckten Bürogebäude mit der schwarzen Glas- und Chromfassade war unten auch eine Druckerei untergebracht, die man durch eine Glaswand einsehen konnte. Ein Strom von Zeitungen floss über ein Band, die Tinte trocknete, das maschinengewehrfeuerartige Klappern der Druckermaschinen hallte durch den stillen Morgen. Lasterfahrer versammelten sich an der Ladebucht und warteten auf die Zeitungsbündel. Oben im zweiten Stock waren im rechten Teil des Redaktionsraums die Lichter noch ausgeschaltet. Der Dösbereich. Als sie noch Nachtschichten geschoben hatte, war immer eine Hälfte des großen Raums für diejenigen dunkel geblieben, die schlafen wollten. Inzwischen war die Belegschaft so sehr geschrumpft, dass sowieso nur noch der halbe Raum genutzt wurde.

Die ständig sinkenden Verkaufszahlen der *Daily News* hatten einen ungeheuren Verschleiß an leitenden Redakteuren zur Folge, von denen jeder einzelne seinen Job mit dem Versprechen antrat, eine globale Entwicklung rückgängig zu machen und den Inhabern zu mehr Profit zu verhelfen. Die einfachste Art, Kosten einzusparen, bestand darin, die Löhne zu senken. Paddy war ein Jahr lang ausgestiegen. Als man sie vom *Herald* wieder abwarb und sie zur *Daily News* zurückkehrte, fehlte ein Drittel der Belegschaft. Fairerweise muss man dazu sagen, dass die Zahl der Mitarbeiter in den Sechziger und Siebzigerjahren ungeheuer großzügig bemessen war. Damals durfte ein Fahrer keinen Transporter beladen und ein Journalist keinen Papierkorb leeren. Sogar Aushilfsjobs wurden so gut bezahlt, dass Väter sie stolz ihren Söhnen übertrugen.

Zu der Zeit, als Paddy dort einstieg und Mädchen für alles wurde, galt es noch als hohe Kunst, sich Redakteuren zu widersetzen und um Aufgaben herumzudrücken. Jetzt hielten alle die Köpfe gesenkt, weil sie wussten, dass sie aus purem Glück von den Entlassungen des jeweils neuen Chefredakteurs verschont geblieben waren. Sie freuten sich, auf einem schrumpfenden Markt überhaupt noch Arbeit zu haben.

Paddy betrachtete prüfend ihr Bild im Rückspiegel und sah ein vom Weinen verquollenes Gesicht. Sie würde sich mit Müdigkeit herausreden.

»Man hat mich aus dem Schlaf gerissen«, sagte sie sich. »Ich hab fest gepennt und bin gerade erst aufgewacht.«

Sie zitterte, war noch zu verletzlich, um die Redaktionsräume zu betreten, ohne ihr professionelles Pokerface aufzusetzen, ohne sich zu wappnen. Früher war sie so unbedeutend gewesen, dass es niemandem aufgefallen wäre, wenn sie sich über ihrem Schreibtisch erhängt hätte, aber das war lange her. Jetzt hatte sie einen Namen, bezog ein dickes Gehalt und zu allem Überfluss war sie auch noch eine Frau.

Ihre Kolumne hatte als Bestandteil der Kummerkasten-seite im *Herald* begonnen und war ihr von einem freund-lich gesonnenen Redakteur zugeschanzt worden, als ihr Sohn Pete mit einer beidseitigen Lungenentzündung im Krankenhaus gelegen hatte. Damals hatte sie sich darüber gefreut. Eine Kolumne bedeutete, dass sie das Krankenhaus nicht verlassen musste und den Text vom Münzfernspre-cher in der Lobby aus durchgeben konnte. Die Ansichten, die sie darin äußerte, entsprachen genau dem, was man von einer Mutter erwarten durfte, die Tag für Tag zusah, wie ihr Sohn nach Luft rang. Die Texte waren wütend, im-pulsiv und schonungslos. Sie war bald so umstritten, dass sie die gesamte Seite fünf und eine Erwähnung auf der Ti-telseite bekam. Außerdem wurde ihr Autorenname schon in der Unterüberschrift genannt. Die *Daily News* kaufte Paddy schließlich zurück, in der Hoffnung, ihre Leser wür-den ihr folgen.

Die Kolumne las sich so, wie Paddy klang, wenn sie schlecht gelaunt vor sich hin schimpfte. Sie hatte einen Schauspieler in die Pfanne gehauen, weil er bei einer Ver-anstaltung zugunsten irgendeines guten Zwecks eine Rede in aufrichtig bester Absicht gehalten, aber von der Sache absolut keine Ahnung gehabt hatte. Ein anderes Mal hatte sie über die Freizeitkleidung von Fußballspielern und de-ren Geschmacksverfehlungen (»Dreckschweine in kurzen Hosen«) geschrieben. Manchmal waren ihr die eigenen Texte peinlich, als hätte sie einen Kater von ihrer eigenen Übellaunigkeit bekommen, aber sie erhielt auch großen Beifall dafür. Sie hatte ihr Talent entdeckt, die richtigen Worte für das zu finden, was die Nation erregte. Eine exor-bitante Gehaltserhöhung und die Möglichkeiten, die ihr eröffnet wurden, linderten ihr Gefühl der Beschämung. Sie wurde zunächst auf lokaler Ebene, dann aber auch landesweit zu Radio- und Fernsehauftritten eingeladen. Sie gab ein dreimonatiges Gastspiel bei einer Fernsehsendung, die jeweils sonntagsmorgens ausgestrahlt wurde, und da sie im Licht der Scheinwerfer noch rabiater wirkte, stellten sich die Leute sogar den Wecker, um nur ja die Sendung nicht zu verpassen.

Sie hatte die Kolumne »Land of Sophistry and Mist« genannt, nach einer Zeile von Byron über die Schotten. Der damalige Redakteur vom *Herald* (aus Bristol – er hielt sich fünf Monate) fand den Titel zu aufgesetzt und bildungshubernd und kürzte ihn, ohne dies mit ihr abzusprechen, auf »Land of Mist« herunter. »Giving it Misty« war, was nur wenige wussten, ein Ausdruck für dumpfes Auf-die-Pauke-Hauen.

In der Anfangsphase hatte sie die Angst um ihren Sohn inspiriert, aber schon bald ging es Pete besser. Er neigte zu Bronchialinfekten, aber nicht schlimmer als andere Kinder. Obwohl sie nun beruhigt und zufrieden war, zog sie einmal wöchentlich über irgendein Thema her. Das Niveau sank ständig und sie fing an, Ideen zu klauen: Sie pickte sich wütende Menschen heraus und quetschte sie aus. Sie brach sogar in der Press Bar Streitereien vom Zaun, nur um unterschiedliche Standpunkte zu irgendeiner beliebigen Sache zu hören.

Sie hatte Erfolg und wusste, dass die Kollegen über sie redeten. Sie stellten wenig vorteilhafte Spekulationen über ihr Sexualverhalten, ihr Einkommen und ihr Familienleben an.

So hoch gelobt ihre übellaunigen Tiraden auch waren,

sie fürchtete, eines Morgens aufzuwachen und feststellen zu müssen, dass sie sich in Misty verwandelt hatte, dass sie sich ihr öffentliches Image zu eigen gemacht und angefangen hatte, tatsächlich so zu denken. Sie hatte Kolumnisten erlebt, denen das passiert war.

Sie drehte sich zu dem Gebäude um. Terry Hewitt hatte einmal, vor gefühlten hundert Jahren, vor der Tür gestanden und auf sie gewartet, hatte den linken Fuß an der Wand hinter sich abgestützt. Mit einem freundlichen Lächeln im Gesicht hatte er hochgesehen, als sie auf ihn zukam. Er hatte eine Lederjacke getragen, das hatte sie beeindruckt.

Sie war mitten in der Nacht aus Fort William verschwunden, war mit hundertzwanzig über die Landstraßen gerast, nur um von ihm wegzukommen. In seinen Artikeln war nachzulesen, dass er erlebt hatte, was Korruption und Brutalität mit Menschen machen, dass er gesehen hatte, wie Frauen vergewaltigt und ermordet, Kinder verstümmelt und ganze Dörfer in Brand gesetzt worden waren. Sie erinnerte sich an seinen Artikel über einen fünfzehnjährigen Angolaner, der vor seinen Augen mit einem Kopfschuss getötet worden war. Sie war so naiv gewesen zu glauben, er sei unverändert daraus hervorgegangen. Lächerlich.

Es wollte ihr nicht gelingen, ihr professionelles Pokerface aufzusetzen. Sie würde trotzdem hineingehen müssen, sonst verpasste sie den Redaktionsschluss für die Spätausgabe. Sie holte tief Luft, griff nach dem Türöffner und setzte einen Fuß auf den holprigen Betonboden des Parkplatzes, stieg aus und schloss den Wagen hinter sich ab. An der Ladebucht standen Lieferwagenfahrer herum, sahen auf, als sie sich näherte. Die Männer unterbrachen ihr Gespräch und beobachteten Paddy auf dem Weg zum Personaleingang, ihre Köpfe drehten sich, bewegten sich gleichzeitig und aufeinander abgestimmt, wie die Glieder eines neugierigen Tieres. Sie hätte ihnen Hallo sagen können, aber sie brachte es nicht fertig. Sie schob die Tür des Personaleingangs auf und trat von der Straße in den eiskalten, steinernen Eingangsbereich. Kaum war die Tür zugefallen, würde einer von ihnen etwas Abfälliges sagen, eine Bemerkung über ihren breiten Hintern oder darüber machen, wen sie wohl in letzter Zeit vernascht hatte.

Sie knallte die Tür zu, zog sie aber noch einmal auf, beugte sich hinaus auf die Straße und funkelte die Männer drohend an. Einer von ihnen erstarrte mit offenem Mund, er hatte schon Luft geholt, um eine abfällige Bemerkung vom Stapel zu lassen.

»Über wen redet ihr blöden Wichser?«, fragte sie betont langsam.

Sie fühlten sich ertappt und lachten.

Noch bevor die Männer antworten konnten, wich Paddy in das Gebäude zurück und stieg schwerfällig die Treppe hoch, hielt erst an der Tür zu den Redaktionsräumen inne. Sie zupfte ihr Kleid zurecht und runzelte die Stirn. Emotionale Aufgewühltheit ließ sich meist mit einem mürrischen Gesichtsausdruck überspielen. Diese Erfahrung hatte sie in der Vergangenheit häufig gemacht, besonders nachdem ihr Vater gestorben war, und die Trauer sie häufig einfach überfallen hatte.

Sie blickte finster, drückte die Tür auf und spazierte hoch erhobenen Hauptes hinein.

Die Mitarbeiter von der Nachtschicht setzten sich wie ein Roboter nach einem Stromausfall in Bewegung. Als sie sahen, dass nur sie es war, fuhren sie die Geschwindigkeit gleich wieder herunter. Das fahle Licht der Computerbildschirme flimmerte durch den düsteren Raum, fiel auf die Gesichter derjenigen, die an ihren Schreibtischen saßen.

Merki Ferris stand in der Nähe der Tür und wirkte wie immer verschlagen und paranoid. Er war zum Nachtdienst verdonnert worden, weil er Bunty, den aktuellen Chefredakteur, verärgert hatte. Merki war ein gemeiner Gauner, hinterlistig, aber hirnlos. Er schaffte es zwar meist, hereingebeten zu werden, wusste dann aber nicht, welche Fragen er stellen sollte. Er war kein attraktiver Mann und in dem trüben Licht ließ sich schwer sagen, ob er lächelte oder Grimassen schnitt.

»Was machst du denn hier?«, fragte er, weil er es nun mal gewohnt war, Fragen zu stellen.

»Alles klar, Merki?« Sie eilte an ihm vorbei.

Die Anordnung der Schreibtische im Raum war verändert worden, um die Lücken zu schließen. Früher hatte das Geräusch von Schreibmaschinen und Geschrei den Raum erfüllt, und die Tische hatten so gestanden, wie es den Anforderungen entsprach. Man hatte sich zwischen ihnen hindurchschlängeln müssen. Die abgespeckten Nachrichten-, Sport- und Themenressorts befanden sich nun in größerer Entfernung zueinander, bildeten runde Tischinseln mit flachen elektrischen Schreibmaschinen und schmutzig weißen Plastikcomputern, die leichenblasses grünes Licht in den Raum abstrahlten. Die Redakteure hatten nun ihre eigene Insel, abseits der Reporter.

Paddy durchquerte den Raum und ging zu einem der für die leitenden Redakteure abgetrennten Büros. Vor der Tür ging sie leicht in die Knie, um durch die Ritzen der weißen Jalousie in den Raum zu spähen. Larry Grey-Lips,

Leiter der Nachtschicht und Obergriesgram, saß an seinem Tisch. Ohne zu klopfen, öffnete sie die Tür. Larry erstarrte mit einem Sandwich vor dem Mund und überlegte krampfhaft, ob Paddy Meehan genug Einfluss besaß, um ihm einen Strick daraus zu drehen. Er ließ die Hand sinken und wirkte besorgt.

»Was gibt's?«

Sie nahm einen der Dienstpläne von seinem Schreibtisch und tat, als würde sie ihn studieren. Larry legte sein Sandwich ab und lehnte sich auf seinem Stuhl zurück, schaukelte vorsichtig auf zwei Beinen und starrte sie mit dem leeren, leicht verächtlichen Gesichtsausdruck an, den er gewohnheitsmäßig zur Schau trug. »Ist dir eine Laus über die Leber gelaufen?«

»Nein.« Sie legte den Plan weg. »Ich habe einen Aufmacher.«

»Du machst Witze, verdammt.« Er ließ den Stuhl wieder auf alle vier Beine kippen. »Verfluchte Scheiße, hier ist gleich Feierabend. Hättest du damit nicht vor einer Stunde kommen können?«

Sie zuckte mit den Schultern, ließ ihren Blick über den Schreibtisch wandern. »Ist nun mal so.«

»Spuck's aus, Mädchen.«

»Ähm …« Sie zögerte und fingerte an den Papieren auf seinem Schreibtisch herum. »Terry Hewitt.«

»Was ist mit Terry?«

»Er ist tot. Ermordet.«

Larry sagte nichts und rührte sich nicht. Verstohlen blickte sie ihn an. Er starrte düster auf die Tischplatte und blinzelte kurz. Als er sah, dass sie ihn beobachtete, fing er an zu husten.

»Na ja.« Seine Stimme war nun leiser. »Verfluchte Scheiße.«

Paddy nickte Richtung Schreibtisch und biss sich auf die Lippe. »Ich weiß.«

»Nein, ich mein's ernst.« Larry sah sie an. »Verfluchte Scheiße.«

Beide lächelten die Papiere auf Larrys Schreibtisch müde an, dankbar für den Aufschub. Plötzlich verkrampfte sich Paddys Kinnmuskulatur, dann holte sie tief Luft. »Also, seine Leiche wurde in einem Straßengraben gefunden. Es heißt …«, sie beugte sich herunter und flüsterte, »die IRA steckt dahinter.«

Larry riss die Augen auf. In neun Jahren bei der Zeitung hatte sie ihn nie so gesehen. »Willst du mich verarschen? *Hier?*«

»Ich weiß …«

»Die Provos ermorden Leute in Schottland?«

»Na ja, mindestens einen. ›Alle Kennzeichen eines IRA-Mordes‹, hat mein Informant von der Strathclyde Police Force gesagt. Die Leiche wurde draußen in der Nähe von Greenock gefunden.« Er schien nicht zu begreifen, was das bedeutete und weshalb sie es ihm erklärte. »Abseits der Straße nach Stranraer, von wo aus die Fähren nach Belfast ablegen.«

»Kam Terry vom Schiff? War er in Irland gewesen?«

»Keine Ahnung. Er wurde splitterfasernackt im Graben gefunden, durch einen einzigen Kopfschuss getötet.«

»Meine Güte, das ist ein Riesending.« Larry wandte sich dem Computerbildschirm zu, um nachzusehen, wer gerade Dienst hatte. »Merki …«

»Nein.« Paddy schlug entschlossen mit der flachen

Hand auf den Tisch. »Ich schreib's selbst. Nicht namentlich gekennzeichnet, aber ich mach's.« Merki war ein routinierter Schreiber und er würde wissen wollen, wie Paddy auf die Sache mit Terry gestoßen war. Wenn er Wind davon bekam, dass sie persönlich damit zu tun hatte, würde er es Larry erzählen, und der würde sie dazu verdonnern, eine rührselige Geschichte aus eigener Erfahrung über die Identifizierung der Leiche im Leichenschauhaus zu schreiben. So was wollten sie immer, ganz besonders aus Frauensicht.

Larry lehnte sich auf seinem Stuhl zurück, kratzte Sandwichreste aus einem Backenzahn und beäugte sie argwöhnisch. Es hatte Zeiten gegeben, in denen niemand freiwillig einen Text ohne Angabe des Autorennamens geschrieben hätte. Selbst heutzutage war es noch üblich, sich bitten zu lassen.

»Was hast du gegen Merki?«

»Nichts, aber ich kenne Terry. Kannte Terry. In der Zeit, die ich brauche, um Merki ins Bild zu setzen, kann ich den Artikel auch selbst schreiben.«

Larry zögerte.

»Okay. Hol Merki. Oder noch besser: Schreib's selbst. Kriegst du das in fünf Minuten hin? In zehn gehen wir in Satz.«

»Kein Problem. Wann hast du ihn zum letzten Mal gesehen?«

»Freitag«, meinte Larry. »Im Babbity's, da war er was trinken. Er hatte einen Buchvertrag abgeschlossen und mit dem Scheck angegeben. Zweihundert Pfund.«

»Das ist nicht viel, oder? Ich hab ja sogar für *Shadow of Death* mehr bekommen, und das hat auch keiner gekauft.«

»Sollte ein Bildband werden, wenig Text, aber teuer in der Herstellung.«

»Was für ein Bildband?«

»Fotos von Menschen. Amerikanern. Sollte bei Scotia Press erscheinen«, erklärte Larry. »Wer hat das nur getan?« Er sah sich verstört auf seinem Schreibtisch um. »Ist es ganz bestimmt *unser* Terry? Sind die sicher? Kann es sich nicht um einen Irrtum handeln?«

Eine Sekunde lang sahen sie sich gegenseitig in die Augen. Es war ein Moment der Traurigkeit und des Schocks über den Verlust. Beide hatten sie Terry Hewitt über zehn Jahre lang gekannt, seit seine Eltern bei einem Autounfall gestorben waren, hatten ihn als vielversprechendes Nachwuchstalent geschätzt, während seiner Auslandsreisen an ihn gedacht und sich mit ihm über seine Erfolge gefreut. Vor noch nicht allzu langer Zeit hatten sie ihn dann noch einmal ganz anders kennengelernt, als er aufgedunsen und verzweifelt Arbeit gesucht hatte und sie ihm wiederbegegnet waren. Paddy kaute auf ihrer Wange herum, biss fest auf ein Knötchen verhärteter Haut in ihrem Mundwinkel. Sie schmeckte Blut.

»Larry«, fuhr sie ihn an, »bitte … sieh mich nicht so an. Ich muss mich zusammenreißen, bis ich hier rauskomme.«

Larry nickte traurig und Paddy wandte sich zur Tür.

»Du bist fett und keiner kann dich leiden«, rief ihr Larry nach, um sie aufzuheitern.

»Danke, Larry.«

II

Paddy war vor Schlafmangel schon ganz zittrig. Als sie die Wagentür öffnete, merkte sie, dass ihre Hände flatterten. Die Sackgasse war frei von Autos, das Nachbarhaus verbarrikadiert. Dichtes Sommergras wucherte in den Gärten, das Unkraut spross üppig aus den Ritzen im Bürgersteig. Das Haus neben dem der Meehans stand leer, seit Mr. Beattie in ein Pflegeheim gezogen war. Das Dach hing durch, sah aus, als wollte es einstürzen. Sie war in Eastfield Star aufgewachsen, einer kleinen sozialen Wohnbausiedlung, die auf dem Brachland zwischen Cambuslang und Rutherglen für Bergarbeiter gebaut worden war. Die Häuser waren klein und flach, teilweise in mehrere Wohnungen unterteilt, manche aber wurden auch nur von einer großen Familie wie der ihren bewohnt.

Die Straßen gingen von einem zentral gelegenen Kreisverkehr ab und führten durch eine früher freundliche Gegend, in der anständige Familien lebten. Eigentlich hätte das immer noch so sein können. Die Häuser waren ein bisschen feucht und die Fenster klein, aber die Grundsubstanz gut. Als die älteren Anwohner starben, wurden sie jedoch durch weniger angenehme Bewohner ersetzt, die Schrott und Müll in ihren Gärten abluden und sich auf der Straße laut anbrüllten. Angeblich wohnte ein Drogendealer in einem der Häuser zur Hauptstraße hin, aber Paddy vermutete, dass es sich lediglich um junge Leute handelte, die gerne feierten. Wenn sie mehr Geld hätte, würde sie ihrer Mutter sofort einen Umzug ermöglichen.

Sie hob den rostigen Drahtbügel, der die Gartenpforte

am Haus ihrer Mutter verschloss, und trat auf den schmalen Eingangspfad. Die Garage, in der sie früher gesessen und an den weitgereisten Terry gedacht hatte, lag zu ihrer Linken, feuchte grüne Flechten wucherten über die schmalen hohen Fenster. Sie überlegte kurz, ob sie einen Augenblick hineingehen und einen Blick auf die feuchten Kisten und den Stuhl werfen sollte, auf dem sie gesessen und geschrieben hatte, aber sie wusste, sie würde anfangen zu weinen und vielleicht nicht mehr aufhören. Das war die Müdigkeit. Und der Schock. Einen alten Freund tot zu sehen, war einfach ein Schock. Egal, wer es war, es war immer ein Schock, einen Menschen mit einem Loch im Kopf zu sehen.

Sie steckte den Schlüssel ins Schloss und öffnete so leise wie möglich die Tür.

Im Haus ihrer Mutter roch es ständig nach Feuchtigkeit und Frischgebackenem, ein Duft, der für sie Sicherheit und Stabilität bedeutete. Der Geruch des Hauses hatte sich seit dem Tod ihres Vaters kein bisschen verändert. Als hätte er selbst zu Lebzeiten überhaupt keine Gerüche abgegeben.

Sie tauchte ihren Finger in das Weihwasserbecken an der Eingangstür und bekreuzigte sich. Ihre Mutter sah es gern, wenn sie das tat. Obwohl sie mehr als deutlich gemacht hatte, dass sie nicht in die Kirche gehen würde, und auch Pete nicht taufen lassen wollte, betrachtete ihre Mutter das Weihwasserritual als Anzeichen dafür, dass sie eines Tages in den Schoß der Kirche zurückkehren, einem alten Arsch von einem Priester ihre Sünden beichten und akzeptieren würde, dass sie ein schlimmes Mädchen war, über das das Jesuskind bittere Tränen vergoss. Paddy ließ ihre Mutter gerne in dem Glauben. Dass sie sich weigerte, das Abendmahl zu besuchen, und ein außereheliches Kind geboren hatte, war für ihre Mutter bereits schwer genug zu verkraften.

Paddys Post lag auf dem Fensterbrett für sie bereit. Sie blätterte sie schnell durch: Angebote für Kreditkarten, Werbung, einige Spendenaufrufe und ein unscheinbarer weißer Briefumschlag mit Kaffeeflecken an der oberen Ecke, auf dem ihr Name und ihre Adresse stand. Sie schob den Finger unter die Lasche und riss ihn auf.

Ein einzelnes Blatt cremefarbenes Papier lag darin, auf dem handschriftlich geschrieben stand:

> Biete 50 000 für Callum O. exklusiv.
> Rufen Sie mich an,
> Johnny Mac

Sie strich mit der Fingerspitze über die Zahl und zerknüllte den Zettel anschließend in ihrer Faust, presste ihn fest zusammen, als könnte sie damit die Worte auswringen, stopfte ihn in die Tasche und stieg die Treppe hoch. Sie würde versuchen, vor der Messe noch ein paar Stunden Schlaf zu bekommen.

Oben am Treppenabsatz blieb sie stehen und horchte. Noch war niemand aufgestanden. Allein in der Stille des Morgens spürte sie die Atmenden hinter den Türen mehr, als dass sie sie hörte. Vor ihr lag das alte Schlafzimmer ihrer Eltern. Sie hörte Trishas leises nasales Pfeifen. Zu ihrer Linken befand sich ihr altes Zimmer. BC und Pete teilten es sich jetzt jeden Samstag, übernahmen die Betten, die sie und Mary Ann zurückgelassen hatten. Paddy legte die Hand auf den verkratzten eierförmigen Türgriff aus Holz und drehte ihn leise, öffnete die Tür gerade weit genug, so dass sie den Kopf durch den Spalt schieben und hineinsehen konnte.

Pete lag zusammengerollt da, die mit einem weißen Laken überschlagene braune Decke schmiegte sich an die Umrisse seines kleinen Körpers, er war so still, dass sie seinen Brustkorb beobachten musste, um ihn atmen zu sehen.

Sie entspannte sich, lehnte die Wange an die Türkante und schloss die Lider halb über ihren brennenden Augen.

Sie vergaß Terry, Aoife und den Brief von John Mac. Sie vergaß ihren Job, Burns und Callum Ogilvy. Sie vergaß alles auf der Welt, außer der wesentlichen und wunderbaren Tatsache, dass es ihren Sohn gab: dass er sicher und in ihrer Nähe ein- und ausatmete.

5

Callum

Ein leises Klopfen an der Tür, zweimal, dann ging der Schließer zur nächsten Zelle, seine Knöchel hämmerten dieselbe Aufforderung gegen den Stahl, dann folgten Schritte, anschließend wieder sein zweifacher Aufruf.

Das war sein Signal. Es war Haversham.

Callum setzte sich kerzengerade in seinem Bett auf, Schweiß kribbelte auf seinen Schläfen. Haversham arbeitete nicht oft in dem Trakt mit den Einzelzellen, aber wenn, dann immer mit seinem charakteristischen Klopfen, das sie wissen ließ, dass er es war. Er musste nicht fester an die Tür hämmern oder Beschimpfungen durch die Kostklappe flüstern. Er musste nur zweimal sachte klopfen, damit sie die Botschaft verstanden. *Ich bin hier,* bedeutete es, *ich kann euch sehen.*

Haversham hatte Dienst gehabt, als sich ein Gefangener in Einzelhaft die Pulsadern aufgeschlitzt hatte und verblutet war. Gerüchten zufolge hatte er ihn durch den Spion beim Sterben beobachtet und erst Alarm geschlagen, als es bereits zu spät war.

Die Schritte kamen wieder den Gang zurück und auf Callum zu. Er klopfte an die übernächste Tür. Wenn Callum entlassen würde, käme er in eine Welt voller Havershams. *Die kriegen dich. Die Zeitungen verraten ihnen, wo du bist. Sie werden dich in Stücke reißen und niemand wird es ihnen übelnehmen.*

Man kann nicht mehrere Gedanken gleichzeitig denken.

Callum starrte in das dunstige Licht des frühen Morgens und las noch einmal die an die Wand geschmierten Worte. *Harry, ich fick dich. JS+B. John Harrison ist ein Spizel,* das fehlende »*t*« schwebte über dem letzten Wort, war vor Wut tiefer eingekratzt als die restlichen Buchstaben. Abgesehen davon waren die Buchstaben sehr sorgfältig eingeritzt: die »S« perfekt geschwungen. Von Verachtung und dem Bedürfnis angetrieben, der Welt mitzuteilen, was er wusste, hatte sich der Urheber durch fünf Schichten dunkelgrüner Farbe hindurch an der steinharten Wand abgearbeitet. Das Grün war verblichen, wie die Zeit, wie die Erinnerung, alles wurde immer schwächer. Callums eigene Botschaft drang bis auf die Mauersteine durch. Auch er hatte geschwungene Buchstaben eingekratzt.

Es war ein altes Gefängnis. Viktorianisch. Die Einzelhaftzellen waren klein und noch fieser als die im Haupttrakt, das hatte ihm Mr. Wallace gesagt. Callum war selbst nie im Haupttrakt gewesen. Man hatte ihn die gesamten drei Jahre seines Aufenthalts im Erwachsenengefängnis hier untergebracht, weil es hier, wie Mr. Stritcher gesagt hatte, »vor Irren nur so wimmelt, die sich einen Namen damit machen wollen, dass sie dich umbringen. Dir wehtun. Männer, die nichts mehr zu verlieren haben«, als ob Callum etwas zu verlieren gehabt hätte.

Er war berühmt und das war immerhin etwas. Nichts Gutes, aber etwas.

Haversham stand draußen vor der Tür und sah ihn an. Callum hörte ihn atmen. Gehässigkeit klang aus seinen

Worten, die gegen das Metall prallten, ein kaltes Zischen durch scharfe Zähne.

»Du willst uns also verlassen, ja? Glaubst du wirklich, die Mutter des Kleinen wird dich nicht finden? Du Schwein! Denkst du, du kannst hier rausgehen und ein normales Leben führen?«

Callum stand vom Bett auf und stellte sich mit dem Rücken zur Tür, die zitternden Hände zu Fäusten geballt. Hör nicht hin. Reagier nicht darauf. Wenn du darauf reagierst, dauert es noch länger.

Man kann nicht mehrere Gedanken gleichzeitig denken.

Wenn er endlich hier rauskäme, würde er seine Zelle verlassen, durch die Tür und dann links, den Gang entlanggehen, an drei grünen verkratzten Zellentüren vorbei bis zum Ausgang. Elf Schritte.

Sie würden ihm im Vorbeigehen auf Wiedersehen zurufen, die Männer hinter den verkratzten grünen Türen. Hughie in C3 hatte ein Mädchen vergewaltigt, ein sehr junges Mädchen, aber wenn man ihn kennenlernte, schien er eigentlich ganz nett zu sein. Tam in C2 hatte seine Frau ermordet, weshalb er normalerweise nicht in Einzelhaft sitzen würde, denn der Haupttrakt war voll von Kerlen, die dasselbe getan hatten, aber seine Frau hatte kurz vor der Entbindung gestanden, und die Zeitungen hatten groß darüber berichtet. Und in der letzten Zelle, in C1, saß ein schweigsamer Mann, der die ganze Nacht lang wichste und animalische Geräusche dabei machte, aber niemals etwas sagte, wenn ihn die Schließer anschrien, dass er verdammt nochmal ruhig sein solle. Er würde nicht Auf Wiedersehen sagen. Mr. Wallace meinte, es gehe ihm nicht gut und er sollte eigentlich gar nicht hier sein. Nach allem, was Callum wusste, konnte C1 James sein. James unter falschem Namen. Sie waren während ihrer neunjährigen Haftstrafe strikt getrennt worden, aber vielleicht war das jetzt auch egal, weil James verrückt geworden war. Aber es gab nicht so viele Knäste, die die beiden überhaupt aufnehmen konnten.

Die Zeitungen werden deine neue Adresse ausfindig machen. Sie werden sie allen verraten.

An den Zellentüren vorbei. Elf Schritte. Durch die große Tür, die nach innen aufging, hinaus in den Flur, wo die wachhabenden Beamten saßen und Zeitung lasen. Durch die Wände drangen Küchengerüche. Gerüche, die so stark waren, dass man das Gefühl hatte, man könne sie aus der Luft lecken. Weicher Rührkuchen, schwefelige Eier, warmes Hackfleisch, Zwiebeln. Der Aufstand im letzten Jahr war mit Zwiebeln beendet worden. Die Beamten hatten die Männer vom Dach geholt, indem sie unten an der Treppe Zwiebeln brieten und den Geruch nach oben fächerten. Manchmal roch es im Flur angebrannt.

Du Schwein.

Angebranntes roch immer gleich.

Du Schwein, hast ein kleines Kind ermordet.

Sechsundzwanzig Stufen durch den nach Küche riechenden Gang bis zur großen Stahltür, dann raus in den Hof, der helle graue Himmel über ihm. Seine Pupillen schmerzten in dem grellen Licht, das ihn beim Öffnen der Türen traf wie ein Schlag. Schon bald würde er den Himmel ständig über sich haben, seine Augen würden sich anstrengen müssen, sich an die schmerzhafte Helligkeit zu gewöhnen.

Ogilvy? Sie suchen dich schon, sie werden dich finden, werden Fotos von dir machen und sie veröffentlichen.

Der helle Himmel über dem Hof und der Wind, der vom Meer herüberwehte. Trotz der zehn Meter hohen Mauer, die das Gefängnis umgab, gelang es dem salzigen Wind sich hereinzuschleichen, durch die Ecken des Hofes zu wirbeln und das Laub in saubere kleine Haufen an der Mauer zusammenzufegen. Das Meer war direkt hinter der Mauer und in der Luft lag ein bitterer Salzgeschmack, der auf spröden Lippen brannte. Stand man an der Tür zum Hof, traf einen der Wind nur in Kopfhöhe, fuhr einem über den Schädel, aber berührte nicht das Gesicht. Er war eine unsichtbare Hand, die einem durch die Haare wuschelte.

Ogilvy. Ogilvy. Viel Geld wird geboten.

Mehr als alles andere vermisste er es, berührt zu werden. Manchmal zögerte er nach dem Sport an seiner Zellentür, nur damit sie ihn anfassten, ihm eine Hand in den Rücken drückten, seinen Arm berührten oder ihm einen Klaps auf den Hinterkopf gaben. Manche Gefangenen wurden von den Wärtern geschlagen, wenn sie etwas falsch machten, aber Callum war ein Schaf, folgte ihnen still, wohin auch immer sie ihn führten, und sie wussten, was sie von ihm zu erwarten hatten. Er hatte nie den Mumm gehabt, ihnen einen Anlass zu bieten, aber er konnte das Bedürfnis verstehen, sie herauszufordern und geschlagen werden zu wollen, nur der Berührung wegen.

Dein Kumpel James hat vergangenes Jahr ein Auge verloren.

Lügen. Haversham log ständig.

Auf der Krankenstation im Haupthaus. Kam wegen einem schlimmen Bein aus der Einzelhaft, dann hat ihn irgendein Wichser mit einem Bleistift erwischt.

James. Callum sah seine Augen in der Dunkelheit funkeln, der kalte Nachtwind fegte schneidend zwischen ihm und dem Kleinkind durchs Gras. Die Geschichte war so oft erzählt worden, von ihm, für ihn, mit ihm, von den Polizisten, die ihn befragten, den Sozialarbeitern, den Psychiatern, die kamen und gingen, von den Zeitungen. So viele Versionen, er konnte sich nicht mehr daran erinnern, welches die wahre Geschichte war.

James war mein einziger Freund. Der Mann hat uns im Transporter dorthin gefahren, mit dem Kleinen. Wir haben mit Steinen auf den Jungen eingeprügelt und ihn gewürgt, bis er tot war, und dann haben wir ihm Stöcke in den Arsch geschoben, weil wir pervers sind, kapiert? Ich bin ein verdammter, dreckiger Perverser. Wahrscheinlich denke ich daran, wenn ich alleine bin, masturbiere und denke daran.

James war mein einziger Freund. Im Transporter war ich froh, dass es der Junge abgekriegt hat, denn dann wurde ich in Ruhe gelassen. James hat ihn erwürgt und der Kleine hat sich in die Hose gemacht. Ich bin den Hügel hochgerannt, und James hat Sachen mit ihm gemacht. Wir haben mit Steinen auf ihn eingeschlagen, bis er tot war. Schläge sind nichts. Alle schlagen. Gefangene schlagen, Eltern schlagen, Wärter schlagen. Falsch ist nur, wenn ich jemanden schlage. Ich denke nicht daran, wenn ich masturbiere. Ich sehe Frauen vor mir, Körperteile, Titten und Mösen, zusammenhanglose Bilder aus Zeitschriften. Ich brauche nicht viel. Manchmal habe ich Angst davor, dass es Nacht wird, aber eigentlich habe ich seitdem immer Angst.

Ich dachte, James wäre mein Freund, aber das war er nicht. Ich übernehme die volle Verantwortung für das, was passiert ist. Der Kleine hat geheult, und James hat ihm die Kehle zugedrückt, damit er aufhört. Wir haben an der Leiche rumgemacht, damit er wie jemand anders aussah. Es tut mir für die Familie leid, für die Mutter des Kleinen und seine Familie. Mir tut leid, was ich getan habe. Ich werde versuchen, in Zukunft ein gutes Leben zu führen. Mein Traum ist es, in einer Fabrik zu arbeiten und eine liebevolle Familie zu haben.

Die letzte Version gefiel allen am besten, aber zehn Jahre später waren sämtliche Fassungen gleichermaßen wahr.

Wenn er alleine war und sich daran erinnerte, fielen ihm nur noch James' funkelnde schwarze Augen ein, wie er selbst über dem winzigen zusammengesunkenen Körper im nassen Gras stand, ihm der kalte Wind über das Gesicht strich und er an der Böschung stand und zum Transporter zurücksah. Hinter ihm James, der Geräusche machte und kicherte.

Wenn er sich jetzt daran erinnerte, stand Callum an der zugigen Böschung und sah auf das Gras vor sich. Es war von den Füßen all der Menschen zertrampelt, die dort hingekommen waren, den Psychiatern, den Sozialarbeitern, den Gefängnisaufsehern, die freundlich Fragen stellten und die Geschichte dann an Zeitungen verkauften oder an andere Gefangene, die ihn hinterhältig aushorchten und sich für Einzelheiten interessierten, die sie nicht interessieren sollten.

Du Schwein.

Haversham hatte allmählich genug von Callums Rückenansicht. Er klopfte wieder gegen die Tür, hatte seine Meinung gesagt und zog nun weiter, um Hughie zu quälen.

Callum machte sich in Gedanken wieder auf den Weg. Von der Tür trat er hinaus in den Hof, überquerte den Hof zum Gebäude der Aufseher, einmal außen herum auf dem

Betonweg, nicht das Gras betreten. Dafür brauchte man dreißig Schritte, vielleicht sogar etwas über dreißig. Früher war er nie so gewesen. Am Gras entlang zur Tür nach draußen. An der Tür würden sie warten müssen, bis der Summer ertönte. Die Wärter hatten keine Schlüssel für die Tür, für den Fall, dass sie als Geiseln genommen wurden. Sicherheitszonen. Drinnen würde es warm sein, die Heizung wäre für das Wachpersonal hochgedreht worden. Wahrscheinlich gab es ein Wartezimmer. Wahrscheinlich Plastikstühle. Vielleicht Plakate. Und dahinter eine unbekannte Anzahl von Schritten bis zum Haupttor. Durch eine weitere Tür. Hinter ihm würde abgeschlossen werden. Die nächste Tür und raus, raus in die Helligkeit, die ihm in den Augen brannte und den ungebremsten Wind, der ihm salzig entgegenschlug. Hinaus in eine Welt voller Havershams.

Niemand würde ihn durch die letzte Tür begleiten. Er wäre das erste Mal seit seinem zehnten Lebensjahr unbeobachtet. Er wusste nicht, was er tun würde.

Er sah noch einmal auf die Worte an der grauen Wand.

Superspizel.

Callum hatte seine eigene Botschaft schon geschrieben. Monate hatte er dafür gebraucht. Er hatte alle Buchstaben feinsäuberlich in die Wand geritzt und auf die Rechtschreibung geachtet. Jetzt war es fertig. Er konnte jetzt gehen. Callums Botschaft lautete:

Angebranntes riecht immer gleich.

6

Peng Peng

I

Pater Andrew war mit seinem weichen Dubliner Akzent, seinem fein geschnittenen schmalen Gesicht und den grünen Augen der Traum einer jeden irischen Mutter. Als er nach St. Columbkille kam, hatte er gerade die Priesterschule abgeschlossen. Um jungen Menschen die frohe Botschaft näherzubringen, erlaubte er allen, ihn beim Vornamen zu nennen, setzte Gitarren bei der Messe ein und ließ schüchterne Teenager lautlos Bittgebete sprechen. Doch die Gemeinde bestand hauptsächlich aus älteren Menschen und das Ungewohnte gefiel ihnen nicht. Sie begehrten auf, beschwerten sich beim Bischof, und schon bald beschränkten sich Pater Andrews' radikale Reformen auf die gelegentliche Erwähnung eines längst abgemeldeten Popstars und das Tragen eines Priestergewands mit hinten aufgesticktem Regenbogen. Paddy betrachtete ihn als Reinfall. Sie hätte mehr Mitleid mit ihm gehabt, wenn er in seinen Predigten weniger häufig gegen unverheiratete, berufstätige Mütter, Homosexualität und Sex vor der Ehe gewettert hätte.

Er öffnete die Arme und sah zu dem riesigen Gipsjesus auf, der über dem Altar hing. »Gehet hin in Frieden, liebet und dienet dem Herrn.«

Der Organist spielte die ersten Takte von »Wie groß bist du« und ehe sie sichs versah, sang Paddy mit jener seltsam zurückhaltenden Falsettstimme, mit der sie ausschließlich in der Kirche sang. Pete kicherte an ihrer Seite, und sie knuffte ihn mit dem Ellbogen.

Der Priester und die Messdiener nahmen vor dem Altar Aufstellung und zogen in einer Prozession den Mittelgang entlang, woraufhin sich ihnen die versammelte Gemeinde anschloss. Pete rutschte sofort von der Kirchenbank, als die Prozession an ihnen vorübergezogen war. Er wollte unbedingt dem pummeligen Messdiener mit den fettigen Haaren nahe sein, der sein Held war: Das war BC, der nach seinem Großvater benannt worden war. Seit Con Senior gestorben war, ertrug es niemand mehr, ihn beim Namen zu nennen. Baby Con hatte ebenso schnell den Namen gewechselt, wie sich die Dynamik innerhalb der Familie verändert hatte.

Da die Jungen samstagabends bei Trisha übernachteten, wäre es kompliziert geworden, hätte Paddy darauf bestanden, dass Pete nicht zur Messe ging. Abgesehen davon, dass sie Konflikte mit ihrer Mutter vermeiden wollte, plagte sie auch die abergläubische Angst, die organisierte Religion könnte künftig in Petes Augen einen romantischen Reiz entfalten, wenn sie nicht dafür sorgte, dass er sie bereits als Kind wenigstens ein kleines bisschen sattbekam. Er war nicht getauft und hasste das langweilige Getue bei der Messe, wollte aber trotzdem Messdiener werden wie sein Cousin. Er wollte alles sein, was sein Cousin war. Er trottete vor Paddy den Gang entlang, schlängelte sich durch das Gedränge der Familien, um BC näher zu kommen, dessen Rücken er bewundernd anstarrte.

Paddy versuchte ihn an der Schulter festzuhalten, folgte ihm und fürchtete, ihn zu verlieren.

Vor ihnen stand Pater Andrew zwischen den Türen, hielt die Hand einer alten Frau, führte sie am Handgelenk aus der Tür und verabschiedete sie mit einer Segnung. Seine Augen ruhten auf Paddy, befahlen sie zu ihm. Er hatte sich bereits dieselbe leicht verächtliche Einstellung seinen Gemeindemitgliedern gegenüber zu eigen gemacht, wie viele ältere Priester. Manche von ihnen waren zynisch wie Stripperinnen.

Durch die Tür hindurch und an Pater Andrew vorbei sah Paddy Sean Ogilvy draußen im warmen Sonnenschein. Sean Ogilvy stellte sich schwankend auf die Zehenspitzen, um sie im Innern zu entdecken, er trug seinen Sonntagsanzug und sein dunkler Haaransatz wich bereits aus seinem Gesicht.

Pater Andrew griff durch die Menschenmenge hindurch und ergriff Paddys Hand, gerade als sie an ihm vorbeiwollte und zog sie zu sich. »Gütiger Gott, was musste ich da in deinem Artikel lesen?«

»Na ja.« Sie wich seinem Blick aus und wollte weiter zu Sean.

»Großer Gott, das darf nicht wahr sein.« Pater Andrew hatte ihre Hand fest gepackt. Er sah Paddy eindringlich an. Dann setzte er, wie er es immer tat, hinzu: »Ich werde für dich beten, Patricia.« Er wuschelte Pete durchs Haar. »Und für dich auch, mein Sohn.«

Wäre Pete nicht dabei gewesen, hätte sie Pater Andrew gegen das Schienbein getreten und so getan, als sei es ein Versehen gewesen. Stattdessen schlug sie die Augen nieder. »Und ich bete für Sie, Pater.«

Oben an der Treppe machte sich Pete los und rannte zu Sean und dessen vier Kindern. Sie waren jünger als er und deshalb nicht so interessant wie BC, aber er konnte sie herumkommandieren, und sie liebten ihn – besonders jetzt, da er ans andere Ende der Stadt gezogen war und sie ihn nicht mehr ständig sahen. Mary, die Älteste, und Patrick hingen an seinen Armen und glucksten vor Freude, ihn zu sehen.

Um die Frauen herum versammelte sich eine Traube von Kindern, die sich alle schläfrig nach der langweiligen Messe an den Beinen ihrer Mütter festhielten, einander anstarrten oder Steine vom Boden zu essen versuchten.

Sean nahm Paddy am Ellbogen und zog sie beiseite. Er blickte grimmig drein.

»Morgen früh, okay?«, flüsterte er.

»*Morgen?*«

Er verdrehte die Augen. »Sag nicht, dass du nicht kannst.«

»Nein, nein«, sagte sie und schüttelte den Kopf. »Ich kann schon, ich kann. Ich hätte bloß nicht gedacht, dass es so schnell geht. Gestern Abend hatte ich einen Journalisten an der Haustür, der mich nach dem Entlassungstermin gefragt hat. Wollte wissen, ob er bei dir wohnen wird.«

»*Scheiße.*« Sean sah sich um und hoffte, dass niemand gehört hatte, wie er im Kirchhof fluchte. »Ich brauche dich, du kennst jeden, du wirst sie auf dem Parkplatz erkennen. Ich kenne die Gesichter nicht.«

Elaine sah sie an, deshalb winkte Paddy ihr zu. Elaine hielt Baby Mona auf der Hüfte und hatte Cabrini im Buggy festgeschnallt. Sie stand bei einer anderen Mutter, die ähnlich schwer beladen war. Elaine war ausgebildete Friseurin und schaffte es immer, gut auszusehen. Zurzeit trug sie einen kurzen braunen Bob, mal etwas anderes als ihr ansonsten blondes Haar. Paddy war neidisch auf ihre gute Figur, auch noch nach vier Schwangerschaften, und sie war so anständig und geradeheraus, dass sie jeder leiden mochte, der sie kannte. Elaine erwiderte Paddys Winken, ihre Kiefermuskeln spannten sich an und zeichneten sich auf ihren Wangen ab.

»Sean, du musst das nicht machen.«

Er sah Paddy aufs Kinn, hielt sich die Hand vor den Mund. Um ein ruhiges Gewissen zu haben, hatte er Callum angeboten, ihn aufzunehmen, und nun sollte es tatsächlich so kommen. Callum Ogilvy, der bekannte Kindermörder, würde in seinem kleinen Haus bei ihm, seiner Frau und ihren vier Kindern leben.

»Doch ich muss«, sagte er bestimmt. »Das ist es ja, ich muss. Sonst kommt er nicht raus. Aber wir sitzen beide mächtig in der Tinte, wenn die Geschäftsführung der *Daily News* davon Wind bekommt und wir ihnen die Story nicht zuschanzen. *Du* musst das nicht machen.«

»Doch. Dann kann ich eines Tages wenigstens mit einer guten Tat vor meinem Sohn angeben. Die Chance lasse ich mir nicht entgehen.«

Sean lächelte sie an. Er war schon lange nicht mehr ihr Fahrer und sie vermissten es beide.

»Elaine weiß, dass es morgen so weit ist, oder?«

»Natürlich weiß sie das.«

Zusammen sahen sie zu Elaine, die das Baby auf ihrer Hüfte schaukelte und mit den Zähnen knirschte. Sie spürte die auf sie gerichteten Blicke und erwiderte sie, schob plötzlich nervös den Buggy vor und zurück. Cabrinis Arme schossen vor Schreck in die Höhe.

Paddy spürte, dass sich Elaine selbst zu beruhigen versuchte, nicht Cabrini.

»Und für Elaine ist das in Ordnung?«

»Ja, alles gut.« Er klang nicht sehr überzeugend.

»Verdammt nochmal, Sean, du hast echt Glück gehabt, als du diese Frau geheiratet hast. Ich wäre nicht einverstanden gewesen.«

Sean warf erneut einen Blick auf seine Frau und nickte. »Das weiß ich«, sagte er, »ich weiß.« Und wieder klang er nicht sehr überzeugend.

»Terry Hewitt wurde ermordet«, platzte es aus Paddy heraus, die erneut den Tränen nah war. »Ich musste die Leiche identifizieren. Die glauben, es waren die Provos.«

»Hewitt? Der Fettsack, wegen dem du mich verlassen hast?«

»Das hab ich nicht … Heilige Scheiße, lass uns bloß nicht so anfangen.«

Sie verstummte und Sean wiegelte ab. »Tut mir leid.« Er zog sie aus der Menge heraus zur Seite und in den Schatten. »Hat er in Nordirland recherchiert? Ich dachte, er wäre in Afrika gewesen.«

»Nein, er wurde in Schottland getötet. Auf der Straße nach Stranraer.«

Er wich einen Schritt vor ihr zurück. »Das würden die Provos nie machen. Keinen Journalisten. Doch nicht *hier*.«

»Ich sag dir nur, was die Polizei gesagt hat.«

»Puh, was wissen die schon? Das würden unsere Jungs niemals machen.«

»Ach komm, Sean, sei nicht so naiv, die verpassen Teenagern Knieschüsse, nur weil sie Hasch verkauft haben.«

»Sie sorgen für Ordnung.« Sean glaubte, der Osteraufstand sei noch keine Woche her, bei den nordirischen Unruhen ließe sich zwischen Gut und Böse unterscheiden und ein irischer Katholik mit Schusswaffe habe grundsätzlich nichts außer Gott und dem Wohl der Menschheit im Sinn. Sean besaß eine Dauerkarte für Celtic und besuchte sonntagnachmittags die Tower Bar, um mit den anderen Freizeitrevolutionären Rebellenlieder zu singen. »Die RUC kriegt das ja nicht hin …«

»Halt verdammt nochmal die Klappe. Es ist nur so – das ist einfach das Letzte, was mir noch gefehlt hat, jetzt wo Callum rauskommt. Du kannst dir nicht vorstellen, unter welchem Druck ich stehe.« Sie spürte den Zettel in ihrer Tasche. »Der *Express* hat mir fünfzigtausend Pfund für ein Exklusivinterview geboten. Vielleicht sollte Callum ja wirklich ein Interview geben. Dann wäre er sie vielleicht los. Und er hätte ein bisschen Geld, um sich was aufzubauen.«

»Er will nicht«, sagte Sean. »Ich denke auch, er sollte, aber er will nicht.«

Elaine winkte Sean zu sich. Er setzte den Fuß eine Treppenstufe tiefer und drehte sich dann noch einmal um. »Um sechs Uhr hole ich dich ab.«

»Sechs Uhr früh?«

Er zog die Nase kraus. »Ich weiß. Tut mir leid wegen Terry. Ich weiß, dass du ihn gerngehabt hast.«

»Das ist leider ein bisschen komplizierter, aber danke.«

II

Kondenswasser rann über das Fenster zum vermüllten Garten. Das Gras stand kniehoch, hatte beinahe schon die rostige Waschmaschine überwuchert und wuchs um den Baumstamm in der hintersten Ecke besonders dicht.

Das Geplauder aus dem Radio und das Zischen der Bratpfanne übertönten die beiden Jungen am Tisch. BC brach sein Fasten und Pete aß eine zweite Schüssel Cornflakes, um ihm Gesellschaft zu leisten. Caroline saß ihnen gegenüber, beachtete niemanden und las in einer Frisurenzeitschrift. Der Tisch, an dem einst sieben Personen gegessen hatten, war nun für fünf Personen gedeckt. Sie konnte sich nicht erinnern, wie sie jemals alle hier reingepasst hatten.

Trisha schlug drei Eier in die Pfanne. »War das der Junge, der andauernd hier angerufen hat?«

»Ja. Terry. Du hast ihn einmal gesehen. Kannst du dich erinnern, einmal kam er mit dem Transporter von einem Freund und hat meinen alten Schreibtisch aus der Garage abgeholt. Dunkle Haare, ein bisschen zu dick.«

Trisha sprach bewusst leise weiter, damit die Jungen sie nicht hörten. »Und was hat dir der Junge bedeutet?«

»War nur ein Freund.«

»Warum hat er dann andauernd angerufen?«

»Weiß nicht. Na ja, er war im Ausland gewesen und als er zurückkam, hatte er nicht mehr viele Freunde. Vielleicht war er einsam.«

Trisha rüttelte energisch an der Pfanne. »Warum haben die dich dann gebeten, die Leiche zu identifizieren?«

Paddy zuckte die Schultern, versuchte gelassen zu wirken, doch ihre Schulter verkrampfte und verriet sie. »Ich habe ihn einfach sehr lange gekannt. Wir haben zur selben Zeit bei der Zeitung angefangen.«

Hinter ihnen zankten sich die Jungs um das Spielzeug in der Cornflakesschachtel. Ohne hinzusehen, rief Trisha über die Schulter: »BC ist dran, mein Lieber. Du hast es das letzte Mal bekommen.«

»Aber das hier will ich lieber haben.« Pete verschränkte entschlossen die Arme und setzte einen finsteren Blick auf, wie ein kleiner Despot, der seinen nächsten Schachzug plant. »Ich mag Dinosaurier und er nicht.«

BC fuchtelte mit dem billigen Spielzeug vor Petes Nase herum, ärgerte ihn damit. Paddy und Trisha verdrehten die Augen und wandten sich wieder der Pfanne zu.

»Gib es ihm«, befahl Caroline ihrem Sohn und stellte sich, wie so oft, allzu rasch gegen ihn.

»Jeder ist mal dran«, sagte Trisha. »Sonst behalte ich es selbst.«

Mit dem hölzernen Pfannenheber träufelte Trisha heißes Fett über die Eier und senkte die Stimme wieder. »Ich meine, er hatte doch bestimmt noch Familienangehörige.«

»Terry hatte niemanden mehr«, sagte Paddy und fügte erklärend hinzu: »Er war Protestant.«

Trisha grinste. In Irland erzählte man sich Witze über Nicht-Katholiken, die Trishas Vorurteilen entsprachen und davon handelten, dass sich Protestanten nicht wie Karnickel vermehrten und auch nicht in Großfamilien auf engstem Raum zusammenwohnten.

»Du hältst mich wohl für total von gestern?«

»Ma, für mich bist du der Inbegriff von Klasse. Weißt du noch, wie du das Schwein in den Frack gesteckt hast?«

Trisha lächelte in die Pfanne, nahm sich zusammen und sah Paddy vorwurfsvoll an. Sie hatte sich dem Witwendasein mit bitterer Entschlossenheit ergeben und neigte jetzt dazu, sofort den Kopf zu schütteln, sobald etwas auch nur annähernd Spaß machen oder für Ausgelassenheit sorgen könnte. Ohne den Zynismus ihres Mannes war sie noch frommer geworden und seitdem Mary Ann ihr Gelübde abgelegt hatte, wollte sie kein Wort mehr gegen die Kirche hören. Dadurch war eine Kluft zwischen ihnen entstanden.

Die Eier waren fertig, die Kartoffelplätzchen und der Schinkenspeck braun gebraten. Paddy nahm die Teller, wärmte sie mit heißem Wasser, trocknete sie anschließend mit einem Küchenhandtuch und hielt sie ihrer Mutter hin.

»Terry hat mich in seinem Pass als nächste Angehörige eintragen lassen. Deshalb sind sie zu mir gekommen.«

»Hat die Polizei gesagt, dass es die Provos waren?«

»Ja. ›Alle Kennzeichen‹ haben sie gesagt.«

»Gott steh uns bei«, murmelte Trisha, ihre Stimme war jetzt kaum mehr als ein Atemhauch, den sie vor den Jungen verbergen wollte. »Gott steh uns bei, wenn das wahr ist.«

Ängstlich blickte sie zum Tisch und sah Pete an. »Vielleicht solltest du dir überlegen, ihm den Namen seines Vaters zu geben«, sagte sie, da sie immer noch glaubte, junge Katholiken könnten allein wegen ihres irisch klingenden Namens verhaftet werden.

»Ich glaube, nicht mal die Polizei nimmt Fünfjährige ins Visier, Ma. Terry war bloß ein Freund.«

Trisha sah sie nicht an, als sie das Frühstück auf die Teller verteilte, die Pfanne wieder auf den Herd stellte und die Zähne zusammenbiss, um sich zum Schweigen zu zwingen.

»Ehrlich.«

Sie standen steif da, Trisha sah auf die Teller in Paddys Hand, und Paddy sah auf ihre Mutter herab. Vor noch nicht allzu langer Zeit hätte Paddy ihr geradeaus in die Augen gesehen, aber Trisha schrumpfte. Jetzt konnte sie ihren Kopf von oben sehen, die grauen Wurzeln ihrer bratensoßenbraunen Haare und die einzelnen Härchen, die sich selbstständig gemacht hatten und sich der Elizabeth-Taylor-Frisur nicht fügen wollten, die sie sich jeden Montag bei Mrs. Tolliver zu Hause legen ließ.

Trish sah sie nicht direkt an, denn sie vermutete, dass Paddy mit Terry geschlafen hatte. Seit Petes Geburt verdächtigte ihre Mutter Paddy mit jedem Mann geschlafen zu haben, den sie erwähnte, und ihre Missbilligung war nicht nur auf die unterschiedlichen Wertvorstellungen zweier Generationen zurückzuführen: Sie glaubte vielmehr, Paddy käme aufgrund ihrer Sünden in die Hölle und der Rest der Familie müsste die Ewigkeit im Himmel damit verbringen, einen leeren Stuhl anzustarren. Es sei denn, man teilte ihr häufig genug mit, dass man ihr Tun nicht guthieß und ablehnte.

Paddy hatte es zwar im Vergleich zu ihrer Mutter wild getrieben, aber so wild auch wieder nicht. Trotzdem stritt sie inzwischen fast schon reflexhaft alles ab.

Die Jungs zankten wieder, diesmal darüber, wer die Cornflakespackung lesen durfte.

BC lachte freudlos. »Du kannst doch noch gar nicht lesen.«

»Kann ich wohl.«

»Kannst du gar nicht. Na los, dann lies es mir vor.«

»Mach ich auch!«

»Na dann los, lies, wenn du kannst.«

Ohne aufzusehen, sagte Caroline BC, er solle still sein.

Trisha nickte mit dem Kopf Richtung Tisch, bedeutete Paddy damit, dass sie die Teller hinstellen solle, dann wandte sie sich zum Tisch, ohne sie anzusehen. Sie schenkte zwei Tassen Tee aus der Edelstahlkanne ein und stellte Paddy eine davon hin.

Die Streiterei zwischen den Jungs drohte zu eskalieren. BC las umständlich, was hinten auf der Cornflakespackung stand, und rieb sich, ein müdes Lächeln im speckigen Gesicht, den Plastikdinosaurier an der Wange – gerade genug, um Pete zu ärgern, aber nicht genug, um deshalb Ärger zu bekommen. Zufrieden seufzte er, als wollte er sagen, dass er nun alles besaß, wovon er je geträumt hatte: das Spielzeug, die Cornflakespackung, alles. Pete hatte die Arme verschränkt und war kurz davor, sein Gesicht darin zu vergraben, sich mit dem Oberkörper auf die Tischplatte zu werfen und loszuheulen.

»Kleiner«, Paddy berührte seinen Arm. »Du darfst dir aussuchen, was wir heute Vormittag machen.«

Als ihr klarwurde, was er antworten würde, war es schon zu spät.

Pete sah sie voller Hoffnung an. »Ehrlich? Ich darf's mir aussuchen?«

Alles, nur das nicht, wollte sie sagen, das machen wir nicht. Aber wenn sie es ihm verbot, würde sie ihm erklären müssen, weshalb. Und sie war ganz einfach nicht in der Lage, einem Fünfjährigen zu erklären, dass einer ihrer Freunde gerade mit einem Kopfschuss getötet worden war.

»Ja. Wünsch dir was.«

Zu ihrer Rechten schüttelte Trisha missbilligend den Kopf. Sie hielt nichts davon, Kinder machen zu lassen, wozu diese Lust hatten. Sie fand, damit verwöhnte man sie zu sehr.

Pete hörte auf zu schmollen. »Lazerdrome!«

»Okay, mein Freund.«

Pete warf den Kopf in den Nacken und formte mit den Lippen ein stilles Hurra, denn er hielt sich an Trishas Regel, dass im Haus nicht geschrien werden durfte.

»Völlig verhätschelt«, murmelte Trish mit dem Mund voller Ei und Schinkenspeck.

III

Dröhnende Musik erfüllte den dunklen Raum, übertönte das Quietschen der Turnschuhe auf dem PVC-Boden und die aufgeregten Schreie. Paddy kauerte auf einem Holzgerüst, hielt sich mit dem Körper hinter der Trennwand, sodass sie nicht von unten getroffen werden konnte.

Die Erinnerung an Terrys Leiche saß ihr in der Kehle. Ihre Beziehung zu Terry und die Möwe in Greenock verschmolzen zu etwas entsetzlich Bedrohlichem, man erwartete etwas von ihr, dem sie nicht gerecht werden konnte.

Sie hörte einen Schrei und spähte den dunklen Steg entlang. Durch den Trockennebel erkannte sie eine winzige bunte Lichtorgel von Rot bis Gelb. Gerade war dort unten ein Kind erschossen worden.

Alle Anwesenden trugen eine gepolsterte Weste mit kleinen, leichten Sensoren auf Bauch und Rücken, die die Strahlen der unhandlichen Laserpistolen aufnahmen. Wenn man jemanden erschoss, sprang dreißig Sekunden lang die Lichtorgel an und der Schütze bekam Punkte. Ihre

Aufgabe bestand darin, möglichst höher zu verlieren, als Pete und es locker zu nehmen, damit er begriff, dass es darauf gar nicht so sehr ankam. Nach Terrys Anblick hatte sie befürchtet, mit überdrehten Kindern, die sich gegenseitig abknallten, nicht fertigzuwerden, aber eigentlich war es wie Fangen spielen, nur elektronisch.

Pete war irgendwo da unten, jagte andere Kinder oder versteckte sich, schlich sich mit der Sensorenweste, die ihm eigentlich viel zu groß war, an der Mauer entlang oder kletterte Leitern hoch.

Sie kamen andauernd her, und Pete spielte immer dasselbe Spiel. Er liebte es, so viel wie möglich herumzulaufen, war für die älteren Kinder, die gut platziert auf der Lauer lagen, das reinste Kanonenfutter. Sie fand es toll, dass er so unerschrocken war, doch hätte er vorsichtig gespielt, hätte sie das vermutlich genauso toll gefunden.

Ihre Sensoren vibrierten und eine kurze, absteigende Melodie ertönte. Sie drehte sich um und sah einen selbstzufriedenen Jungen in BCs Alter hinter sich. »Verloooooren«, sagte er extra langgezogen.

Sie schüttelte ungläubig den Kopf und stand auf. Sie wusste, dass sie jetzt, nachdem ihre Sensoren angesprungen waren, eine Weile nicht mehr erschossen werden konnte. »Ach du liebe Zeit«, sagte sie und nahm es betont gut gelaunt auf. »Ich hab einfach kein Talent.«

Doch ihr Attentäter hörte gar nicht zu. Er war längst an ihr vorbei auf ein anderes in der Dunkelheit blinkendes Licht zu marschiert, hatte mit seinem Lasergewehr gezielt und erneut die Todesmelodie ertönen lassen. Sie meinte Pete zu erkennen, der in der Dunkelheit stöhnte.

»Verlooooren.«

»Bist du das, Pete?«

Er kam zu ihr. »Ich werde die ganze Zeit erschossen«, jammerte er.

»Jeder hat mal einen schlechten Tag.«

Vor Enttäuschung ließ er Kopf und Schultern hängen. Zusammen sahen sie über den Rand des Gerüsts auf die umherhuschenden Gestalten unten. Irgendwo in der Dunkelheit erklang wieder das traurige Lied. »Verloooooren.«

»Ich glaube, der Junge ist nicht besonders nett«, sagte sie, aber Pete beobachtete, was unten vor sich ging, und antwortete nicht.

Schweiß stand ihm im Gesicht. Er strich sich das Haar von der Stirn, und weil er so schwitzte, stand sein Pony nun ab wie ein stachliges Diadem.

»Das macht Spaß, oder?«

»Ja.«

Sie wollte ihn packen und ihm einen Kuss geben, aber sie begnügte sich damit, ihn mit den Fingerspitzen an der Schulter zu berühren.

Paddy hatte während ihrer gesamten Schwangerschaft an sich gezweifelt. Sie war unsicher, ob sie sich überhaupt als Mutter eignete, ob sie das Baby würde lieben können oder ob sie nicht besser hätte abtreiben und auf den Richtigen warten sollen. Aber sie glaubte nicht an den Richtigen, dachte nicht, dass sie jemals heiraten würde, und ahnte, dass Pete vielleicht ihre einzige Chance war, ein Kind zu bekommen.

Von der Minute an, als er auf die Welt kam, wusste sie, dass sie das Richtige getan hatte. Seine Finger, seine Zehen, seine winzigen verschrumpelten Hoden, jede Einzelheit an ihm war faszinierend. Es war, als würde sie mit einem Popstar zusammenleben, in den sie verknallt war. Im ersten Jahr litt sie unter dem zwanghaften Drang, ihn abzuknutschen. Wenn sie sich im angrenzenden Zimmer aufhielt, ja selbst wenn sie mit brennenden Augen mitten in der Nacht von seinen Schreien geweckt wurde, beschleunigte sich ihr Herzschlag bei dem Gedanken daran, ihn zu sehen. Ihr restliches Leben empfand sie nur noch als bedeutungslose Unterbrechung ihrer gemeinsam verbrachten Zeit.

Die Intensität ihrer Mutterliebe machte ihr manchmal Sorgen. Sie konnte sich vorstellen, wie schwer es Pete einmal fallen würde, ihre schützende Hand abzuschütteln. Sie würde ihm dabei helfen müssen, aber sie wusste nicht, wie.

Jetzt stand er neben ihr, stellte sich auf die Zehenspitzen, sah über die Brüstung und drehte sich lächelnd zu ihr um. »Hey, Mum, weißt du was?«

»Was?«

Grinsend hob er den Lauf seines Lasergewehrs und schoss ihr in die Brust. »Du bist schon wieder tot.« Die Sensoren waren wieder empfangsbereit, und sie hatte es nicht gemerkt.

»Du kleiner Räuber!«

Er lachte und rannte weg.

»Hey«, rief sie ihm durch die Dunkelheit hinterher, »du kriegst zwei Tage nichts zu essen.«

»Dann geh ich zu meinem Dad, der gibt mir was«, rief er zurück.

IV

George Burns klopfte wie ein schlecht gelaunter, übereifriger Gerichtsvollzieher an die Tür. Als Paddy öffnete, hielt er sich mit keinem Hallo auf, sondern fegte sofort in den Flur, schüttelte den Kopf wegen der Kisten, die immer noch auf dem Boden standen, und sah sich nach Pete um.

»Hi, Sandra.« Paddy zog die Tür weiter auf und lud seine Frau Sandra ein, in die Wohnung zu treten.

Sandra war blond, groß und so dünn, dass sie mit dem Kinn Briefe hätte öffnen können. Ihr tägliches Körperpflegeprogramm hatte schon fast etwas Manisches und erinnerte Paddy an unglückliche Zootiere, die immer wieder über dieselbe Stelle leckten, bis sie kahl war.

»Paddy.« Sandra knickte leicht mit den Knien ein, machte sich kleiner, ein entschuldigendes Lächeln zuckte um ihre lippenstiftroten Mundwinkel.

»Komm rein.« Paddy fasste sie herzlich am Ellbogen und zog sie in die Wohnung. »Hattet ihr ein schönes Wochenende in Paris?«

Sandras Augen jagten über den Boden. »Schön, ja. Gutes Wetter. Tolles Hotelzimmer …« Sie hielt abrupt inne, presste die Lippen aufeinander, als würden die Worte dahinter um Freilassung kämpfen. Paddy konnte sich vorstellen, welche Worte das waren: Er ist stocksauer, ich will hier raus, ich habe ständig Hunger.

Paddy bedauerte, ausgerechnet mit Burns ein Kind zu haben. Mit ihm zu verhandeln war eine Katastrophe, und er war auch kein besonders warmherziger Vater. Sie hatte sich alle Möglichkeiten offenhalten und die Vaterfrage im Dunkeln lassen wollen, doch Pete war als perfektes Abbild seines Vaters auf die Welt gekommen: dichtes schwarzes Haar, große grüne Augen und das verräterische Grübchen im Kinn. Und dann war Burns während der Besuchszeiten aufgetaucht. Als Pete mit Lungenentzündung im Krankenhaus lag, war Burns einmal pro Woche vorbeigekommen und hatte dem Vierjährigen Blumensträuße gebracht.

»Wo ist er?« Burns war jetzt bereits kurz angebunden und ungeduldig, wieder wegzukommen. Normalerweise hob er sich das auf, bis er Pete zurückbrachte.

»Er holt seinen neuen Transformer.« Paddy sprach langsam, beruhigend. »Er will ihn dir zeigen.«

»Ist Dub da?«

»Nein, hab ihn heute noch nicht gesehen.«

»Sag ihm, dass ich nach ihm gefragt habe.«

Pete tauchte in der Tür zu seinem Zimmer auf und guckte misstrauisch, weil er die seltsame Atmosphäre zwischen den Erwachsenen spürte. Stumm streckte er ihnen den blau-roten Plastikroboter entgegen.

»Zeig deinem Dad aber auch, was er kann.«

Ohne ein Wort zu sagen, zog Pete am Kopf des Roboters klappte die Beine um und hielt den so entstandenen Laster zur Ansicht hoch. Im Flur war es ganz still geworden.

»Wow«, Paddy versuchte Sandra und Burns zum Mitstaunen zu bewegen, »das ist ja *toll!*«

Keiner von beiden sagte etwas. Sandra verlagerte nervös ihr Gewicht.

»Ist das nicht toll?«, fragte Paddy Burns mit einer vagen Drohung in der Stimme.

Sandra sah wieder zu Boden und Burns lächelte Paddy

flüchtig an. »Toll, ja. Ein echter Meilenstein in der Spielwarenentwicklung.«

Paddy hätte ihn schlagen können. »Wir haben neulich deine Show gesehen.« Aus dem Augenwinkel beobachtete sie, wie Sandra nervös den Kopf in den Nacken warf. »Das war auch ein Meilenstein.«

Die Wirkung ließ nicht auf sich warten. Burns fuhr Pete an: »Wo ist dein Mantel?« Pete rannte wieder in sein Zimmer und kam mit seiner blauweißen Kapuzenjacke zurück. »Das kannst du nicht anziehen, wir gehen mit einem Fernsehproduzenten essen. Wir gehen in ein schönes Restaurant. Da musst du dich ein bisschen schick anziehen.«

Das war zu viel für Pete. Seine Mundwinkel rutschten nach unten und er fing an zu stammeln. »Ich will nicht …«

Paddy machte schnell einen Schritt auf ihn zu, war froh, ihn halten zu dürfen. »Ach, mein Kleiner.«

Burns seufzte hinter ihr: »Verdammt nochmal, du sollst ihn nicht so bemuttern. Er muss lernen, dass man sich manchmal eben schick machen muss. Das ist doch kein großes Ding.«

Aber Paddy hielt ihren Jungen in den Armen, die Finger in seinem Haar, und er klammerte sich fest an sie. »Lass mich mal raten, ich glaube nicht, dass Pete weint, weil du möchtest, dass er eine andere Jacke anzieht. Es liegt daran, wie du's sagst. Hab ich recht, mein Süßer?« Sie zog Petes feuchtes Gesicht von ihrem Hals und brachte ihn dazu, sie anzusehen. »Hab ich recht?«

Pete nickte traurig.

»Du behandelst ihn wie ein Baby«, meckerte Burns.

»Er ist noch keine sechs Jahre alt.« Paddy wischte ihm die Haare aus dem Gesicht und küsste ihn. »Er ist zwar schon ein großer Junge, aber selbst große Jungs sind für ihre Mamis Babys.« Sie fasste ihn am Kinn und lächelte ihn so liebevoll an, wie sie konnte. »Du kannst ja eine andere Jacke anziehen, stimmt's Schatz? Und einen schönen Abend mit deinem Daddy verbringen. Morgen fährt er dich in die Schule, und ich hol dich später dort ab.«

Pete sah bekümmert über ihre Schulter in sein Zimmer, während Burns »Verdammte Scheiße« vor sich hin nuschelte.

Paddy stand am Fenster, die Nase an der kalten Scheibe, und sah hinunter auf den großen schwarzen Mercedes. Der tadellos polierte Kofferraum reflektierte das gelbe Sonnenlicht, als Burns die Reisetasche hineinhob und ihn schloss. Sandra setzte sich auf den Beifahrersitz und Burns öffnete die Hintertür für Pete, sah zu, wie er auf allen vieren hineinkletterte. Er knallte die Tür mit großer, ausholender Geste zu, machte einen Schritt zur Fahrertür hin und hielt inne. Über das Wagendach hinweg überzeugte er sich davon, dass sich seine Frau außer Sichtweite befand, und sah zu Paddy am Fenster hoch.

Er warf ihr ein Flirtlächeln zu. Sie reagierte nicht. Er lächelte noch einmal und machte mit Daumen und kleinem Finger am Ohr eine Geste, die bedeuten sollte, dass sie telefonieren würden. Paddy achtete auf die Einhaltung einer kurzen theatralischen Pause und machte dann eine langsame und angestrengte Wichsbewegung.

Burns stand auf dem Gehweg und kriegte sich kaum mehr ein vor Lachen.

7

Das Babbity Bowster

I

Hätte nicht die Sonne geschienen, hätte die enge Straße ausgesehen wie ein Film-Set für Jack the Ripper: Kopfsteinpflaster, ein hoch aufragendes Lagerhaus aus Backstein mit kleinen vergitterten Fenstern an der Seite, ein riesiger schwarzer Holzschuppen und inmitten der Industriegiganten ein hübsches georgianisches Kaufmannshaus mit einem handgemalten Holzschild: »Babbity Bowster«.

Ein Babbity Bowster war, wie sich Paddy hatte sagen lassen, der letzte Tanz, der bei einem *Ceilidh,* einem traditionellen irischen Tanzabend, gespielt wurde. Es war ein Paartanz, vor allem für frisch Verliebte, die danach, am Ende des Abends Anspruch aufeinander erheben konnten. Der Name des Pubs hätte nicht passender sein können, wenn man bedachte, wie stark es von Mitarbeitern der Presse frequentiert wurde.

Das Babbity's war der bevorzugte Treffpunkt der bekanntesten und wichtigsten Personen der schottischen Presselandschaft. Es war nicht weit vom Redaktionsgebäude der *Daily News* und der Press Bar entfernt und bot zahlreichen Zeitungsmachern der Stadt eine Heimat. Das Babbity's war teuer, was die kleinen Fische aus der Branche abschreckte.

Auch die anderen Gestalten, die sonst gerne in Journalistenbars herumhingen, ließen sich von den Preisen fernhalten: Kleinkriminelle und Klatschmäuler mussten sich andere Stammkneipen suchen. Die Gäste hier waren allesamt hochkarätige Beamte, Politiker und Geschäftsleute, die sich vom schäbigen Glamour der Pressemenschen anlocken ließen. Oben im Restaurant wurden Absprachen getroffen und hoch bezahlte Kolumnen vergeben, Talente abgeworben und so manche Streiterei über den kläglichen Überresten einer Käseplatte beigelegt.

Das Kaufmannshaus, von Robert Adams entworfen, verfügte über drei perfekt geschnittene Stockwerke mit einem hübschen Giebel und dorische Säulen, die den Eingang einrahmten. Zweihundert Jahre war das Gebäude im Stadtzentrum versauert, hatte als Lagerhaus oder Fischladen gedient und zum Schluss sogar zwanzig Jahre lang leergestanden, bis ein geschäftstüchtiger französischer Hotelier es renovieren ließ. Die Innenausstattung war unaufdringlich schottisch, keine Karomuster oder Hirschköpfe mit glasigen Augen, sondern weiß getünchter Gipsputz, Schieferböden und schwarz gerahmte Fotos von Kleinbauern und Fischern. Die Bar bot eine riesige Auswahl an Malt Whisky und auch auf die schottischen Biere war man sehr stolz. Auf der Speisekarte des Restaurants fanden sich Hering in Hafermehl, traditioneller Räucherschinken, Rindersteaks und die Sorte Meeresfrüchte, die Schottland normalerweise direkt nach Frankreich oder Spanien exportierte. Ein schottischer Hotelier hätte ein französisches Restaurant daraus gemacht.

Einige frühe Trinker waren da, arbeiteten sich stoisch durch den späten Sonntagnachmittag, allein oder zu zweit, leisteten sich Gesellschaft, um nicht einsam zu wirken. Der Geruch von warmem Schinken und Lauch hing in der verrauchten Luft.

Paddy spürte die Blicke, als sie über den Schieferboden klapperte. Ihre hohen Absätze kündeten ebenso effektiv von ihrem Eintreffen wie Kanonenschüsse. Merki winkte ihr aus einer Ecke zu, sein schwarzes Haar wirkte heute besonders schmierig. Sie winkte zurück und hörte eine Stimme von der Bar:

»Ws machdi Schlambe hier?«

Sie drehte sich um und sah, dass die Stimme zu einem langen Kerl mit verbitterter Miene gehörte, der sich über ein Pint Stout beugte. »Abend, Keck.«

Keck setzte sich auf, sah sie an, nahm einen Schluck von seinem Drink und ließ sich zu keiner Antwort herab. Die Zeit war nicht freundlich zu ihm gewesen: Sein Gesicht sah aus wie eine abgeschabte Geldbörse, die seit dem Ende des Zweiten Weltkriegs in der Handtasche einer Achtzigjährigen herumgefallen war. Sie starrten einander an, bis er sich abwandte. Keck war Sportreporter, ein guter Sportreporter und er wäre ein noch besserer, stünde ihm seine Persönlichkeit nicht im Wege. Sobald sich eine Gelegenheit ergab, ihm zu kündigen, flog er überall raus. Er hatte ein gutes Stück Tresen für sich alleine, auf beiden Seiten über einen Meter.

Paddy sah ihm ins Genick und zögerte. Eigentlich hätte sie zu ihm gehen und mit ihm um Terry trauern sollen: Sie waren alle zusammen jung gewesen und hätten Freunde werden können. Aber Keck wusste wahrscheinlich längst, dass Terry tot war. Es hatte in allen Zeitungen gestanden und war auch in den Fernsehnachrichten gebracht worden.

In diesem Moment nahm sie ein anderes Augenpaar wahr, das sie nicht direkt ansah, sie aber im Spiegel hinter der Bar beobachtete, wütende, angsterfüllte Augen, die sie zusammengekniffen und verstohlen musterten. Detective Chief Inspector Alex Knox kannte sie und sie kannte ihn: ein Mann mit fahler Haut, der sich von Verbrechern bestechen ließ, Ermittlungen einleitete und verschleppte, wie es ihm und seinen eigenen Interessen zuträglich war. Sie beobachtete ihn seit Jahren, wusste, dass er gefährlich war, doch sie hatte nie auch nur ein Fitzelchen eines Beweises gegen ihn in der Hand gehabt. Die Polizeibeamten, die unter ihm arbeiteten, waren zu eingeschüchtert, und er hatte es vermieden, anderen Journalisten auf den Schlips zu treten, deshalb war kein einziger Redakteur bereit, sie bei ihren Ermittlungen zu unterstützen. Knox tat nie etwas, das eine Schlagzeile wert gewesen wäre: Er gab nicht mit seinem Reichtum an oder ließ sich bei Boxkämpfen in der Gesellschaft Zigarre rauchender Auftragskiller blicken. Verzweifelt hatte sie sogar versucht, in der Press Bar Gerüchte über ihn zu verbreiten, aber auch das hatte nicht angeschlagen.

Sie bog um die Ecke, weil sie ihm in die Augen sehen wollte. Knox saß mit einem führenden Autor des *Scotsman* dort, einem ehemaligen Akademiker und entschiedenen Befürworter der Regionalisierung. Knox riss die Augen auf, als sie ihn ihrerseits anstarrte. Er war froh, dass sie ihn bemerkt hatte, und sah, dass er Verbindungen zu wichtigen Leuten pflegte.

Sie nickte ihm zu. »Knox.«

»Meehan«, sagte er, aber Paddy hatte sich schon umgedreht und stieg die Treppe hinauf. Sie hörte, wie der führende Autor Knox darüber ausquetschte, woher er Paddy Meehan kannte.

Das Restaurant war leerer als die Bar, aber noch verrauchter. Ein Paar, das nichts mit der Presse zu tun hatte, war zum Essen gekommen und die beiden konnten die Augen nicht voneinander lassen. Vor dem Vorhang, hinter dem es zu den Büros oben ging, saßen vier Rottweiler in Anzügen an einem Tisch. Es handelte sich um Reporter des *Scottish Standard,* auch SS genannt. Weiter hinten rauchten drei Kumpels von der *Daily Mail* und beugten sich gierig über ihr Essen, nachdem sie den ganzen Tag nur getrunken hatten. Es war ruhig, aber es waren genug Leute da, die sie gesehen hatten und es weitererzählen würden. Sobald Keck mitbekam, dass sie sich mit George McVie traf, war die Geschichte bereits so gut wie bei der *Daily News* angekommen.

Eine zierliche junge Kellnerin sah sie am verlassenen Empfang stehen und ging zu ihr hinüber, rollte die Füße wie eine Tänzerin über die Zehen ab. Die Reporter vom *Standard* lachten laut hinter ihr her, und sie zuckte zusammen. Neues Mädchen, nahm Paddy an, erste Schicht. Ihr stand ein harter Abend bevor. Sie führte Paddy an einen Tisch am Fenster für zwei Personen und brachte ihr ein Glas Wasser.

Der *Standard*-Tisch kam langsam in Fahrt, die Männer sahen sich nach jemandem um, mit dem sie Streit anfangen konnten. Sie waren eine neue Bande; die Londoner Geschäftsleitung des *Standard* hatte gemerkt, dass die Schotten unersättlich nach Zeitungen gierten und hatten die schottische Ausgabe der Zeitung umgestaltet, indem sie mehr lokale Geschichten unterbrachten und ›Schottisch‹ in den Titel aufnahmen. Die beiden größten Arschlöcher der Branche wurden als Chefredakteure eingesetzt: Jinksie und Macintosh, die jeweils bei der *News* und dem *Express* gearbeitet hatten. Keiner von beiden hatte sich je mit Ruhm bekleckert und niemand verstand, weshalb ausgerechnet sie die begehrten Jobs bekommen hatten. Die Geschäftsführer des *Standard* hatten in beiden Männern etwas entdeckt, das allen anderen entgangen war: Sie waren beinahe krankhaft kleinlich. Keine persönliche Marotte war zu belanglos, um gedruckt zu erscheinen, keine Geschichte zu geschmacklos, kein Einzelfall zu tragisch, um an die große Glocke gehängt zu werden. Die Verkaufszahlen stiegen rasant an.

Paddy hatte gerade lange genug an dem Tisch gesessen, um die Speisekarte zweimal zu lesen und sich ein paar Antworten auf Kecks Bemerkungen einfallen zu lassen, als George McVie einen theatralischen Auftritt hinlegte, indem er die Eingangstür gegen die Wand knallen ließ.

Er hielt kurz inne, zog alle Blicke auf sich und sah seinerseits die Gaffer im Raum grimmig an. Die Natur, die Zeit und sein Temperament sorgten bei ihm insgesamt für eine entsetzlich finstere Miene. Sein Gesicht und seine Haltung passten sich dem ganzen Elend ebenso geschmeidig an wie Frischhaltefolie einer Tasse. Die betrunkenen Journalisten von der *Mail* johlten und klatschten ein bisschen, eigentlich aber nur, um die anderen am Tisch des *Standard* zu nerven. McVie missverstand die Begrüßung absichtlich als Gratulation zu einer großartigen Ausgabe: In der *Mail on Sunday* desselben Tages war ein Richter des High Court, der in Edinburgh Jagd auf Strichjungen gemacht hatte, der Homosexualität überführt worden. Sie hatten die Geschichte seit Monaten recherchiert, was heutzutage nur noch selten vorkam, und McVie konnte zu Recht einen Teil des Verdienstes für sich beanspruchen, da er die Mittel bewilligt hatte. Der Applaus erstarb, als er seine Hand bescheiden triumphierend hob, und wurde von Buhrufen vom *Standard*-Tisch abgelöst. Einer der *Standard*-Leute formte einen Lautsprecher mit den Händen und brüllte: »Schwuchtel.«

McVie verweilte an der Tür, als wäre er ohne Hosen hereingekommen. Paddy stand auf und rief zu ihm herüber. Der Schlauberger vom *Standard* titulierte sie ebenfalls als »Schwuchtel« und erhielt dafür eine Runde Applaus von seinem Tisch, obwohl die Beschimpfung für sie weder treffend noch beleidigend war.

»Ihr werdet in eurer Redaktion gebraucht«, sagte sie ruhig und, wie sie fand, mit großer Würde. »Bestimmt hat irgendwo jemand die Unterhose runtergelassen.«

Die Jungs von der *Mail* brachen in Gelächter aus und warfen Brotkrumen zum *Standard*-Tisch hinüber. Die beiden Verliebten hörten auf, einander anzusehen, blickten um sich und begriffen urplötzlich, dass sie sich auf keinem Vergnügungsdampfer, sondern auf einem Piratenschiff befanden. Die Kellnerin stand an der Seite und kaute nervös am Kragen ihrer Bluse.

McVie kam durch den Raum auf Paddy zu. Er küsste ihre Hand auf eine Art, die das Treffen genauso inszeniert wirken ließ, wie es war.

»Reicht schon«, nuschelte sie. »Setz dich, verdammt nochmal.«

Er ließ die Schultern hängen und sein perfekt geschnittenes Sakko glitt an seinen Armen herunter in seine Hände.

Er drapierte es sorgfältig über der Stuhllehne, ließ das elektrisch blau leuchtende, seidene Innenfutter aufblitzen und flüsterte: »Soll ich wieder gehen?«

Er setzte sich ihr gegenüber. Wenn sie den Chefredakteur einer konkurrierenden Zeitung traf, würde jeder, der davon hörte, denken, Paddy würde abgeworben werden. Wenn sie mit ihm zu Abend aß, sah es aus, als wolle er ihr mehr Geld bieten, als sie bei der *Daily News* bekam. Bunty, der Chefredakteur der *News,* war erst seit einem Jahr auf dem Posten, aber die Verkaufszahlen sanken stetig. Niemand bekam eine Gehaltserhöhung, aber wenn er glaubte, seine geliebte Misty sehe sich nach anderen Ufern um, würde er es sich vielleicht noch einmal überlegen.

»Aber du zahlst, ja?«, sagte er.

McVie war inzwischen reich wie ein Gott und hätte die Rechnung aller Anwesenden übernehmen können, ohne dass ihm auf seinem Bankkonto eine Veränderung aufgefallen wäre, aber er musste so tun, als hätte auch er etwas von dem Treffen. Andernfalls würde er Paddy einfach nur einen Gefallen tun und das wäre dem Zugeständnis gleichgekommen, dass sie befreundet waren. »Wo hast du deinen kleinen Teufel heute Abend gelassen?«

»Bei seinem Dad.«

»Talentfreier Trottel. Seine Show ist ein Affront gegen die Menschlichkeit.«

Die Kellnerin sprang zu ihnen herüber, aber ihr Lächeln erstarb, als sie McVies Gesicht sah. »Bringen Sie mir einen großen Gin Tonic. Nur einen Spritzer Tonic.« Er knuffte ihr mit der Speisekarte in den Bauch. »Haggis mit Steckrüben, bitte, und beeilen Sie sich.«

Er funkelte Paddy an, weil er wollte, dass sie auch bestellte. Sie entschied sich für Schweinehaxe in Sherrysauce und die Kellnerin zog sich zurück, war froh, von dem Tisch wegzukommen.

Paddy schüttelte ungläubig den Kopf. »Jetzt trägst du aber ein bisschen dick auf, was?«

»Tu ich das?« Er nahm eine Zigarette aus der Packung, zündete sie an und warf ihr das Päckchen über den Tisch hinweg zu, anstatt ihr eine anzubieten. McVie brauchte immer eine Weile, bis er nach der Arbeit wieder herunterkam. Er war von Natur aus keine Führungskraft, sondern eher ein Einzelgänger, der seine Mitarbeiter mit Hilfe von Wutausbrüchen unter Kontrolle hielt, die sogar ein Zweijähriger als vulgär empfunden hätte. Er gab sich Mühe, sie freundlich anzulächeln. »Besser?«

»Nein. Du siehst aus, als hätte ein Konkurrent gerade einen Rektumprolaps erlitten.«

Er stieß einen Zischlaut zwischen den Schneidezähnen hervor, was einem aufrichtigen Lachen bei ihm am nächsten kam. McVie hatte aber auch bessere Seiten. Fern der Arbeit war er ein anderer Mensch. Er machte Pete Geschenke, die für dessen Alter absolut ungeeignet waren, aber immerhin waren es Geschenke. Nachdem Pete aus dem Krankenhaus entlassen worden war, überließ er Paddy sein Cottage auf Skye, damit sie Urlaub machen konnten, obwohl Pete immer noch an der Sauerstoffflasche hing und sie nicht weit fahren durften. Außerdem lagen überall im Haus gefährliche Kabel und Schwulenpornos herum.

»Komm schon«, sagte Paddy, »Ich hatte eine echte Scheißwoche. Ich kann das jetzt nicht brauchen.«

»Wegen Terry?«

Sie nickte. »Ja, wegen Terry.«

»Traurig«, sagte er und meinte es auch so.

Paddy starrte mit gerunzelter Stirn auf ihren Teller. »Ja. Traurig.«

In einem Anfall von guter Laune schüttelte McVie seine Serviette neben dem Tisch auf, zog sie sich über den Schoß, nahm das Ende seiner cremefarbenen Seidenkrawatte, stopfte sie sich lose in die Hemdtasche und berührte das bereits gedeckte Besteck vor sich mit den Fingerspitzen, wie ein Konzertpianist die Flügeltasten begrüßt. Er seufzte und sah zu ihr auf.

»Gott, hab ich einen Hunger.«

»Du hast mir gestern Abend ein halbes Kind nach Hause geschickt«, sagte sie.

»Der junge Mann meinte, du wärst eine blöde Zicke.«

»Ach wirklich?«

»Ja.«

»Er hat mich ziemlich penetrant ausgequetscht.«

McVie pfiff durch die Zähne. »Was soll ich sagen? Wenn er erst Mal Blut geleckt hat, ist er nicht mehr zu bremsen.«

Die Journalisten riefen der Kellnerin zu, dass sie mehr Wein haben wollten. Einer von ihnen summte, trommelte mit den Fingern auf der Tischkante herum, versuchte sich an einen Song aus seiner Jugend zu erinnern. Sie schienen kurz davor, singen zu wollen.

»Erzähl mir von Terry«, sagte McVie.

»Gott. Das war schrecklich. Ich musste die Leiche ansehen, bestätigen, dass er es wirklich ist. Die haben ihm verdammt nochmal in den Kopf geschossen. Sein Gesicht war eine einzige Ruine.«

Die Kellnerin brachte den Gin Tonic, und er nahm ihn ihr ab, beachtete sie nur insofern, als er ihr mit einer Handbewegung signalisierte, dass sie wieder gehen könne. Sie zögerte irritiert und Paddy lächelte sanft entschuldigend. Die Kellnerin ging.

McVie nippte an seinem Drink. »Er hat für mich gearbeitet, als freier Journalist.«

»Wer? Terry?«

»Ja, an nichtssagenden Geschichten, regionaler Schwachsinn. Hat auf einen Auftrag aus London gewartet, als Kriegsberichterstatter. Wir werden eine Trauerfeier ausrichten. Willst du eine Rede halten?«

»Um Gottes willen, bloß nicht.« Sie konnte nicht über ihn reden. Jeder dort würde wissen, dass sie ihn abserviert hatte. »Die Polizei sagt, die Provos waren es.«

McVie nippte. »Mein Informant bei der Polizei sagt, sie waren es nicht.«

»Trotzdem komischer Zufall, dass seine Leiche auf der Straße nach Stranraer gefunden wurde.«

»Was spielt das für eine Rolle?«

»Die Fähre nach Belfast legt in Stranraer ab. Jeder, der regelmäßig nach Irland reist, kennt sie, kennt alle Abzweigungen, weiß, wo viel los ist und wo's ruhig bleibt. Das lässt darauf schließen, dass es ein Ire war, der ihn getötet hat.«

»Na ja, ich hab gehört, dass es ein Überfall war.«

»Raubmord?«

»Ja.«

»Hat ihm was gefehlt?«

»Seine Klamotten und seine Brieftasche wurden nie gefunden.«

Sie sah ihn an. »Ein bisschen zu gründlich für einen Überfall. Der Kerl konnte sich eine Schusswaffe und einen

Wagen leisten; da wird er kaum jemanden umbringen, um an dessen Hosen zu kommen.«

Sie wusste, dass ihr McVie Informationen entlocken wollte: Die anderen Zeitungen wollten die *Daily News* und deren Provo-Thesen widerlegen, weil sie ihnen mit der Schlagzeile den Rang abgelaufen hatte.

»Dein Kontaktmann ist nicht zufällig Knox, oder?«, fragte sie.

»Himmel, fang bloß nicht wieder mit *der* Scheiße an.«

»Er ist korrupt.«

»Ist mir scheißegal. Außer dir ist das allen scheißegal.«

Er drückte seine halb gerauchte Zigarette stümperhaft aus, jagte die dunkelrote Glut durch den gesamten Aschenbecher. »Terry hatte seine Finger in allerhand Sachen. Wenn er losgelegt hat, hat er sich nicht um die Gefahren gekümmert, aber ich glaube, das hat ihm auch gefallen.«

»Ja, vermutlich. Wer will schon Kriegsberichterstatter werden?«

»Ja, genau. Ehrgeizige junge Männer, die es nicht besser wissen, und alte Männer mit Todessehnsucht.«

Dem Journalisten von der *Mail* war der Song wieder eingefallen und nun gab er alles. Er hatte den Kopf in den Nacken gelegt, die Augen geschlossen und jetzt verhunzte er »Heart of Gold« von Neil Young. In seinem Kopf klang es wahrscheinlich besser.

»Gut, Meehan, komm schon: Callum Ogilvy. Wann kommt er raus?«

»Wer weiß das schon?«

Er sah sie an, irgendwo in seinen Augen war ein Lächeln versteckt. »Du weißt es«, sagte er ruhig.

»Nein, tu ich nicht.«

Die Kellnerin brachte ihnen etwas Brot und einzeln verpackte Butter, direkt aus der Tiefkühltruhe.

»Doch tust du wohl.«

»George, ich weiß nicht, wann er rauskommt, ehrlich.«

»Schwör beim Leben deines Kindes.«

Sie grinste ihn an. Er wusste, dass sie log, jeder wusste, dass sie in Bezug auf Callum Ogilvy log, aber McVie durchschaute sie besser als die meisten.

»Wie geht's dir so, George?«

Er gab erneut einen Zischlaut von sich wegen des fadenscheinigen Ablenkungsmanövers und nahm eine weitere Zigarette. Sie versuchte es noch einmal. »Wie geht's dem netten jungen Mann, mit dem du zusammen bist?«

Er zog eine Schnute, zündete die Zigarette an und blies dichten Rauch über den Tisch, der wie Morgennebel auf einem See über ihrer Platzdecke waberte.

»Meehan, unsere Leute haben Zelte vor dem Gefängnis aufgeschlagen. Wir können ewig warten. Richte Callum Ogilvy Folgendes aus: Wir zahlen ein Spitzenhonorar für ein Exklusiv-Interview. Mit Bildern. Irgendjemand wird ihn sowieso kriegen, da kann er genauso gut ein paar Pfund für sich rausschlagen. Startkapital für sein neues Leben.«

»Johnny Mac von der *Times* hat ihm fünfzigtausend geboten und er will trotzdem nicht.«

»Es sei denn, du behältst es selbst, exklusiv auf die billige Tour, Familienbeziehung und so.« Er warf ihr einen verstohlenen Blick zu. Callum und Sean Ogilvy gehörten nicht zu ihrer Familie. Die Menschen vergaßen, dass sie mit Sean nur verlobt gewesen und Callum nicht ihr Cousin war. Manchmal vergaß sie es selbst.

»George, was hält dein Freund davon, dass du in deiner Zeitung schwule Männer outest?«

McVies Gesichtszüge spannten sich an. »Dieser Richter hat heroinsüchtige Stricher aufgegabelt und in seinem Wagen gefickt.«

»Trotzdem«, sie trank von ihrem Mineralwasser, »das war eine ziemliche Schwulenhatz.« Er entschuldigte sich mit einem Wink seiner Zigarette. »Verkauft sich gut. So läuft das nun mal in unserer Branche.«

Die Typen vom *Standard* kicherten über die Kellnerin, die versuchte die Teller von ihrem Tisch abzuräumen. »Hast du keine Angst, dass dich die Ärsche da drüben eines Tages ebenfalls outen?«

»Nein«, sagte McVie, aber er wirkte besorgt.

McVie hatte vor sieben Jahren seine Frau verlassen und sich zunächst nur branchenintern und nach und nach zu seiner Homosexualität bekannt. Aufgrund ungeschriebener Verhaltensregeln wurden seine sexuellen Präferenzen in der Presse nie thematisiert, auch nicht, als er die Leitung der schottischen *Mail on Sunday* übernahm und berühmt wurde. Doch die Gemeinheit der Leute vom *Standard* kannte keine Grenzen.

»Wenn die dich bloßstellen wollen, wird das hässlich.«

McVie schüttelte sich, als säße ihm eine Kakerlake zwischen den Schulterblättern. »Hör auf damit.«

Er nahm eine Scheibe Brot aus dem Brotkorb und eine Portion Butter, knetete sie durch die Verpackung hindurch, um sie aufzutauen. »Was hat Hatcher über Terry gesagt?«

Wie um ihn persönlich zu ärgern, war die Butter steinhart gefroren und McVie fiel gar nicht auf, dass eine Pause entstanden war, bevor Paddy wieder etwas entgegnete. »*Kevin* Hatcher?«, fragte sie, als wollte sie ihn korrigieren.

»M-hm.«

»Nicht viel.«

»Er muss etwas gesagt haben. Er hat sich draußen vor dem Casino von Terry verabschiedet.«

Paddy nahm ebenfalls eine Scheibe Brot, pulte das weiche Innere heraus und kaute darauf herum. »Nur …« Sie riet drauflos. »… dass sie Geld verloren haben.«

McVie packte die Butter aus, legte sie sich aufs Brot und versuchte sie mit dem Messer zu verstreichen. Das weiche Brot blieb an der Butter kleben und die Scheibe zeriss in Fetzen.

»Dann war also Kevin der Letzte, der Terry gesehen hat?«, fragte Paddy beiläufig. »Wo ist er jetzt, beim *Express?*«

McVie blickte ärgerlich auf das zerfetzte Brot. »Freiberufler. Hat eine eigene Agentur.« Er nahm die Scheibe, knetete sie mit beiden Händen zu einer Kugel und warf damit nach der verdutzten Kellnerin, die gerade die Dessertbestellung am Tisch der Verliebten entgegennahm. Die Brotkugel traf den Vorhang und fiel zu Boden. Er musste seine Stimme nicht heben: Alle Blicke waren ohnehin auf ihn gerichtet. »Ich will Butter haben, die verdammt noch mal nicht steinhart ist.«

Das Pärchen wirkte entsetzt. Die Jungs vom *Standard* johlten, weil sie Tyrannen grundsätzlich zujubelten, und am Tisch der *Mail* wurde halbherzig geklatscht, weil McVie der Chef war.

»Du bist ein Arschloch.«

Er lehnte sich zurück und zog an seiner Zigarette. »Wann kommt Ogilvy raus?«

»Halt die Klappe.«

Die Kellnerin brachte die Teller mit dem Haggis und der Haxe an den Tisch, entschuldigte sich wegen der Butter und erklärte, der Koch habe vergessen, sie früher herauszunehmen, aber sobald sie weicher geworden wäre, würde sie noch einmal welche bringen. McVie grunzte eine Antwort. Sie zog sich so rasch wie möglich zurück, eilte davon, um sich in der Küche zu verstecken.

»Meehan, das hier ist mein einziger freier Abend«, sagte er, als sie weg war. »Ich tue dir einen Gefallen.«

Paddy wollte, dass er sie ansah. »George, weißt du, dass du mir, seitdem wir hier sind, kaum in die Augen gesehen hast? Du warst noch nie besonders nett, aber verdammt noch mal, ist da überhaupt noch wer zu Hause?«

Mit dem Ellbogen auf dem Tisch stocherte ihr McVie mit seiner Gabel entgegen, sein düsterer Blick hellte auf. »Ja, bin da.«

»Gut. Denk dran, man muss als Chefredakteur kein Arschloch sein. Dadurch wird vieles einfacher, es ist aber nicht nötig. Erinnerst du dich an Farquarson? Der war anständig.«

»Ja, und wo ist er jetzt?«

Soweit sie wusste, genoss ihr alter Chefredakteur friedlich seinen Ruhestand in Devon, aber das hatte George nicht gemeint. »Jeder Chefredakteur kriegt mal was aufs Dach. Das hatte nichts damit zu tun, dass er sich ein bisschen Menschlichkeit bewahrt hat.«

»Komm schon. Gib mir was. Wie stehe ich denn da, wenn ich mit leeren Händen zurückkomme.«

Sie tat, als würde sie darüber nachdenken. »Ogilvy wird entlassen, du hast recht.«

»Wann?«

»Demnächst.«

McVie versuchte etwas aus ihrem Gesichtsausdruck herauszulesen. »In zwei Wochen, das denken alle.«

»Sie irren sich.«

»Drei Wochen?«

Paddy schüttelte den Kopf und schnitt in das weiche rosafarbene Schweinefleisch.

»Drei Wochen?«

Sie legte den Kopf aufmunternd schief.

»Drei Wochen also.«

Sie sah zu ihm auf. »Das hab ich nicht gesagt.«

»Nein, gesagt hast du's nicht.« McVie nickte und lächelte seinen Teller an. »Du hast es nicht gesagt. Danke.«

II

Die Leute von der Nachtschicht waren nicht in den Redaktionsräumen, die meisten befanden sich irgendwo im Einsatz oder versteckten sich an geheimen Orten irgendwo im Gebäude. Larry war in seinem Büro und hörte Radio. Paddy behielt ihren Mantel an, nahm das Telefonbuch vom Schreibtisch der Sekretärin, blätterte den Abschnitt »H« durch.

»Was machst du da?«

Sie schreckte auf, sah hoch und entdeckte Merki, der neben dem Schreibtisch stand. »Verdammt noch mal, wieso schleichst du hier rum?«

Merki starrte neugierig auf das Telefonbuch. »Suchst du was?«

Paddy zog eine Schnute.

Merki fuhr sich mit der Zunge über die Mundwinkel und bereitete seinen nächsten Schachzug vor. »Die Provos sagen, sie waren's nicht.«

»Das haben sie dir persönlich mitgeteilt, oder was?«

»Nein.« Er verrenkte den Hals, versuchte die Seite über Kopf zu lesen.

»Sie haben sich nicht dazu bekannt. Sie haben ein Codewort, mit dem sie sich bekennen, und das haben sie bis jetzt noch nicht getan.«

»Na ja, vielleicht waren sie übers Wochenende alle im Ausbildungslager.«

Seine Augen klebten an den Spalten des Telefonbuchs. »›H‹?«

»Wie lange lassen die sich normalerweise Zeit, bis sie anrufen?«

»Meistens melden sie sich noch, bevor die Leiche gefunden wird. Jetzt sind schon vierundzwanzig Stunden vergangen und nichts ist passiert.«

Sie starrte ihn an, leer und unbeweglich, bis er sich wieder an die Kaffeemaschine verzogen hatte und immer noch neugierig zum Telefonbuch zurückschielte.

Paddy fand Kevin Hatcher. Battlefield auf der South Side war als Adresse angegeben.

Sie sah Richtung Kaffeemaschine und entdeckte Merkis Schulter. Er wartete dort, würde gleich rauskommen und nach ihr das Telefonbuch durchgehen. Sie hätte bei Sinn Fein anrufen und fragen können, ob man dort etwas über Terry gehört hatte, aber sie würden abstreiten, überhaupt etwas über die Aktivitäten der IRA zu wissen. Die Partei war nur deshalb nicht verboten, weil sie behauptete, von der IRA unabhängig zu sein. Sie sah im Adressbuch auf dem Schreibtisch der Sekretärin nach und rief die *Irish Republican News* an.

Nach einer Weile nahm endlich eine gelangweilte Aushilfe ab.

»Kann ich bitte mit einem Reporter sprechen.«

»Geht's um eine Story?«

»Ja«, sagte sie. Irgendwie stimmte das ja. Sie würde von Glück sagen können, einen Journalisten an den Apparat zu bekommen, der sich die Mühe machte, ihr zu helfen.

Ein Reporter übernahm den Anruf und fragte sie mit breitem irischem Akzent, was zum Teufel sie wolle. Sie senkte ihre Stimme und versuchte ungeheuer wichtig zu klingen.

»Hier ist Paddy Meehan von der *Scottish Daily News*. Wir haben hier eine Riesengeschichte: Mutmaßliche Hinrichtung eines Journalisten durch einen Soldaten der IRA. Ist euch was darüber bekannt?«

Er bedeckte die Sprechmuschel mit seiner Hand. Sie konnte nicht hören, was am anderen Ende gesagt wurde. Vielleicht hatte er den Hörer auch weggelegt und sich verkrümelt, woher sollte sie das wissen. Plötzlich meldete er sich, sehr zu ihrer Überraschung, zurück. »Wir haben nichts gehört.«

»Hätten Sie aber normalerweise, oder?«

»Ja, normalerweise. Keine Presseerklärung, nichts. Hier … warten Sie.«

Er bedeckte wieder die Sprechmuschel, aber diesmal konnte sie die Gespräche im Hintergrund hören. »Oder? Okay. Nein, du hast recht.« Er meldete sich wieder. »Wir kriegen grad was rein. Sie waren's nicht.«

»Sie distanzieren sich?«

»Ganz offiziell«, sagte er. »Habt ihr Jobs bei euch da drüben?«

»Ein paar. Wie heißen Sie?«

»Poraig Seaniag.«

Sie schrieb den Namen mit unsichtbarem Stift auf einen unsichtbaren Zettel, nur um ihrer Stimme den richtigen Klang zu verleihen. »Poraig, Sie sind ein Schatz.«

»Wenn ihr irgendwas zu der Geschichte braucht, ich hätte nichts dagegen, in der Autorenzeile genannt zu werden.«

So etwas Dreistes hatte sie noch nie gehört: ein Informant, der verlangte, als Autor in Erscheinung zu treten. »Ehrlich gesagt, geht es eigentlich gar nicht um einen Artikel. Wir standen uns nahe. Ich wollte nur wissen, was passiert ist.«

»Ach. Ein Familienangehöriger?«

»Sozusagen.« Sie ließ das Gespräch verebben, und setzte der Wirkung wegen ein kleines Schnäuzen ein.

»Okay, tut mir leid. Na ja, behalten Sie meinen Namen im Hinterkopf.«

»Mach ich.«

Als sie aufgelegt hatte, schüttelte sie entrüstet den Kopf.

Merki versteckte sich immer noch hinter der Tür zum Pausenraum, sie konnte seine Füße auf und ab gehen sehen. Sobald sie weg war, würde er die Notizen suchen, die sie auf einen Block geschrieben hatte, und versuchen, die Seite im Telefonbuch wiederzufinden, die sie aufgeschlagen hatte. Nur um ihn zu ärgern, schlug sie das Telefonbuch beim Buchstaben ›P‹ auf, brach den Buchrücken, schlug es wieder zu und stellte es ins Regal zurück.

8

Fort William

I

Kevin Hatcher bewegte sich steif und langsam wie ein alter Mann. Dabei war er gar nicht alt. Er sah sogar jünger aus, als ihn Paddy in Erinnerung hatte, vor sechs Jahren, als sie ihn das letzte Mal aus der Nähe gesehen hatte. Damals hatte er allerdings auch noch getrunken. Jetzt war er braungebrannt und seine Haare waren blonder und heller als noch zu der Zeit, in der er von Bar zu Bar getorkelt war und gar nichts anderes mehr getan hatte. Durch den dünnen Stoff seines abgetragenen Jeanshemds konnte sie sehen, dass er Sport trieb und breite Schultern und kräftige Arme bekommen hatte.

Als sie ihn anrief, hatte er nicht gefragt, weshalb sie vorbeikommen wollte, dabei war es bereits Sonntagabend acht Uhr gewesen. Er hatte ihr die Tür geöffnet, »Hallo« genuschelt, ihr den Mantel abgenommen, ihn beiläufig über einen Stuhl im Flur gelegt und sie ins Wohnzimmer geführt. Er stand noch unter Schock, das war nicht zu übersehen.

Die Wohnung befand sich im obersten Stockwerk eines Wohnhauses aus rotem Sandstein. Sie war hübsch, aber unglaublich unordentlich und höhlenartig, unübersehbar die

Wohnung eines Junggesellen. Sie gingen an der Küchentür vorbei und eine Schwade Putzmittelgeruch stieg ihr in die Nase. Sie vermutete, dass irgendwann einmal eine Frau hier gewohnt hatte: Gerahmte Bilder waren mit Bedacht aufgehängt und unter der unordentlichen Oberfläche verbarg sich eine gewisse Struktur. Zwei Sofas standen einander im Wohnzimmer gegenüber und irgendwo darunter befand sich auch ein Teppich, aber die Wohnung erstickte in Staub und Durcheinander, schmutzigen Bechern, Fotografien, seltsamen Mitbringseln aus den Souvenirshops der Autobahnraststätten. Im Flur waren Stative in verschiedenen Größen aufgebaut. Ein einzelner Stuhl stand mitten im Wohnzimmer, direkt vor dem Fernseher.

Als er ihr in den Raum hinein folgte, erzählte er, er sei mittags Milch kaufen gegangen und habe mehrfach die Schlagzeile in der *Daily News* gesehen, bevor er endlich Terry auf dem Foto erkannte.

»Das war ein altes Bild«, sagte er und schob einen Haufen Zeitschriften auf einer Seite des Sofas zusammen, sodass sich Paddy setzen konnte.

»Ja«, sagte sie, »aus der Zeit, bevor er wegging.«

Er stand vor Paddy, sah auf den Boden, öffnete und schloss die Hand, als müsse er sich anstrengen, sich zu erinnern, wie man bei solchen Besuchen weiter verfuhr. Endlich erinnerte er sich. »Tee?«

»Nein, danke. Geht's dir gut?«

Kevin schüttelte den Kopf.

»Setz dich.« Sie klopfte auf die Sitzfläche des Sofas neben sich. »Was hast du den ganzen Tag gemacht?«

Er trottete zum Sofa, wedelte hilflos mit den Händen über der Jacke und dem Becher, als wollte er beides wegzaubern. Dann griff er doch danach, verfrachtete beides auf den Boden, setzte sich und schlang seine Arme um die Taille. Er hatte die Polizei gerufen und ein paar Stunden mit den Beamten verbracht, hatte immer wieder die Ereignisse des Abends im Casino heruntergebetet.

Kevins Arbeit lag überall verstreut herum. Auf dem Wohnzimmertisch standen mehrere geöffnete Kisten mit Dianegativen und große schwarze Mappen lehnten an der Wand oder lagen geöffnet auf dem Boden. Die Fotografien waren wunderbar frisch wirkende Porträts von der Straße, jedes davon erzählte unzählige Geschichten: ein Fischer mit Blut am Overall, der eine Zigarette rauchte, drei fröhliche Männer mit Lederschürzen vor einem modernen Schlachthofgebäude, ein dicker Mann in Sportkleidung an einem tristen Skihang, in seiner Spiegelbrille waren Touristenhorden zu sehen, die einen steilen Pfad heraufwanderten. Sie wollte Kevin Komplimente dafür machen, befürchtete aber, es würde albern klingen.

Kevin nickte rhythmisch mit Blick auf seine Füße und sah plötzlich zu ihr auf. »Er hat dich wirklich geliebt.«

Sie schauderte.

»Ich meine nicht, dass du ihn auch hättest lieben müssen, nur – weißt du, er hat dich eben geliebt.«

»Kevin, Terry hatte seit Jahren keine Zeit mehr mit mir verbracht. Ich weiß nicht, wen er geliebt hat, aber mich hat er nicht mehr gekannt.«

»Verändern sich die Menschen?«, fragte er, als wäre ihm dieser Umstand völlig neu. »Größere Häuser, Kinder und Geld, das ist doch nur Beiwerk, oder nicht?«

Die Formulierung gefiel ihr. »Für einen Knipser bist du ganz schön wortgewandt.«

Er ließ ein höfliches Lächeln aufblitzen. »Hast du die Leiche gesehen?«

Paddy nickte. »Sie sind zu mir nach Hause gekommen und haben mich zur Identifizierung mitgenommen.« Sie merkte, dass er sie etwas Bestimmtes fragen wollte, sich aber nicht überwinden konnte. »Sie haben gesagt, dass es schnell gegangen sein muss. Er wurde von hinten erschossen, wahrscheinlich hat er sie also nicht mal kommen sehen, hat vielleicht gar nicht gemerkt, dass es passieren würde.«

Er wusste, dass sie log, das spürte sie. Er nickte ein bisschen, seine Augen jagten über den Boden, während er an seinem Fingernagel kaute.

»Ich habe gehört, ihr wart an dem Abend zusammen.«

»Ja, wir waren im Casino. Wir schreiben ein Buch … wollten eins schreiben. Die Bilder und dazu ein kurzer Text. Wir hatten einen miserablen Vorschuss bekommen, sind losgezogen und wollten die Kohle an einem Abend auf den Kopf hauen. Das geht eigentlich nur im Casino.«

»Auf den Kopf hauen, womit? Mit Getränken?«

»Nein, Glücksspiel. Ich trinke nicht mehr.«

Sie hatte gehört, dass Kevin inzwischen trocken war. Mitte der Achtziger war er eine Zeit lang verschwunden; alle hatten gedacht, er sei tot, doch dann war er wieder aufgetaucht, als Freiberufler. Seitdem hatte sie ihn nur noch aus der Ferne in düsteren Bankettsälen gesehen, wo er immer lässig die Bühne betreten hatte, um weitere Auszeichnungen für seine Arbeit entgegenzunehmen.

Er sah sie aus dem Augenwinkel an. »Ich kenne dich aus dem Fernsehen, aber hast du früher nicht schon für die *Daily News* gearbeitet?«

Sie nickte. »Jetzt bin ich wieder da.«

»Haben wir zusammengearbeitet?«

»Ja, ungefähr vier Jahre lang«, sagte sie und fügte hinzu, »Ich war bloß Aushilfe«, um zu erklären, weshalb er sie nicht erkannte. Verlegen verlagerte er sein Gewicht, sodass das Polster knirschte. »Ich war damals nicht ganz … na ja, nicht ganz bei mir. Tut mir leid. Auszeit von der Realität.«

»Ich erinnere mich, dass du entlassen wurdest und verschwunden bist. Wir haben gewettet, wie lange es dauern würde, bis du dich umbringst.«

Er grinste. Für einen Toten sah er nicht schlecht aus. »Ich hätte nicht dagegen gewettet.«

»Habt ihr es geschafft, den Vorschuss zu verjubeln?«

Kevin sah zu einem gerahmten Plakat an der Wand. Ein edwardianisches Porträt einer Frau mit einem großen roten Hut, rot und grün wie Weihnachten. »Nein«, sagte er seufzend. »Wir sind mit vier Pfund plus wieder raus. Auch gut, oder? Ich werde das Geld zurückzahlen müssen. Terry war mit dem Text längst noch nicht fertig.« Mit Blick auf ihre Schuhe fragte er: »Was ist zwischen euch beiden in Fort William passiert?«

Sie wollte aufstehen und gehen. Stattdessen sagte sie: »Vor einem Monat bekam ich einen Brief, kam mit der Post in die Redaktion. Er sagte, es täte ihm leid.«

»Was tat ihm leid?«

Sie sahen einander an, weniger als dreißig Zentimeter zwischen ihnen. Wenn sie jemals über Fort William sprechen würde, dann jetzt. »Menschen verändern sich, Kevin. Er hat sich verändert. Er war nicht mehr der, der er mal war. Früher war er viel weichherziger, weißt du?« Sie sah

Kevin an und hoffte auf Absolution dafür, dass es ihr nicht gelungen war, seinen toten Freund zu lieben.

Beide beobachteten, wie er seine Zehen bewegte. Leise sagte er: »Er ist rumgekommen.«

»Hat viel gesehen«, setzte sie traurig hinzu.

»Das hat er. Ich glaube, Angola war ziemlich heftig.«

»Ja?«

Er schloss die Augen und nickte einmal. »Ja.«

Dabei beließen sie es. Sie wollte nicht ins Detail gehen oder erklären, dass Terry ihr dermaßen Angst eingejagt hatte, dass sie es nicht einmal mehr ertrug, mit ihm zu sprechen.

Das war in dem dunklen Hotelzimmer in Fort William. Sie waren essen gegangen. Es war wunderbar gewesen, sie erinnerte sich kaum noch an das Restaurant, nur noch an Terrys Lächeln, seine Augen, und dass er auf dem Weg zurück zum Hotel ihre Hand genommen hatte. Sie küssten sich im Aufzug, die erste Berührung, nachdem sie acht Jahre lang aneinander gedacht hatten. In der Ungestörtheit des Zimmers wirkte er älter, bedachter und reifer. Paddy ließ sich nicht von der Tapete ablenken, den Geräuschen im Gang oder den Sorgen bei der Arbeit. Sie redeten miteinander, sprachen über ihre Wünsche und Pläne und lachten, als er seine Hose über die Schuhe ziehen wollte und hängen blieb. Irgendwann landeten sie auf dem Boden, weil lauter blöde kleine Kissen auf dem Bett lagen.

Doch zum Schluss, als er kam, fiel Terry völlig aus der Rolle. Er packte sie an den Haaren, grub ihr die Nägel tief in die Kopfhaut und donnerte ihren Kopf fünfmal mit Gewalt auf den Boden, zu oft, als dass es ein Versehen hätte sein können. Viel zu oft.

Er entschuldigte sich kurz und schlief ein, während sie schockiert und erstarrt neben ihm lag. Er atmete gleichmäßig, die Hitze seiner Haut brannte an den Stellen, an denen sich ihre Körper berührten. Sie machte sich los, nahm ihre Klamotten und rannte auf und davon, raste mit dem Auto zurück nach Glasgow.

Sie konnte gar nicht in Worte fassen, weshalb sie so fertig war. Vielleicht weil man daraus schließen musste, dass er sie insgeheim verachtete. Aber eigentlich war es die Beiläufigkeit, mit der er sich entschuldigt hatte. Sie ließ vermuten, dass er das schon öfter getan hatte. Es hatte etwas Gewohnheitsmäßiges. Er hatte es oft gemacht, mit vielen Frauen, und keine davon war in der Lage gewesen, ihm zu sagen, dass er sich verpissen und ihr so etwas nie wieder antun solle.

Sie schämte sich für ihn, es war ihr peinlich um seinetwillen. Sie wollte es niemandem erzählen und Kevin war zu rücksichtsvoll, um sie nach Einzelheiten zu fragen. Sie wünschte, sie hätte ihn früher kennengelernt. Es gab so viel, über das Terry nicht reden konnte, und sie begriff nun, weshalb er sich so gut mit Kevin verstanden hatte.

»Worum ging es in eurem Buch?«

Kevin streckte die Beine aus. »Straßenporträts. Schotten, die in New York und London leben. Eigentlich nur ein Vorwand, um gemeinsam nach New York zu fahren.«

»Dann hat er also die Interviews geführt?«

»Nein, er hat die Bilder gemacht und ich den Text, das war ja das Ungewöhnliche daran.« Sie sah ihn an und merkte, dass er sie verstohlen angrinste. »War ein Scherz.«

»Sehr witzig«, sagte sie trocken und sein Lächeln wurde noch breiter. »Glaubst du, das Buch hat was mit dem Mord zu tun?«

»Nein«, sagte er entschieden. »Wie die Polizei heute gesagt hat, wenn's so wäre, wäre ich jetzt auch tot, oder? Ich glaube, es hat mit einem der Orte zu tun, an denen er gearbeitet hat. Vielleicht hat er etwas Belastendes gesehen, Hinrichtungen, Korruption …« Ihm gingen die Ideen aus und er zuckte entschuldigend mit den Schultern. »Ich bin Fotograf«, sagte er, als könne dies seine Unwissenheit in Bezug auf internationale Angelegenheiten erklären.

»Wie weit seid ihr mit dem Buch gekommen?«

»Erst ein paar Probeseiten, damit wir den Projektantrag stellen konnten.« Er stand auf und verließ den Raum, kam mit einem Din-A3-Ordner zurück. Er zog das Gummiband ab und legte zwei große Seiten nebeneinander, ein wunderbar scharf gestochenes Bild auf einer Seite und ein kurzer Textabschnitt daneben. Das Bild zeigte eine amerikanische Straßenszene. Es hätte überall sein können: ein mit Schindeln gedecktes Haus mit Sitzgelegenheit auf der Veranda, ein metallisch blauer Himmel darüber. Vor einem schmutzigen Fenster hing eine Stars-and-Stripes-Flagge, große Wagen parkten auf einer breiten betonierten Straße und im Vordergrund grinste eine Frau von ungefähr achtzig Jahren mit verschränkten Armen in die Kamera. Die Falten in ihrem Gesicht waren so tief, dass man darin Kleingeld hätte verlieren können, und ihre künstlichen Zähne bildeten eine perfekt weiße Front.

Die Bildunterschrift lautete »Senga – Kilmarnock / New Jersey«. Der Text erzählte die Geschichte der Frau, wie sie in die USA gekommen und warum sie geblieben war. Paddy lächelte wegen des Textes. Terry war schlau: Es war nicht das, womit der Leser gerechnet hätte. Senga verglich die Länder nicht miteinander, äußerte keine Vorlieben. Sie war zu Besuch bei ihrer Schwester gewesen und hatte einen italienischen Ladenbesitzer geheiratet. Sie hatte sich in seine Schuhe verliebt und in die Art, wie er ihren Drink mixte. Ihre Schwester hatte Krebs im Bein, ging aber immer noch tanzen. Der Text war typisch für Terrys Schreibstil. Stets fand er einen einzigartigen Zugang zu einer Geschichte, verzichtete auf das Offensichtliche und überließ es dem Leser, eigene Schlüsse zu ziehen. Sie fuhr mit der Hand über das Bild von Senga, aber Kevin zog ihre Hand weg.

»Tut mir leid«, sagte er, »aber … das Fotopapier verträgt das nicht.«

»Entschuldigung.«

Kevin wirkte plötzlich den Tränen nah und blätterte die Seite um. »Bob – Govan / Long Island«. Bob stand lächelnd an einem unverbauten Küstenstreifen, die Ärmel hochgekrempelt, sodass die Tätowierung auf seinem Unterarm, der todgeweihte King Billy auf einem sich aufbäumenden Pferd, zu sehen war.

Kevin zeigte auf die loyalistische Tätowierung zum Gedenken an die Niederschlagung der irischen Katholiken durch Wilhelm von Oranjen. »In Glasgow gilt das als offene Aufforderung zur Prügelei. Da drüben denken die Leute, er mag Pferde. Umdeutungen. Eigentlich handelt das ganze Buch davon.«

»Ich werd's kaufen, wenn es erscheint.«

»Das wird es nicht.«

»Könnte nicht jemand anders die Texte auf Grundlage von Terrys Notizen schreiben?«

»Nein. Wegen ihm wollten sie es veröffentlichen. Er kannte die Frau, der Scotia Press gehört, und sie wollten mit seinen Auslandseinsätzen dafür werben.« Kevin nickte. »Er hat sich dein Buch gekauft.«

Sie war überrascht. »Das Buch über Patrick Meehan?«

»Ja, *Shadow of Death*. Ich musste es ihm nach Beirut schicken.«

Damals hatte sie nicht einmal gewusst, ob sich Terry überhaupt noch an sie erinnerte. Sie hatte im Krankenhaus gelegen und Pete zur Welt gebracht, und war immer mal wieder über seine Artikel über den Libanon gestolpert. Terry berichtete von einem bizarren Abendessen mit einem Führer der Hisbollah und schrieb über die neue Verfassung, über die Not der Menschen und die raue Schönheit des Landes. Bis Pete kam, hatte sie geglaubt, Terrys Welt sei alles, was sie wollte, eine Welt voller Ruhm und Zeitgeschichte, und sie wollte Licht in deren dunkle Ecken bringen. Doch dann wurde Pete geboren – ein glückliches, sorgloses Baby, das sich vom ersten Moment an prächtig entwickelte und von einer Familie, von Freunden und Cousinen umgeben war. Sie las seine Artikelserie mit zunehmendem Abstand und verabschiedete sich in die freundlicheren Gefilde der Mutterschaft. Sie war froh, dass Terry da draußen war und die Menschen beschützte, indem er die Wahrheit sagte, aber ihr eigenes Leben war unmittelbarer und nahm sie voll und ganz in Anspruch.

Als sie das Gewicht der Seiten auf ihren Knien zu spüren begann und in Kevins verstörte Augen sah, wurde ihr bewusst, dass sie wütend auf Terry gewesen war, weil er ihr in der Dunkelheit von Fort William ihren liebsten Irrglauben genommen hatte: dass irgendjemand irgendwo da draußen wirklich etwas verändern konnte.

II

Sie war alleine im Haus. Dub war mit zweien seiner Künstler oben in Perth und Pete war bei Burns, sodass ihr nur das Radio Gesellschaft leistete, als sie an ihrem Schreibtisch saß und überlegte, was sie in tausend knappen Worten anprangern sollte. Um sich besser konzentrieren zu können, hatte sie das Licht in der restlichen Wohnung ausgeschaltet und nun beleuchtete nur die verstellbare Schreibtischlampe das leere Blatt Papier, aber die Dunkelheit machte sie hundemüde.

Draußen auf der Straße hörte sie das pausenlose Rauschen der Fahrzeuge auf der Great Western Road, das entfernte Glucksen des Flusses und gelegentlich die Stimmen von Passanten auf dem Nachhauseweg vom Pub.

Das Schwierigste am Schreiben einer Misty-Kolumne war, den Anfang zu finden. Hatte sie erst mal ihren Aufhänger, war es, als würde sie über Öl schlittern. Sie liebte das und abgesehen von der Zeichensetzung, die sie nur notdürftig beherrschte, wurde kaum je etwas redigiert. Das Schwierige aber war, zu entscheiden, worüber sie herziehen wollte.

Einige Bereiche blieben ihr verschlossen, weil sie eine Frau war: emotionale, in der ersten Person verfasste Berichte, Geschichten über Kinder und alles, was Häusliches betraf. Wenn sie sich mit diesen Themen abgab, würde sie nicht mehr ernst genommen werden und im Ghetto der Kummerkastentanten landen. Und Callum Ogilvy. Wenn sie ihn erwähnte, egal ob positiv oder nicht, könnte sie als Freundin seiner Familie geoutet werden. Sie war sowieso erstaunt, dass bislang noch niemand darüber berichtet hatte.

Die Ratten. Unter dem Milchwald. Nach nur neun Minuten am Schreibtisch fing sie bereits an, ihre Sehtüchtigkeit zu testen, indem sie Titel von Buchrücken ablas, die sich in zirka sechs Metern Entfernung befanden.

Das Anti-Diät-Buch. Fünfzehn Jahre lang hatte sie erfolglos versucht, sich zu verleugnen, und war davon kein bisschen schlanker geworden, sondern hatte nur verdammt schlechte Laune bekommen. Sie hatte das *Anti-Diätbuch* gelesen und erleichtert zur Kenntnis genommen, dass ihr geraten wurde, die Diäten aufzugeben. Eigentlich war das Buch aber sehr viel komplexer, es enthielt eine Reihe von Übungen zum Erlernen eines gesunden Umgangs mit Essen, unter anderem Aufgaben vor dem Spiegel, zum Beispiel sollte man sich nackt davorstellen und ansehen, sogar dabei auf- und abspringen, aber das hatte sie alles nicht gemacht. Sie erlaubte sich zu essen und es war eine Freude. Sechs Kilo hatte sie dadurch zugenommen, aber dann hatte sich ihr Gewicht auf diesem Niveau eingependelt. Sie war nie dicker gewesen, aber auch noch nie zufriedener. Ekel überkam sie nur noch manchmal, wenn sie die Treppe hochrannte und ihr Hintern schwabbelte oder sich ihr Bauch beim Hinsetzen zu einem dicken runden Kissen auswölbte. Und sie hasste es, dass sie die Klamotten, die ihr gefielen, nicht kaufen konnte, weil sie nicht hineinpasste. Aber das Vergnügen, ungezügelt essen zu dürfen, machte dies mehr als wett.

Sie sah zu den Aktenordnern oben auf dem Regal. Dort hatte sie die alten vergilbten Zeitungsausschnitte von Terrys Artikeln aufbewahrt. Als sie noch große Hoffnungen in ihre Beziehung setzte, hatte sie gedacht, dass sie sie ihm eines Tages zeigen wollte. Sie würde sie herausholen und ihm gestehen, dass sie jeden seiner Schritte verfolgt und er ihr immer viel bedeutet hatte. Sie könnte sie jetzt herunterholen und seine Artikel aus Liberia durchgehen, nachsehen, ob es dort irgendwelche Anhaltspunkte gab oder Konflikte mit der Regierung, die seinen Tod erklären würden. Aber Kevin lag falsch. Der Konflikt in Liberia war landesintern. Die Machthaber dort bekamen so viel Geld von der CIA, dass sie es nicht riskieren würden, einen Journalisten zu töten und die amerikanischen Banken zu verschrecken.

Das zaghafte Klopfen an der Tür war eine willkommene Unterbrechung. Sie stand auf und ging leichtfüßig zur Tür, erwartete einen freundlichen Nachbarn, einen Evangelisten oder im schlimmsten Fall einen Journalisten auf der Jagd nach Ogilvy.

Der Mann vor der Tür war klein, strohblond, trug einen ordentlichen blassblauen Pullover über einem weißen T-Shirt, beigefarbene Stoffhosen und eine eckige Brille mit Metallgestell. Sie hielt ihn für einen Anwohner, der Unterschriften wegen der Parkplätze sammelte.

Sie öffnete den Mund, um Hallo zu sagen, aber der Ausdruck in seinen Augen ließ sie innehalten. Seine Augen waren kalt, emotionslos. Das vorstädtisch Adrette seiner Erscheinung diente bloß der Tarnung, die Bügelfalten in seiner Hose wirkten plötzlich messerscharf.

»Paddy Meehan?« Er war Ire. Er sprach schnell und leise, sie konnte nicht feststellen, ob es ein nord- oder südirischer Akzent war.

»Wie bitte?«

»Sind Sie Paddy Meehan?«

142

Das ungute Gefühl begann zwischen ihren Schulterblättern; ein heißes Beben, das durch ihre Müdigkeit zweifellos verstärkt wurde und sich bis in ihre Arme ausbreitete, in ihren Hals und ihre Kehle. In Gedanken ging sie die Wohnung durch, wanderte von Petes leerem Bett zu den Messern in der Küchenschublade und dem säbelförmigen Brieföffner auf dem Schreibtisch.

Er lächelte kalt, eine grinsende Schlange. »Wissen Sie nicht, wer Sie sind?« Sein Atem roch sauer, vermischt mit schalem Zigarettenrauch.

»Äh, die ist gerade nicht da«, sagte Paddy. »Ich überlege, wann sie zurückkommt.«

Das Lächeln wurde breiter, aber nicht freundlicher. »Sie sind es selbst. Hab Sie erkannt. Hab Sie im Fernsehen gesehen.«

Sie lächelte zurück, überzeugender als er, wie sie hoffte. »Sind Sie ein Fan?«

»Nein, nein, nein.« Er ließ den Kopf auf die Brust fallen und steckte die Hände in die Taschen. Offenbar hielt er es nicht für nötig, sein Anliegen näher auszuführen.

»Und …?«

Er grinste seine Schuhe an. Das düstere gelbe Licht im Gang spiegelte sich in seinen Brillengläsern. »Sie haben wegen Terry angerufen? Behauptet, Sie wären eine Familienangehörige. Darf ich reinkommen?« Ohne eine Antwort abzuwarten, bewegte er sich auf die Tür zu, trat ein, schob sich in den Flur und schloss die Tür hinter sich.

Im ganzen Haus brannte noch immer kein Licht. Die Schreibtischlampe in ihrem Büro warf einen Lichtkegel vor die Zimmertür und tauchte den Rest des Flurs in Dunkelheit. Sie standen dicht beieinander.

»Wie heißen Sie?«

Er lächelte wieder mit kalten Augen. Seine Hände glitten aus den Taschen und er hob sie schulterzuckend. »Sie haben wegen Terry angerufen und gesagt, Sie seien eine Familienangehörige.«

Sie dachte an Pete und rasende Wut überkam sie, sie griff an die Haustür, riss sie auf, sodass sie laut von der Wand abprallte und den Putz dahinter beschädigte.

Draußen näherte sich Steven Curren. Er hielt inne und sah sie verdutzt an. »Ach«, sagte er. »Tut mir leid. McVie hat mich noch mal hergeschickt.«

Paddy packte ihn am Unterarm und zog ihn in die Wohnung. »Steven! Komm rein!«

Schlangenauge sah von einem zum anderen, streckte aber Steve seine Hand hin. »Wie geht's?«, fragte er. »Schön, Sie kennenzulernen.«

»Hi.« Steve war jung und wohlerzogen. Er gab dem Mann die Hand und stellte sich vor. Er sagte, er sei von der *Mail on Sunday* und habe eigentlich gar nicht kommen wollen, aber der Redakteur habe ihn noch einmal losgeschickt. Er sei noch neu in dem Job.

»Tut mir leid«, Paddy lächelte Schlangenauge an, »ich habe Ihren Namen vergessen.«

Seine Augen flatterten nach links, deuteten auf eine Lüge hin. »Michael Collins«, sagte er und ließ Stevens Hand fallen.

Steven konnte mit dem Pseudonym nichts anfangen, aber Paddy schauderte. Der republikanische Held dieses Namens blieb aus vielerlei Gründen unvergessen, unter anderem, weil er einer der Anführer des Unabhängigkeitskrieges war, der mit dem Rückzug der Briten aus Irland endete, den anglo-irischen Vertrag mitunterzeichnete und in dem brutalen Bürgerkrieg starb, der nach dessen Inkrafttreten ausbrach. Paddy war vor allem in Erinnerung geblieben, dass Collins in seiner Funktion als Geheimdienstchef der IRA die Zwölf Apostel gegründet hatte, eine Kommandoeinheit zur Spionageabwehr. Am ersten Blutsonntag 1920 brachten sie vierzehn britische Agenten in einer einzigen Nacht um, indem sie sie entweder erschossen oder ihnen die Kehlen aufschlitzten.

»Wie konnte ich das vergessen?«, sagte sie ernst und ließ ihn damit wissen, dass sie ihn verstanden hatte. »Und Sie wollten gerade gehen, ja?«

»Nein«, lächelte Michael Collins, »Sie wollten mir gerade einen Tee anbieten.«

Sie sahen einander an. Wenn er eine Pistole hatte, war sie direkt vor der Tür nicht sicherer als drinnen. Und in der Küchenschublade waren die Messer. »Natürlich.«

Die Küche war groß genug, sodass ein Tisch mit vier Stühlen darin Platz hatte, aber nicht groß genug, um sich bequem um die Möbel herum bewegen zu können. Steven und Michael setzten sich, während Paddy Wasser in den Kessel füllte, sich seitlich am Tisch vorbeischob und ihre Rücken streifte, als sie nach Teebeuteln und Zucker griff. Steven fing mitten in die Stille hinein an, über Glasgow zu plaudern, warum es ihn hierherverschlagen habe und dass es für einen Journalisten am Beginn seiner Karriere der beste Ort überhaupt sei, weil hier ein harter Konkurrenzkampf herrsche. Der beste Übungsplatz der Welt. Hier lerne man richtig aggressiv zu sein, die Initiative zu ergreifen und sich eigene Geschichten zu suchen. Eine Pause entstand und niemand sprang ein. Er vermisse natürlich seine Freunde von der Uni, er sei schon ein bisschen isoliert, so ganz allein hier oben, aber die Vorteile würden trotzdem überwiegen.

Collins ließ sich nichts anmerken. Er hörte höflich zu, währenddessen seine Hände unnatürlich reglos auf der Tischplatte ruhten.

Er ließ sich durch Stevens Anwesenheit nicht irritieren. Dadurch wurde sein Vorhaben vielleicht etwas komplizierter, aber nicht unmöglich. Vielleicht würde er sie beide umbringen – das wurde ihr plötzlich klar, als sie die Becher aus dem Küchenschrank nahm. Sie musste ans Telefon gelangen. Sie schaltete den Kessel ein, stellte die Becher auf den Tisch und holte die Milch aus dem Kühlschrank.

»Kekse?«

Steven sagte, ja, er hätte sehr gerne einen Keks, er habe noch gar nicht zu Abend gegessen, und Paddy glitt aus dem Raum.

Sie trat in ihr Arbeitszimmer. Die Bruchstücke ihres erfolglosen Kolumnenversuchs lagen noch auf dem Tisch, der Brief von Johnny Mac lehnte an der Schreibmaschine, ebenso die leere Packung Chips, die sie aus Dubs Knabberschublade stibitzt hatte. Steven plauderte munter weiter, zu spät wurde ihr bewusst, dass seine Stimme lauter geworden war, dem Mann folgend, der hinter ihr hergeschlichen war. Hastig griff sie nach dem Telefon.

»Ich möchte nur mit Ihnen reden.«

Sie hielt den Hörer fest umklammert vor ihrer Brust und drehte sich zu ihm um. Der säbelförmige Brieföffner lag rechts auf dem Tisch und sie konnte die Spitze im Schatten der Schreibmaschine sehen.

»Ehrlich.« Er trat auf sie zu, ein fieser Typ, ein Lügner, ein echter Apostel. »Nur reden.«

Sie schwitzte, wollte seinem sauren Atem ausweichen, wagte aber kaum, sich zu bewegen. »Worüber?«

Er sah sich in dem schummrigen Raum um, betrachtete die Kiefernholzregale, ihren alten Schreibtisch, dessen Kunstlederoberfläche mit Brandlöchern übersät war, die noch aus der Zeit stammten, bevor er in ihren Besitz übergegangen war. Er entdeckte den Brief von Johnny Mac an der Schreibmaschine. »Terry Hewitt war keiner von uns.«

»Das habe ich gehört.«

»Das war eine ganz andere Sache«, sagte er und korrigierte sich. »Hatte nichts mit uns zu tun.«

»Eine andere Sache?«

Er blinzelte langsam, dachte sorgfältig nach, bevor er weitersprach. »Eine Sache der anderen. Nicht unsere.«

Sie hielt sich noch immer schützend das Telefon vor die Brust, wagte aber einen Schritt auf den Schreibtisch zu, ihre Hand ruhte auf der Schreibmaschine, nur wenige Zentimeter vom Brieföffner entfernt. »Wissen Sie, was das für eine *Sache* war?«

»Sie sind also eine Verwandte von Terry? Eine Cousine?«

»Ex-Freundin. Terry hatte keine Familie.«

Er legte den Kopf schief, zeigte ihr seinen Adamsapfel und lachte freudlos.

Hinter ihm sah sie Steven Curren am Küchentisch sitzen, er reckte sich auf seinem Stuhl, um sie besser beobachten zu können. Collins wurde ruhiger. »Schöne Stuckarbeiten. Mein Vater war Stuckateur. Später hatte er eine Frittenbude.«

»Wer hat Terry umgebracht?«

Ein Lächeln huschte über sein Gesicht. »Auf Wiedersehen.« Er trat rückwärts aus dem Raum. Sie hörte nicht, wie er den Flur durchquerte, aber sie hörte, dass die Tür geöffnet und leise wieder geschlossen wurde. Steven lächelte sie von der Küche aus an. »Ist er gegangen?«

Paddy ließ den Hörer fallen und sah in den dunklen Flur hinaus. Weg. Sie warf einen Blick in den Flurschrank und überprüfte Dubs Zimmer. Er lebte seltsam spartanisch. Seine Bücher und seine kostbare Sammlung seltener Comedy-Alben bewahrte er in Pappkartons auf, die er wahlweise auch als Nachttisch, Schreibtisch und Lampenuntersatz verwendete. Sie sah unter dem Bett nach und sprang in Petes Zimmer. Er war weg.

Steven rief von der Küche aus: »Das Wasser hat gekocht. Soll ich den Tee machen? Möchten Sie welchen?«

Paddy stand in dem dunklen Kinderzimmer. Als Collins daran vorbeigegangen war, hatte die Tür offen gestanden. Ein Stapel mit frischer Wäsche lag ordentlich gefaltet am Fußende des kleinen Betts, unter dem Bett lugte eine Kiste mit Plastikautos hervor.

Collins wusste jetzt also, dass sie ein Kind hatte. Er wusste, wo sie wohnte, wie sie aussah und dass sie ein Kind hatte.

III

Um zwei Uhr vierzig am Morgen hörte sie seine Schritte im Gang, drehte sich auf den Rücken, einen Arm über die brennenden Augen gelegt, und lauschte aufmerksam auf den Rhythmus und die Entfernung, war aber nicht wach genug, um sich aufzurichten.

Er ging auf Zehenspitzen über die Holzdielen in die Küche, versuchte keinen Lärm zu machen, dann ins Badezimmer und schließlich in sein eigenes Zimmer. Er hatte nicht gesehen, dass Petes Tür offen stand, sonst wäre er zu ihr hereingekommen. Sie verwandte all ihre Energie darauf, die Bettdecke mit einer Hand von sich zu werfen, sich aufzusetzen und die Beine über die Bettkante zu schwingen. Die brennenden Augen hielt sie immer noch geschlossen.

Sie tastete nach ihrem Morgenmantel am Fußende des Betts, zog ihn sich über und stand schwankend auf, stolperte zur Tür und in den Flur hinaus.

Dub war gerade erst ins Bett gekrochen. Er sah zu ihr auf, wie sie an der Tür stand, die Haare völlig zerzaust, den Kopf in den Nacken gelegt, damit sie die Augen nicht richtig würde öffnen müssen.

Ein sinnlich-schläfriges Lächeln erstrahlte auf seinem Gesicht. »Hallo, meine Schöne.«

Sie stolperte an sein Bett, ließ ihren Morgenmantel zu Boden fallen und kroch unter die Decke, schlang ihre Arme um seinen warmen nackten Körper.

»Pete …«, flüsterte er.

»Noch bei Burns.«

Dub küsste ihr Haar, strich es ihr aus dem Gesicht, der dezente Geruch von Schweiß und Zigaretten umgab sie.

Seine Hand glitt an ihrer nackten Hüfte entlang, seine Finger strichen über den warmen weichen Ansatz ihrer Schenkel. Er drückte seine Stirn an ihre, beider Wimpern berührten sich an den Spitzen.

»Du bist die netteste Vermieterin, die ich je hatte.«

»Weck mich, wenn du deinen Spaß gehabt hast«, sagte sie und lächelte zurück.

9

Die Familie

I

Paddy legte die Hand auf die Haube eines silberfarbenen Kombi, der ihr irgendwie bekannt vorkam, und fühlte, ob der Motor noch warm war. Sie hatte den Parkplatz bereits zur Hälfte durch, hatte so viel kaltes Metall angefasst, dass ihre Finger schon ganz taub waren, aber sie konnte wirklich nicht feststellen, welcher Motor vor Kurzem noch gelaufen war. Ihr war egal, ob noch andere Journalisten da waren, sich versteckten und auf Callum warteten. Überhaupt war ihr Callum egal und auch, ob Bunty herausbekam, dass sie sich hier am Gefängnistor herumtrieb und vorhatte, ohne Geschichte zurückzukommen. Sie wollte einfach nur ihre Pflicht als diejenige tun, die Sean als Einzige in dieser Angelegenheit unterstützen konnte.

Sie klappte ihren Kragen hoch. An der Küste war es immer kälter. Der eisige Wind kam von der aufgewühlten Nordsee und dem Granit, dem kalten harten Stein unter der fruchtbaren schwarzen Erde.

Die zehn Meter hohe Mauer war schwarz und trostlos. Das Dach des Hauptgebäudes war gerade so dahinter sichtbar und die kleinen vergitterten Fenster wirkten wie die Augen eines unterernährten Kindes.

Sie kannte diesen Parkplatz gut, obwohl sie noch nie hier gewesen war.

Dieser Ort war zwar einer der wichtigsten Schauplätze in ihrem Buch *Shadow of Death,* aber sie war hochschwanger gewesen, als sie das Buch schrieb, und hatte Patrick Meehan die Fotos aus dem Archiv der *News* gezeigt und behauptet, das Gefängnis habe sich seit seiner Zeit stark verändert und ihn gefragt, ob er ihr sagen könne, was anders war. Meehan war schlau, nicht unbedingt mitteilsam, aber helle. Eigentlich könne er keine Veränderungen feststellen, hatte er gesagt, es sei seit dem Tag seiner Entlassung mehr oder weniger unverändert geblieben. Er besaß das Talent des Gefangenen bei anderen Schwächen zu entdecken. Er wusste, sie wollte sich die Mühe sparen, dorthin zu fahren. Natürlich hatte er vergessen zu erwähnen, dass die Gleise zum Steinbruch abgeschafft worden und mehrere ausgelagerte Gebäude dazu gekommen waren. Das fiel ihm erst bei der Buchvorstellung wieder ein.

Niemandem waren die Fehler in ihrer Darstellung aufgefallen. Dafür interessierten sich die Journalisten viel zu sehr für die Rolle, die sie selbst bei seiner Freilassung gespielt hatten. Die Öffentlichkeit aber zeigte überhaupt kein Interesse. Paddys Buch war das siebte, das über den Fall erschienen war, und der Publikumsgeschmack hatte sich von Fehlurteilen auf Sexualmorde und Serienkiller verlagert.

An dem Tag, an dem Patrick Meehan seine Begnadigung erhielt, rollte eine graue Nebelwand von der bedrohlich aufgewühlten See herein. Der Himmel hing so tief über den Köpfen der wartenden Pressmeute, dass sie sich in der Erwartung eines heftigen Wolkenbruchs in ihre Autos zurückzogen. Der *Express* hatte einen Deal abgeschlossen:

Meehan bekam mehrere tausend Pfund für ein Exklusiv-interview, niemand wusste genau, wie viel und selbst Jahre später, gab er die genaue Summe nicht preis. Damals, bevor das Sexleben von Fußballern als geeignete Titelgeschichte galt, machten die Zeitungen lieber Gangster und Mörder zu Stars. Da gab Meehan eine ideale Geschichte ab. Er war ein Gentleman-Verbrecher, ein Krimineller der alten Schule, und zu Unrecht wegen eines gemeinen Überfalls auf ein älteres Ehepaar verurteilt worden. Er hatte sieben lange Jahre seine Unschuld beteuert, aber die Richter hatten ein Gnadengesuch nach dem anderen abgelehnt. Die Kampagnen für seine Freilassung hatten in den Zeitungen begonnen, weshalb jeder, der jemals einen Artikel über ihn geschrieben hatte, glaubte, der Mann und seine Geschichte gehöre ihm.

Die Gefängnisleitung hatte aus Naivität sämtliche Einzelheiten seiner Freilassung offiziell bekanntgegeben, sodass sich an jenem Morgen die Vertreter der vierten Gewalt im Staate vollzählig versammelten. Das Warten machte die Angelegenheit problematisch.

Hätten sie ihn gleich morgens um Viertel nach sieben entlassen, gleich nachdem die Reporter von der Nachtschicht gegangen waren und kurz bevor die Tagesschicht begann, wäre niemand vorbereitet gewesen. So aber öffneten sich die Tore um zehn Uhr dreißig und Meehan trat aus der kleinen Tür, die in das große Metalltor eingelassen war, und geriet direkt in die Fänge der wartenden Pressevertreter. Plötzlich ging es hoch her.

Ein Typ vom *Express* packte Meehan am Arm und warf ihm einen Pullover über den Kopf, sodass niemand sonst ein Bild von ihm machen konnte. Von der Menge herumgeschubst und hin und her gezerrt, wurde er hinten in einen Wagen verfrachtet, in dem bereits seine Frau saß, und auf das Wiedersehen mit ihm und ein gemeinsames Interview wartete. Die Wagentüren wurden zugeschlagen und die Männer vom *Express* brüllten ihm zu, er solle sich auf den Boden legen. Meehan gehorchte, legte sich flach hin, das Gesicht von dem grauen Jerseystoff verdeckt. Die *Express*-Reporter sprangen auf die vorderen Sitze und ließen den Motor an, während die Menge die Kühlerhaube umstellte. Aufgekratzt, weil ihnen der Coup gelungen war und voller Freude über den Neid, den sie auf den Gesichtern ihrer Rivalen entdeckten, fuhren sie ein bisschen zu schnell in die Menge hinein, überrollten die Füße eines Fotografen und stießen einen älteren Journalisten von der *Mail* um, der unglücklich fiel und mit dem Gesicht auf den Parkplatzasphalt knallte.

Die restlichen Presseleute waren entsetzt angesichts des überheblichen Grinsens der Reporter vom *Express,* die zu allem Überfluss schuld daran waren, dass zwei Kollegen verletzt worden waren, und blieben nicht untätig. Sie sprangen in ihre eigenen Fahrzeuge und jagten hinter ihnen her. Meehan erzählte Paddy, dass er noch sah, wie ein Triumph-Motorrad seitlich an den Wagen heranfuhr, woraufhin der *Express*-Fahrer Meehan anschrie, es sei ein Fotograf, er solle sich etwas vors Gesicht halten und den Kopf herunternehmen. Meehan zog sich den Pullover über den Kopf und bekam deshalb kaum mit, dass die Triumph viel zu nahe an den Wagen heranfuhr, sich der Motorradfahrer erschreckte, zu stark korrigierte, die Kontrolle verlor und in den Straßengraben raste. Paddy kannte den Mann. Er hatte sich das Fußgelenk zertrümmert, hinkte immer noch und schwor bis heute, der Wagen habe ihn gerammt.

Der *Express*-Wagen und seine Verfolger rasten über unebene Seitenstraßen bis zu einem Feld. Dort wurde Meehan erklärt, er solle, mit dem Pullover über dem Kopf, auf einen wartenden Hubschrauber zulaufen. Mein Gott, damals verfügte man noch über stattliche Budgets, nur leider gab es keine zuverlässigen Wetterberichte: Kaum hatte der Hubschrauber abgehoben, zwang ihn der dichte Nebel auch schon wieder zur Landung und sie mussten zum Hotel trampen, das sie für das Interview gebucht hatten. Zum Glück begegneten sie unterwegs keinem ihrer Verfolger und konnten so erfolgreich ihre Exklusivrechte verteidigen.

Als Meehan ihr später davon erzählte, stellte er es so dar, als hätten alle außer ihm Fehler gemacht, als sei der Vorschuss längst nicht so hoch gewesen, wie alle behaupteten, und als habe er schließlich ein Recht, seine Geschichte exklusiv an eine Zeitung zu verkaufen. Eine verdammte Farce nannte er die Angelegenheit, aber andererseits ärgerte er sich sowieso ständig über irgendetwas, und die Ereignisse dieses Tages fügten sich unauffällig in die Liste seiner Beschwerden.

Aber die Vorgänge zeigten, wie motiviert andere Journalisten agierten, und Callum Ogilvy versprach keine weniger große Story als Meehan. Journalisten aus ganz Großbritannien hatten versucht, Kontakt zu Sean aufzunehmen, und Callum Briefe geschickt, ihm Geld und die Gelegenheit geboten, seine Geschichte zu erzählen. Sie hatten vorgeschlagen, er könne die ganze Schuld auf James schieben. Callum sagte ihnen, er wolle das Geld nicht und wolle auch nicht reden. Sie boten ihm mehr: höhere Beträge und Bilder mit Balken vor den Augen. Er lehnte ab. Einigen antwortete er und teilte ihnen in seiner Kinderschrift höflich immer wieder dasselbe mit: Er wolle in einer liebevollen Familie leben und in einer Fabrik arbeiten. In einer der Zeitungen erschien seine Antwort unter der Überschrift: »Post von einem Mörder«.

Paddy drehte noch eine Runde über den Parkplatz. Soweit sie erkennen konnte, versteckte sich niemand hier, mit Sicherheit würde sie das aber erst wissen, wenn Callum aus der Tür trat. Sie ging zum Wagen der *News* zurück.

Sean aß seine belegten Brote, schob die Scheiben etwas auseinander und zog ein schlaffes Salatblatt mit einer Pinzette aus Daumen und Zeigefinger heraus, hielt es hoch, als handelte es sich um eine tote Nacktschnecke, und schimpfte kaum hörbar auf Elaine.

Paddy sah zu, wie er das Salatblatt aus dem Wagenfenster warf, dann sah sie aus ihrem Fenster in den weiten grauen Himmel. »Bei allem, was diese Frau für dich tut, bleibt dir das Recht, sie zu kritisieren, auf ewig versagt.«

»So ein Ding ist das auch wieder nicht.«

»Immerhin habt ihr vier Kinder.«

Sean schloss geduldig die Augen. »Sie würden ihn nicht rauslassen, wenn er sich nicht geändert hätte.«

Paddy antwortete nicht. Die Gefängnisbehörde entließ Callum, weil sie ihn nicht mehr behalten konnten. Ein plötzlicher Windstoß ruckelte am Wagen, schaukelte ihn leicht hin und her. Sean klappte das Sandwich wieder zusammen, hielt es hoch und starrte es grimmig an. »Putenschinken. Was soll das überhaupt?«

Paddy dachte über das Sandwich nach. »Das ist Putenfleisch, das wie Schinken schmecken soll.«

»Wieso hat sie nicht einfach Schinken genommen?«

»Weil es billiger ist als Schinken. Und gesünder.«

»Ich will aber nichts, das gesünder ist.« Seine Miene verdüsterte sich.

Sie setzte sich auf. »Dann schmier dir deine Stullen in Zukunft selbst. Gestern Abend ist so ein Typ bei mir zu Hause aufgetaucht. Unheimlicher Kerl, hat nach Kippen gestunken und irgendwas mit der IRA zu tun.«

»Was wollte er?«

»Weiß nicht. Hat sich Michael Collins genannt.«

»Vielleicht heißt er wirklich so. Viele Leute heißen so.«

»Nein, der nicht.« Sie sah aus dem Fenster und kaute auf ihrem Fingernagel. »Ich glaube, er wollte mich einschüchtern.«

»Wieso sollte er das tun?«

»Ich weiß nicht.«

Das Autotelefon schrillte urplötzlich, weshalb beide zusammenzuckten und lachen mussten, weil sie so schreckhaft waren. Sean hob ab, zog die verdrehte Schnur gerade.

»Ja? Nein, ich bin im Supermarkt, meine Frau hat mich geschickt. Ich setze Beefy drauf an.«

Er sah zu Paddy. »Ja, die treffe ich später. Okay, ich sag's ihr.«

Er legte auf, hielt die Schnur beiseite, als er den Hörer sorgfältig wieder auflegte. »In der Redaktion hat ein Anwalt für dich angerufen.«

»Ein Anwalt?« Sie dachte sofort an Burns und seine Unterhaltszahlungen. »Weswegen?«

»Terry Hewitt. Sein Anwalt. Du sollst zurückrufen.«

Vielleicht würde sie seine Beerdigung organisieren müssen, vielleicht war das ihre Pflicht als nächste eingetragene Angehörige. Aber die Polizei würde die Leiche erst freigeben, wenn sie einen Tatverdächtigen hatte, das konnte es also nicht sein. Vielleicht hatte Terry eine Nachricht hinterlassen. Sie hoffte, dass er das verdammt noch mal nicht getan hatte. Es würde bedeuten, dass er als Letztes an sie gedacht hatte, und das fand sie unerträglich intim, als wolle er sich auf ewig in ihr Leben einmeißeln. Sie konnte sich weigern, es zu lesen. Sie konnte sich weigern, seine Beerdigung zu organisieren, aber die anderen Presseleute würden sie für ein echtes Miststück halten, wenn sie das tat.

»Kann ich von deinem Telefon aus in der Redaktion anrufen?«

»Nein, dann wissen sie, dass wir zusammen sind. Das Autotelefon rauscht.«

Ein roter Vauxhall kam langsam auf sie zugerollt, fuhr die Reihen auf der Suche nach einer Parklücke ab. Paddy und Sean rutschten tiefer in ihre Sitze, beobachteten den Fahrer. Es war niemand, den sie kannten. Als er eine Lücke in der Nähe des Zauns gefunden hatte, parkte er, suchte seine Sachen zusammen und, als er ausstieg, sahen sie, dass er eine Aufseheruniform trug. Er schlenderte an ihnen vorbei, suchte etwas in seiner Brieftasche.

»Nein«, flüsterte Paddy das Armaturenbrett an. »Ein Reporter würde nicht alleine kommen.«

»Vielleicht sitzt der Fotograf noch im Wagen«, sagte Sean. »Ich geh mal nachsehen.«

Er wartete, bis der Gefängnisbeamte hinter der Mauerbiegung verschwunden war, und stieg aus dem warmen Wagen, schwankte und torkelte im heftigen Wind. Lässig schlenderte er zu dem Vauxhall hinüber, sah in den Innenraum und schüttelte unweigerlich den Kopf, als er dort niemanden vorfand.

Hinten an der Mauer sah sie einen Mann mit einer Plastikeinkaufstüte, der auf sie zukam. Vielleicht war Schichtwechsel.

Sean kam zum Wagen, blieb aber draußen stehen und sah vom Gefängnis weg. Er atmete tief ein und streckte die Beine, der Wind presste ihm das Haar an den Schädel.

Der Mann mit der Einkaufstüte kam nun quer über den Parkplatz direkt auf sie zu. Er trug eine graue Bomberjacke mit zu kurzen Ärmeln, ein Sweatshirt mit der Aufschrift »Wrangler« und einer Falte vorne, denn es war offenbar brandneu und gerade erst aus der Packung genommen worden, dazu dunkelblaue Jeans, ebenfalls mit Falten vorne an den Knien. Es war ein seltsamer Look aus ausschließlich nagelneuen Klamotten, wie eine Verkleidung.

Paddy erkannte zuerst die Haare. Schwarz und lockig, ein bisschen länger über den Ohren. Und dann sein Gesicht: schwere schwarze Augenbrauen, eine breite Nase, graue Haut. Seine Gesichtszüge waren kantiger, als sie sie in Erinnerung hatte. Sein Kiefer war breit und muskulös, wohl wegen seiner Angewohnheit, die Zähne aufeinanderzubeißen. Er war kaum wiederzuerkennen. Er musste jetzt mindestens eins achtzig groß sein und war gebaut wie ein Brauereigaul.

Es war Callum Ogilvy.

Sie beugte sich rüber und stieß die Fahrertür auf, erwischte Sean am Schenkel.

»Das ist er, das ist er. Er ist es.«

»Schon gut«, sagte er jetzt ebenfalls nervös, weil sie es war. »Beruhige dich.«

Und er wandte sich ab, um seinen Cousin zu begrüßen.

II

Dreiundfünfzig Schritte bis hierher, weitere acht bis an die Seite des Wagens, vielleicht neun. Die Entfernungen zwischen den Autos, dem Himmel und der Erde waren zu weit, alles zog sich dermaßen hin, dass man sich an nichts klammern konnte. Neun Jahre lang war er nie weiter als sechs Meter von einer Mauer entfernt gewesen; selbst der Sportplatz war beengt gewesen. Der Wind, der ihm innerhalb der Mauern die Haare zerzaust hatte, peitschte ihm nun unfreundlich und schmerzhaft ins Gesicht. Hier toste er völlig ungebremst. Er hatte das Gefühl, mit dem nächsten Windstoß aufs Meer hinausgeweht zu werden, zu ertrinken, das Salzwasser würde seine unglückseligen Lungen füllen, während von der Küste Menschen zusahen und froh waren, ihn endlich loszuwerden. *Und wer wollte ihnen einen Vorwurf machen?*

Mit der Fußspitze stieß er in einen Riss im Beton, seine gesamten Habseligkeiten in der Plastiktüte schlugen ihm gegen das Bein. Plötzlich wurde ihm schwummrig und er blieb stehen. Er starrte zu Boden und überlegte, ob es besser wäre, sich weiterzubewegen oder einfach an Ort und Stelle abzuwarten, bis er sterben würde. Seine Arm- und Beinmuskulatur war derart angespannt, dass er zuckte.

Man kann nicht mehrere Gedanken gleichzeitig denken.

Dreiundfünfzig Schritte bis hierher, vierundfünfzig, fünfundfünfzig. Er sah auf und entdeckte Sean am Wagen, seinen Cousin, seine Familie. Eine Frau war bei ihm. Er hatte gesagt, er würde eine Frau mitbringen. Eine Freundin der Familie. Seiner Familie.

Die Frau hatte ihn jetzt entdeckt, das merkte er an der Art, wie sie sich auf ihrem Sitz bewegte, sie saß aufrecht, reckte sich nach ihm, als er hinter einem Wagen verschwand. Sie griff zur Fahrertür hinüber, öffnete sie und sprach mit Sean, behielt Callum dabei im Auge.

Sean sah auf.

Achtundfünfzig, neunundfünfzig. Sie starrten ihn an. Nicht wie die Schließer: Die sahen einen, sahen weg und sahen dann noch einmal hin, dachten über einen nach und darüber, was für ein schlechter Mensch man war, murmelten etwas in ihre Bärte. Hat ein Kind umgebracht. Stiller Typ. Komischer Vogel. Aber Sean und die Frau sahen ihn direkt an, ihre Erwartungen zogen ihn an wie die Magnetstrahlen eines außerirdischen Raumschiffs.

Sean drehte sich zur Begrüßung um, der unerbittliche Wind klatschte ihm die Haare an den Kopf. Außerhalb des Besucherraums wirkte er klein.

Seans Gesicht war offen und er hob die Arme zur Begrüßung. Er lächelte, doch sein Blick war voller Sorge.

Callum wusste nicht, was er tun sollte. Er blieb stocksteif stehen, als ihm Sean die Arme um die Schultern legte und ihn drückte. Er war kleiner als Callum und auch nicht so breit. Als Callum versuchte, die Begrüßung zu erwidern und nickte, stieß er aus Versehen an Seans Gesicht. Berührung. Sean hatte die Arme fest um ihn geschlungen, seine Wange streifte kurz Callums und die Wärme brannte auf seiner Haut.

Als ihn Sean losließ, hätte Callum ihn am liebsten gepackt, damit er nicht aufhörte, aber die Frau war bei ihm, hob die Hände und erwartete ebenfalls eine Umarmung. Eine Frau. Callum errötete bei dem Gedanken, dass sich ihre Titten an seine Brust pressen und er sie an der Taille packen würde, so wie er es sich vorstellte, wenn er masturbierte. Schamhaft schlug er die Augen nieder, und sie sah, was er dachte. Sie streckte eine Hand aus.

Schön, dich wiederzusehen.

Er betrachtete sie. Breiter Hintern und kühler Blick, wie die Schwester auf der Krankenstation. Er kannte sie, erinnerte sich an einen kalten Raum vor langer Zeit, vor der dunklen Nacht, zerrissene Tapete hing von den Wänden und er hatte sich geschämt, weil alles im Haus schmutzig war. Hatte sich für seine Mutter geschämt, die trank. Saubere Menschen saßen herum und hofften, bald wieder gehen zu können.

»Sie waren bei der Beerdigung von meinem Dad.«

»Ja, war ich.« Damals hatte sie netter ausgesehen. »Und ich hab dich im Krankenhaus besucht, Callum, erinnerst du dich? Da hattest du die Handgelenke verbunden.«

An die Zeit wollte er sich nicht erinnern. Das war nach der Nacht im Gras gewesen, vor der Verhandlung und niemand hatte jemals mit ihm darüber gesprochen. Das war eine Zeit, die ganz allein ihm gehörte, nur er hatte dort Fußstapfen hinterlassen. Damals reichte ihm das Gras bis zur Brust. Und wenn er im Geiste dorthin zurückkehrte, hatte er das Gefühl, als würde ihm der Atem aus der Lunge gesogen.

Er merkte, dass er das Gefängnis anstarrte. Das war jetzt in Ordnung, jetzt wo er neben dem Wagen stand. Die große graue Mauer verstellte den Blick aufs Meer. Zum ersten Mal war er froh, nicht mehr im Gefängnis zu sein.

Kommt, raus aus dem Wind.

Sean lächelte zu ihm hoch, voller Hoffnung, aber nervös.

Er hielt ihm die Tür auf und beugte sich herunter, um Callum noch einmal anzusehen, als dieser schon im Wagen saß.

Ich bin echt froh dich zu sehen, Kleiner. Komm, wir fahren nach Hause.

Im Auto gab es ein Telefon und genug Platz für seine Beine. Neun Jahre lang war er in keinem Auto mehr gefahren, seit jener dunklen Nacht nicht. Danach waren es immer nur Transporter gewesen, Gefängnistransporter, Polizeibusse. Als er das letzte Mal in einem Auto gesessen hatte, war er mit den Füßen noch kaum auf den Boden gekommen. Die Frau setzte sich auf den Beifahrersitz, Sean fuhr. Er ließ den Motor an, und sie rollten langsam vom Parkplatz.

Callum beobachtete die beiden, betrachtete ihre Gesichter von der Seite. Sean machte ein paarmal den Mund auf, bevor sie auf die Hauptstraße einbogen, als hätte er etwas sagen wollen, sich dann aber doch dagegen entschieden. Die Frau sah aus dem Fenster, ihr Ellbogen ruhte am Fenster, die Hand lag am Mund. Sie sah nicht glücklich aus. Als sie an die Kreuzung kamen, sagte sie etwas zu Sean.

Das ist ja mal gutgegangen.

Sean nickte und hielt links nach heranfahrenden Wagen Ausschau.

»Was ist gutgegangen?« Callum konnte kaum glauben, wie beiläufig und normal er das gefragt hatte.

»Na ja, ehrlich gesagt«, sie drehte sich um und sah ihn an, »wir dachten, da würden noch andere Journalisten auf dem Parkplatz warten. Sich verstecken, weißt du, und auf dich warten.«

»Wieso?« Er hatte es wieder hingekriegt und ganz normal gefragt.

»Die wollen ein Foto von dir. Das könnte eine Menge

Geld bringen, deshalb gibt es ein ziemliches Gerangel. Darauf solltest du dich in den nächsten Wochen gefasst machen. Ich glaube nicht, dass wir sie von dir fernhalten können. Die meisten haben erraten, dass du bei Sean wohnen wirst, und sie werden das Haus überwachen. Du solltest aufpassen, mit wem du redest.«

Sie geriet außer Atem und sah einen Augenblick weg. Aber Callum hatte nicht zugehört. Er war gleich beim ersten Satz hängengeblieben.

»*Andere* Journalisten?«

Die Frau schloss die Augen, blinzelte etwas zu lange.

Sie räusperte sich. »Äh, ja. Andere Journalisten.« Sie sah Sean an, aber der zuckte nur mit den Schultern. »Ich bin Journalistin. Erinnerst du dich nicht, dass wir damals im Krankenhaus darüber gesprochen haben?«

Sie war Paddy. Er war ihr schon mal begegnet.

»Sie haben einen *Sohn*«, sagte er mit viel zu starker Betonung auf dem letzten Wort.

Sie drehte verärgert den Kopf zu ihm um.

»Pete.«

Sie wirkte wütend und wandte sich wieder ab.

Er sah aus dem Fenster. Sie fuhren eine breite Straße entlang, nur wenige Autos waren unterwegs, auf beiden Seiten flache Felder, ein Traktor irgendwo, weit in der Ferne. Seans Augen waren im Rückspiegel zu sehen, schmal, sie versteckten etwas. Die Haut auf seinen Wangen zuckte.

Callum sah sich nach dem Gefängnis um, das jetzt nur noch ein Fleck am Horizont war. Panik stieg in seiner Brust auf. Sean hatte eine Journalistin mitgebracht. War das normal? Bekam er Geld dafür? Benimm dich normal. Verhalte dich ganz normal.

Meine Frau hat Sandwiches gemacht.

Sean hielt die Augen auf die Fahrbahn geheftet, drehte sich halb um und zeigte ihm einen Plastikbehälter mit Broten und einem Apfel. Callum nahm ihn und fand eine Dose Limonade zu seinen Füßen.

Er zog am Ring der Dose und trank den Inhalt in zwei Zügen, um seine Dankbarkeit zu zeigen und um seinen Mund zu füllen, damit er nicht anfing zu schreien oder darum zu bitten, dass sie umkehrten und ihn ins Gefängnis zurückbrachten.

Er öffnete den Behälter, aß die Sandwiches, behielt die leere Dose auf dem Schoß, weil er nicht wusste, was von ihm erwartet wurde.

Sean hatte eine Journalistin mitgebracht. *Und wer wollte ihm Vorwürfe machen.* Callum ging davon aus, dass für Sean etwas dabei heraussprang, aber er hatte nicht damit gerechnet. Vielleicht hätte er es wissen müssen, vielleicht war das klar gewesen. Es genügte nicht, Teil einer Familie zu sein. Er hatte vorher schon eine Familie gehabt und man bekam schließlich nichts geschenkt. Er jedenfalls nicht. Kinder im Märchen vielleicht, aber er nicht, er nicht.

Ich möchte bei einer liebevollen Familie leben.

Jetzt hatte er doch geschrien. Trockene Sandwichkrümel verteilten sich auf seinen Knien.

Die Frau drehte sich zu Callum um und sah, dass er weinte, Reste der roten Limonade im Mundwinkel. Erschrocken sah sie Sean an.

ICH TRÄUME DAVON, IN EINER FABRIK ZU ARBEITEN.
Seine laute Stimme hallte durch das Wageninnere.

Sean sah ihn nicht an. Er verlangsamte die Fahrt, fuhr behutsam an den Straßenrand und zog die Handbremse.

Er würde Callum an die Luft setzen, ihn rausschmeißen und dort stehenlassen, weil er im Auto geschrien hatte. *Und wer wollte ihm Vorwürfe machen.*

Er würde fern der schützenden Mauern im kalten Wind erfrieren, er würde sich kaum bewegen können und einfach dort warten müssen und sterben. Das Herz hämmerte in seiner Brust. Er spürte seinen Puls bis in die Wangen, die Nase und die Augen.

Die Frau sah ihn nicht mehr an. Sie hatte ihre Hand wieder an den Mund gelegt und sich von ihm abgewandt, sah aus dem Wagenfenster dorthin, wo sie ihn aussetzen wollten.

Sean löste seinen Gurt und drehte sich um, nahm Callums Hand in seine und streichelte sie mit der anderen. »Kleiner«, sagte er, als Callum nach Luft rang. »Wir fahren nach Hause, ins Warme. Zusammen. Sieh mich an.«

Callum zwang sich seinen Blick vom Nacken der Frau zu lösen und Sean ins Gesicht zu sehen. Er nickte langsam, als wollte er, dass Callum ebenfalls nickte. »Okay? Alles okay?«

Callum nickte. Sean streichelte ihm wieder die Hand. »Es ist ganz natürlich, dass du Angst hast, okay? Vollkommen normal.« Er ließ seine Hand los und drehte sich um, zog seinen Gurt wieder fest und ließ erneut den Wagen an, blickte in den Außenspiegel, um zu sehen, ob ein anderes Auto kam, und lenkte den Wagen zurück auf die Fahrbahn.

Sie fuhren nach Hause. Ins Warme.

Eine Journalistin. Die Frau hatte ihre dunklen Haare oben auf dem Kopf zusammengebunden und die weiche Haut in ihrem Nacken war zu sehen. Die Nacken der Häftlinge, die er im Gefängnis gesehen hatte, wenn sie einer hinter dem anderen zur Arbeit oder in die Kantine geführt wurden, waren ledrig oder picklig gewesen. An den Ohren der Frau hingen goldene Kettchen, sie schaukelten beim Fahren, berührten aber nie ihren Hals.

Erschöpft lehnte sich Callum auf dem Sitz zurück, verlangsamte seine Atmung und rief sich das Einzige ins Bewusstsein, was wirklich sicher war: *Angebranntes riecht immer gleich.*

10

Bunty und sein Schoßäffchen

I

Sean hielt unter der Eisenbahnbrücke am Glasgow Cross. »Reicht dir das?«, flüsterte er.

Paddy drehte sich zu Callum um, der auf dem Rücksitz schlief. Er schien während der Fahrt gewachsen zu sein, belegte jetzt den Großteil des Rücksitzes, da seine Hände seitlich auf den Sitz gefallen waren und er eine entspannte, breitbeinige Sitzhaltung eingenommen hatte. Obwohl er schlief, saß er gerade, wie ein Bär schien er immer auf einen möglichen Angriff gefasst.

Sean flüsterte und nickte zur Tür. »Näher ran kann ich dich nicht bringen, sonst sehen sie uns vielleicht.«

Paddy sah von Callum zu Sean. Sie wollte ihn nicht wecken, verzog deshalb das Gesicht, um ihr Entsetzen zu signalisieren. »Woher weiß er von Pete?«

»Ich hab's wohl mal erwähnt.«

Sie zischte ihn an: »*Ich will nicht, dass er von Pete weiß. Ich will nicht, dass er irgendetwas über ihn erfährt, verstanden?*«

Sean sagte nichts, neigte nur mit vor Enttäuschung wässrigen Augen den Kopf.

»Pete ist dein Sohn. Er ist fünf.«

Beide drehten sich abrupt zu dem Bären auf dem Rücksitz um. Callum hatte sich nicht bewegt, hatte weder gezuckt noch sich gestreckt noch sonst etwas getan, was normale Menschen tun, wenn sie aufwachen. Er hatte die Augen geöffnet, sodass das Weiße darin zum Vorschein kam, und nun starrte er sie an wie eine vorwurfsvolle Leiche.

Sie nickte und starrte atemlos zurück, fragte sich, ob er überhaupt geschlafen hatte. »Ja.«

Er ballte die Fäuste und entspannte die Hände wieder. »Wieso wollen Sie nicht, dass ich etwas über ihn erfahre?«

Sean beobachtete sie. Es gab nichts, das er hätte tun können, um ihr diese Situation zu ersparen, und Paddy spürte, dass er es wahrscheinlich sowieso nicht getan hätte.

»Ich, äh, mein Sohn …«

»Pete«, erinnerte Callum sie.

»Ja, mein Sohn Pete war krank …« Ihr fiel keine einzige plausible Ausrede ein. »Er war krank …«

»Deshalb wollen Sie, dass ich nichts von ihm weiß?«

Er beugte sich jetzt vor, sein Gesicht befand sich nur wenige Zentimeter von ihrem entfernt. Seine Augen waren braun, schokoladenbraun mit langen, dichten Wimpern, aber er riss sie ein kleines bisschen zu weit auf, sodass eine Drohung darin lag. »Was denken Sie von mir?«

Sie sah wieder zu Sean, aber er betrachtete die spröde Gummidichtung an seinem Fenster und pulte mit dem Finger daran herum. »Weiß nicht.«

»Ich interessiere mich nicht für Ihren Sohn.« Callum lehnte sich vor. »Wollen Sie wissen, was ich von Ihnen denke?«

Als hätte er gespürt, dass Callum kurz davor war, zu explodieren, fuhr Sean ihn an: »Zurück.«

Callum warf sich sofort auf dem Sitz nach hinten und rutschte in eine Ecke.

Sean drehte sich zu Callum um, sah ihn direkt an. »Du bist erst seit ein paar Stunden draußen und schon bedrohst du jemanden.«

»Tu ich nicht.«

»Doch, tust du.« Er sah Paddy an, war genauso wütend auf sie, versuchte aber, es sich nicht anmerken zu lassen. »Entschuldige dich.«

Mit hängendem Kopf und Augen, die von einem zum anderen flatterten, knetete er seine Hände im Schoß. »Tut mir leid«, nuschelte er. »Tut mir leid.«

»Ich bin ein bisschen überängstlich, was meinen Sohn angeht«, sagte sie ruhig. »Callum, ich kenne dich nicht, ich weiß nicht, wie du bist, aber du bist gerade aus dem Gefängnis entlassen worden, in dem du gesessen hast, weil du einen Jungen verletzt hast – was würdest du an meiner Stelle denken?«

»Tut mir leid.«

»Nein, mir tut es leid.« Sie streckte die Hand aus, berührte sein Knie mit den Fingerspitzen.

Callum sah zu Sean, der aus dem Fenster blickte. Dann drehte er sich erneut Paddy zu und bewegte sein Bein ein winziges Stück auf sie zu und wieder von ihr weg, auf sie zu und von ihr weg, sodass ihre Fingerspitzen sein Knie streiften. Sie riss ihre Hand weg, als er auf dem Sitz herunterrutschte; hätte sie ihre Hand nicht weggenommen, hätte sie jetzt seinen Oberschenkel berührt.

Er lächelte.

Schockiert blieb ihr der Mund offen stehen, doch Sean hatte nichts davon mitbekommen. Callum hatte darauf geachtet, dass Sean es nicht sah. Er wusste, dass es sich nicht gehörte.

»Du blödes kleines Arschloch«, schrie sie, riss die Tür auf und trat auf die Straße.

»Hey, warte.« Sean beugte sich zu ihr herüber. »Was zum Teufel ist passiert?«

»Frag deinen verdammten Cousin.«

Sie rauschte davon, ihr Gesicht war rot vor Panik und Empörung, sie wollte nur noch weg, konnte kaum glauben, dass ein neunzehnjähriger Kindermörder gerade versucht hatte, sich von ihr befummeln zu lassen.

Sie drehte sich zum Wagen um und sah, dass Sean langsam anfuhr und sich in den Verkehr über die Gallowgate in Richtung Fluss einfädelte. Gott steh Elaine bei, die unter demselben Dach mit ihm schlafen musste. Paddy hätte sich nicht mal im Bus neben ihn gesetzt.

II

Sie ging auf Glasgow Cross zu, eine belebte Kreuzung im Zentrum, huschte an der Ampel über die Straße und merkte, dass ihre Schulter vor Anspannung schmerzte. Eines musste sie Callum lassen: Es war eine kluge Entscheidung gewesen, keine Interviews zu geben. Sie hoffte um seinetwillen, dass er nichts davon mitbekam, wenn das erste Foto von ihm gemacht werden würde. Sie konnte sich vorstellen, wie geisteskrank er sonst darauf aussehen würde. Es war zwar demütigend, dass sie Geld von Burns annehmen musste, aber es hatte sich gelohnt, Pete aus Rutherglen wegzuholen, wo Callum jetzt wohnte.

170

Von der Straße aus sah sie geschäftige Schatten im Fenster der Press Bar und hörte das Stimmengewirr, das nach draußen drang. Trockener Staub lag auf dem Parkplatz gegenüber dem Gebäude der *News*. Die Druckmaschinen standen still.

Paddy nahm die Treppe, war froh wieder dort zu sein, wo ihr die Streitereien vertraut waren, endlich wieder unter ihresgleichen. Sie dachte jetzt ruhiger über Callum nach. Er war neunzehn. Wie vielen Frauen war er wohl in seinem bisherigen Erwachsenenleben begegnet? Zwei? Drei? Trotzdem, die Bewährungskommission hätte seiner Freilassung nicht zustimmen dürfen, auch wenn es keine rechtliche Grundlage mehr gab, ihn festzuhalten.

Hinter den Redaktionstüren oben hatten sich nach einem frühen Mittagessen einige Angetrunkene versammelt. Als sie sich durch die Menge schob, wurde sie herzlich begrüßt, der stellvertretende Chefredakteur legte ihr den Arm um die Schulter und drückte sie voller Zuneigung.

Die Neuigkeit hatte sich herumgesprochen, dass Paddy mitten in der Nacht aufgetaucht war, um den Artikel über Terry zu schreiben, und alle glaubten, sie habe es aus Anstand und Mitgefühl getan. Obwohl dies auf einem Missverständnis beruhte, freute sie sich über den warmen und herzlichen Empfang. Am liebsten hätte sie sich zu jemandem umgedreht und erzählt, dass sie gerade dem berühmtesten Verbrecher Schottlands begegnet war und er ein Pulverfass kurz vor der Explosion sei. Aber das tat sie nicht. Sie stellte sich zu ihnen, lächelte traurig, als das Gespräch auf Terry kam, und erlaubte dem stellvertretenden Chefredakteur erneut, sie zu drücken, die Hand tiefer rutschen zu lassen und es an ihrer Taille zu versuchen, bis sie sich losmachte und sagte, sie müsse etwas aus ihrem Verteilerfach holen.

Sie wandte sich an den Nächstbesten, einen kleinen kahlen Veteranen. »Wer ist hier von der Innenpolitik?«

»Billy, da drüben.«

Billy Dadrüben hatte noch den Mantel an und rauchte derart roboterhaft eine Zigarette, dass man davon ausgehen durfte, dass er total betrunken war.

»Billy, mit wem kann ich über die IRA sprechen?«

Billy hatte Probleme, seinen Blick scharf zu stellen. Er blinzelte sie mehrfach an, bevor seine Lippen einen Namen formten: »Brian Donaldson.«

»Klein, strohblond, Brille?«

Er schüttelte den Kopf. »Eins fünfundachtzig, kurze braune Haare, dick, keine Brille.«

»Wo erwisch ich ihn?«

»Shammy's.«

Sie zögerte. »Lallst du und meinst du Sammy's oder heißt der Laden wirklich Shammy's?«

Billy Dadrüben zog betont gelassen an seiner Zigarette, als würde er über die Frage nachdenken. Zigarettenasche fiel ihm auf den Mantelaufschlag. »Schweiteres.«

Paddy überließ ihn dem Rauchen und kehrte zur Gruppe zurück. »Gibt's ein Pub namens Shammy's?«

Einer der Sportredakteure hob triumphierend den Arm. Shammy's war die Abkürzung für The Shamrock, einem Celtic-Pub auf der Gallowgate. In Glasgow gab es drei Fußballvereine: den katholischen Celtic Glasgow, die protestantischen Glasgow Rangers und Partick Thistle für Fußballfans, die zum Sektierertum neigten und auf Enttäuschung und Elend standen.

Paddy fand die Nummer im Telefonbuch und erkundigte sich beim Barmann nach Brian Donaldson. Er wollte wissen, wer anrief, als handelte es sich dabei um eine Art Sicherheitskontrolle, und Paddy nannte staunend ihren Namen. Vielleicht hätte sie ein Pseudonym verwenden sollen, falls sie es auf Journalisten abgesehen hatten. Aber jetzt war es zu spät. Donaldson kam ans Telefon.

»Was?« Seine Stimme klang rauchig und warm.

»Äh, Mr. Donaldson, vielleicht können Sie mir weiterhelfen: Gestern Abend kam ein Mann zu mir nach Hause. Er behauptete, mir im Auftrag Ihrer Organisation mitteilen zu wollen, dass Sie mit dem Tod von Terry Hewitt nichts zu tun haben.«

»Haben wir auch nicht.«

»Er wirkte sehr bedrohlich. Können Sie mir sagen, ob es zu Ihrer Strategie gehört, Presseangehörige bewusst ins Visier zu nehmen?«

»Das ist es nicht. Tut mir leid, wenn Sie belästigt wurden. Wer war das?«

»Er sagte, sein Name sei Michael Collins.«

Donaldson lachte leise am anderen Ende.

»Ich weiß«, sagte sie, »zu blöd, aber so nannte er sich. Er ist nicht groß, hat helles Haar, eine Brille mit Metallgestell und er trug einen blauen Pullover.«

»Ach? Verstehe, ja.« Sie hörte ihm an der Stimme an, dass er wusste, von wem sie sprach. »Ich, äh, ich höre mich mal um, dann sehen wir, was ich tun kann. Tut mir leid, Miss Meehan, wenn er Ihnen einen Schrecken eingejagt hat.«

Er legte auf.

Paddy ging zu den Verteilerfächern.

Das große Holzregal war in kleine Fächer unterteilt, unter

denen jeweils ein Name stand. Wer bereits seit den Sechzigerjahren für die Zeitung arbeitete, hatte ein Namensschild in geschwungener Schreibschrift, während jene, die in den Siebzigern dazugekommen waren, nur noch einen Aufkleber mit Druckbuchstaben bekommen hatten. Die jüngsten Neuzugänge hatten blaue Klebestreifen, in die ihre Namen weiß eingestanzt waren. Ursprünglich wurden den in der Rangfolge niedrigsten Mitgliedern der Belegschaft die niedrigsten Fächer zugeteilt. Sie arbeiteten sich mit jeder Beförderung auch im Regal weiter nach oben. Als die Mitarbeiter aber zahlreicher wurden, wurden die Verteilerfächer knapp, und in der Regel behielt man das erste Fach, das einem zugeteilt wurde. Seitdem erkannte man altgediente Mitarbeiter an ihrem Verteilerfach weit unten, es galt als sehr ehrenvoll.

Niemand hatte Anspruch auf Paddys Fach angemeldet, als sie weg gewesen war, und deshalb hatte auch sie immer noch ein Fach in der untersten Reihe. Sie ging in die Knie, keine sehr würdevolle Haltung, aber besser, als sich vornüberzubeugen und den Hintern in den Raum zu strecken. In ihrem Fach lagen Faltblätter für die Gewerkschaftsversammlungen. Richards, der neue Vorsitzende der NUJ, war einst bei der *News* beschäftigt gewesen und sollte eine Rede halten. Außerdem ein Anmeldeformular für einen Wohltätigkeitslauf und eine gelbe Notiz von einer der Sekretärinnen, eine Nummer, Zeit des Anrufs 9.15 Uhr, McBrides Anwälte und Notare, nach Mr. Fitzpatrick fragen wg. Terry Hewitt.

»Miss Meehan?«

Sie sah hoch und stellte fest, dass sich Buntys Spießgeselle förmlich vor ihr aufgebaut hatte. Wie ein Lakai hatte er gemeinsam mit Bunty bei der *News* angefangen. Hinter seinem Rücken sprachen die anderen von ihm als »Buntys Schoßäffchen«, standen sie ihm aber gegenüber, wussten sie nicht, was sie sagen sollten. Er hatte sich weder vorgestellt noch jemals erklärt, welche Stellung er einnahm, stattdessen bewegte und benahm er sich wie ein Handlanger, schlich sich stets von der Seite an und hielt die Leute bei Laune, die seinen Herrn umgaben. Er war eine Art menschliches Gleitmittel, das dafür sorgte, dass alles reibungslos ablief.

»Bunty möchte Sie einen Augenblick sprechen.«

Bunty, der Chefredakteur, war vor einem Jahr von einer Tageszeitung aus Edinburgh gekommen. Er hatte den Eigentümern der *Daily News* ein Wirtschaftswunder versprochen, doch auch nach zahlreichen Entlassungen und Umstrukturierungen warf das Blatt kein Geld ab. Bunty war kein glücklicher Mensch.

Der Weg quer durch die Redaktionsräume kam Paddy sehr lang vor. Sie hatte genug Zeit, um panische Angst zu bekommen, sie könne mit Callum gesehen worden sein. Sean würde deshalb seinen Job verlieren und auch sie wäre ihre Arbeit oder ihre Wohnung los und Burns würde sie auslachen, wenn er an den Besuchstagen Pete im Haus ihrer Mutter abholte. Sie merkte, dass sie sehr müde war. Das Wochenende war alles andere als erholsam gewesen.

In der Glaskabine, in der Larry Grey-Lips seine Nächte verbrachte, brannte Licht und die Jalousien waren heruntergelassen. Das Schoßäffchen winkte sie mit der Eleganz eines Butlers heran. Sie klopfte an, öffnete die Tür aber sehr rasch, um im Vorteil zu bleiben.

Bunty saß an einer Ecke des großen Tisches, hielt einen Bleistift in der Hand und verdeckte mit der anderen belangloses Gekritzel. Er war ein kleiner, belangloser Mann und ließ sich nicht gerne dabei erwischen, wie er kleine, belanglose Dinge tat. Er stand mit abwehrend erröteten Wangen auf und versteckte das Blatt. Das Schoßäffchen war hinter Paddy in den Raum geschlüpft und seinem Herrchen um den Tisch herum zur Seite gesprungen.

»Hallo, Patricia.« Bunty überspielte seine Verärgerung, indem er kurz seine Zähne aufblitzen ließ. »Schließen Sie doch bitte die Tür, danke.«

Sie ließ sie einschnappen und setzte sich ihm gegenüber. Es war ein überraschend großer Raum und er beherbergte den großen Tisch, an dem Bunty kleinere Versammlungen einberief. Die eigentlichen Redaktionssitzungen fanden einen Stock tiefer statt.

Obwohl der Tisch beinahe zwei Meter lang war, nahmen das Schoßäffchen und Bunty kaum mehr als einen Meter seiner Längsseite ein und blickten Paddy einträchtig lächelnd und gespielt freundlich an.

Bunty formte mit den Fingern eine Pyramide. Er wirkte wie ein Mann, dem das berufliche Aus bevorstand, und genau das war er. Die Verkaufszahlen der *Daily News* sanken beständig und auch das Anzeigenaufkommen stürzte in den Keller, da immer mehr große Investoren zum *Standard* wechselten. Die *Daily News* machte zwar keine Verluste, aber sie brachte auch keinen Profit, und der Aufsichtsrat hatte die fünf Stadien des wirtschaftlichen Niedergangs bereits durchlaufen: Hoffnung, Enttäuschung, Schuldzuweisungen und Zorn. Die nächste Stufe, das wusste Paddy, war Buntys Entlassung.

»Sie werden sich freuen zu hören, dass der Nachruf auf Terry Hewitt morgen erscheint, eine ganze halbe Seite.«

Wie gewöhnlich hatte Bunty auch diesmal den Redaktionstratsch mitbekommen und dachte nun, sie sei Terrys Freundin gewesen. Paddy dankte ihm trotzdem. »Das ist sehr nett von Ihnen. Er hat hier angefangen, wie ich.«

»Das habe ich gelesen. Entsetzliche Angelegenheit.« Bunty sah zu seinem Schoßäffchen hinüber. »Damit besteht die Gefahr, dass die nordirischen Unruhen bis hierher ausstrahlen.«

Jeder hatte das bereits zwanzig Stunden vorher gewusst, aber Schoßäffchen nahm seine Handlangerpflichten ernst und nickte, als habe es den Gedanken gerade zum ersten Mal gehört.

»Also, ja. Oder *Oui,* wie man so schön sagt.« Bunty kaute auf seiner Wange. »*Alors,* mir sind Gerüchte über Sie zu Ohren gekommen.«

»Über mich gibt's viele Gerüchte. Die meisten davon habe ich selbst in die Welt gesetzt.«

Er lächelte höflich anlässlich ihres versuchten Witzes. »Ich habe gehört, Sie haben sich gestern Abend mit McVie im Babbity's getroffen und die Misty-Kolumne für diese Woche noch nicht abgegeben. Gibt es etwas, das ich wissen sollte?«

Sie bemühte sich, möglichst unverbindlich dreinzublicken.

»Falls es irgendwelche Missverständnisse geben sollte, wäre uns das sehr unangenehm.« Er sah Schoßäffchen an, der nickte und lächelte. Dann wandte sich Bunty wieder ihr zu.

»Wir schätzen Sie *über alle Maßen.*« Er dehnte die Worte ein bisschen zu sehr und schloss dabei die Augen. »Wirklich *über alle Maßen.*« Beide sahen sie erwartungsvoll an.

»Schön«, sagte sie.

»Sind Sie zufrieden hier?« Bunty machte eine Handbewegung über seinen Schreibtisch hinweg und ließ ihr Raum, auch etwas zu sagen. Schoßäffchen ahmte seinen Gesichtsausdruck nach, als hätte er die Frage selbst gestellt.

»Vor zwei Monaten habe ich um mehr Geld gebeten und warte immer noch auf eine Antwort.«

Bunty beugte sich über den Tisch, verengte die Augen zu Schlitzen. »Wurde Ihnen anderswo mehr geboten?«

Sie starrte zurück. Sie könnte lügen. »Ich will mehr Geld und die Zusammenhänge von Terrys Tod recherchieren.«

Bunty lächelte und schüttelte den Kopf. »Sie haben schon lange nicht mehr für den Nachrichtenteil gearbeitet. Wir können nicht nach Lust und Laune Aufträge verteilen. Das könnte eine Nummer zu groß für Sie sein.«

»Ich will's aber machen.« Paddy fand, sie klang genau wie Pete.

Bunty seufzte sein Gekritzel an: Eine Menge Schleifen, die wütend mit Bleistift ausgemalt waren, zeugten davon, dass er ein verhinderter Machtmensch war. »Sie wissen«, sagte er, »dass McVie Leute anheuert und zusieht, wie sie untergehen? Wissen Sie das? Er schließt Kurzzeitverträge ab und setzt sie dann auf die Straße.«

Das war eine gemeine Lüge.

Mit dem Bleistift kratzend schraffierte er eine weitere Schlaufe aus, während Schoßäffchen ihre Reaktion beobachtete. »Ich glaube, Bunty«, sagte sie vorsichtig, »dass Sie mal ein verdammt guter Journalist waren.«

Bunty sah auf und lächelte sie breit an. Er hatte Lücken zwischen den gelben Zähnen, sein Zahnfleisch ging zurück. Unerklärlicherweise mochte sie ihn plötzlich.

Er blickte wieder ernst. »Okay, Sie bekommen das Geld, aber die Geschichte nicht.«

»Aber ich …«

»Nein!« Er hob abwehrend die Hand. »Wenn Sie das machen wollen, dann in Ihrer Freizeit. Ich werde einen anderen darauf ansetzen.«

»Wen?«

»Merki.«

Sie schnaubte. »Merki?«

»Merki. Und jetzt raus.«

Merki war gut im Aufstöbern von Hinweisen, er verschaffte sich Zugang zu Wohnungen, aber die Leute mochten ihn nicht, niemand wollte mit ihm sprechen, weil er seltsam aussah. Es würde also ein Kinderspiel werden, und obendrein bekam sie die Gehaltserhöhung. Rasch stand sie auf, setzte ein Knie auf den Tisch, kletterte auf allen vieren über das auf Hochglanz polierte Holz und noch bevor Schoßäffchen eingreifen und sie daran hindern konnte, drückte sie Bunty einen feuchten, lauten Kuss auf den kahlen Kopf. Die Haut war glatt und papierähnlich.

Als sie wieder vom Tisch kletterte und sich den Rock geradezog, lachte er verlegen und wischte sich geziert den Kuss von der hohen Stirn.

»Lang lebe der König«, sagte sie und bewegte sich auf die Tür zu.

Schoßäffchen rief ihr nach. »Und wir kriegen den Text heute noch, ja?«

»Ich gebe ihn Larry heute Abend telefonisch durch«, rief sie zurück.

III

Sie benutzte das Telefon in der Abteilung für Sonderthemen und rief Terry Hewitts Anwalt an. Die Empfangsdame musste sie zuerst mit seiner Sekretärin verbinden, aber die wollte Paddy nicht zu dem Anwalt durchstellen, sondern ihr einen Termin zwei Wochen später geben.

Paddy sagte, das sei wirklich schade, denn sie schreibe für die *Scottish Daily News* und habe gehofft, mit ihm über eine geplante Porträtreihe prominenter Anwälte zu sprechen.

Die Sekretärin zögerte. Paddy nahm an, Ehrfurcht habe sie ergriffen. Sie kam sich sehr schlau und gerissen vor, einen schmierigen Anwalt zu ködern, indem sie ihn bei seiner Eitelkeit packte, doch die Sekretärin erwiderte: »Aber er ist doch erst dreiundzwanzig.«

»Ach …« Ihr Überlegenheitsgefühl löste sich sofort in Luft auf. »Na ja, Sie wissen schon, vielversprechende Junganwälte, die Zukunft und so weiter …«

Dreißig Sekunden später hatte sie einen Jungen mit Piepsstimme an der Strippe, der sich bereiterklärte, sie in einer halben Stunde zu empfangen. Sie fand, er klang ein bisschen außer Atem.

IV

Tagsüber war der Blythswood Square ein eleganter Platz mit privater Gartenanlage und von georgianischen Stadthäusern umgeben, in denen hauptsächlich Büros untergebracht waren. Die Bürgersteige lagen im Verhältnis zur Straße viel höher, was früher das Aussteigen aus den Kutschen erleichtert hatte. Nachts wurde der Platz zum Straßenstrich, Mädchen mit ungepflegtem Haar, blanken Beinen, hervorstehender Oberweite und angewidertem Gesichtsausdruck machten sich darauf gefasst, angegafft und gekauft zu werden.

Die Anwaltskanzlei McBride befand sich in einem der älteren Gebäude, wobei sich der Anflug von Eleganz aber bereits an der Eingangstür verlor, an der eine billige schwarze Tafel hing, auf der die Namen, der im Haus ansässigen Firmen mit weißen Plastikbuchstaben angeschlagen waren. McBride, Anwälte und Notare, befanden sich im obersten Stockwerk.

Paddy war nass geschwitzt und außer Atem, bis sie über flache, überbeanspruchte Stufen, die in der Mitte durchhingen, die sechste Etage erreicht hatte, auf der die ehemaligen Dienstbotenzimmer lagen. Das Geländer klebte von den vielen verschwitzten Fingern, die darübergefahren waren. Auf der obersten Stufe rang sie nach Luft und es war ihr peinlich, wie immer, wenn sie außer Atem geriet. So war das nun mal bei dicken Frauen.

In McBrides verblichen braunem Büro ließen die Siebzigerjahre grüßen. Die mütterlich wirkende Empfangsdame war dementsprechend in einen braunen Rock, mit passendem Pullover und einer bescheidenen Perlenkette um den Hals gekleidet. Die Einrichtung im Empfangsbereich wirkte ebenso alt wie sie: Das Telefon war braunweiß, der Terminkalender ein zerschlissener Papierpacken in schwarzem Leder.

Sie war beeindruckt, als sich Paddy vorstellte, griff sich

verlegen in den Nacken und beteuerte, sie sei ein großer Fan.

»Danke«, sagte Paddy und sah sich nach einer Sitzgelegenheit um.

»Nein, nein, gehen Sie gleich durch. Mr. Fitzpatrick erwartet Sie.« Sie deutete auf eine dunkle Holztür.

Dahinter saß ein molliger Teenager im Anzug steif an einem Schreibtisch. Mr. Fitzpatrick schien nicht nur über ihren Besuch erfreut zu sein, sondern sich vor ihrer Ankunft sogar noch schnell rasiert zu haben. Als sie ihm entgegentrat, um ihm die Hand zu schütteln, roch sie Seife und sah die glänzend glatte Haut seiner Wangen, aus einem kleinen Schnitt am Ohr sickerten noch Blutströpfchen. Umständlich bot er ihr einen Stuhl an.

»Ich weiß gar nicht, wie Sie auf mich gekommen sind. Hat Ihnen jemand meinen Namen gegeben?«

Sie biss in den sauren Apfel und bekannte sich zu ihrem Trick: Sie müsse mehr über Terry in Erfahrung bringen und hätte erst in zwei Wochen einen Termin bekommen, deshalb habe sie geschummelt. Seine Enttäuschung war unübersehbar.

»Aber ich habe schon meiner Mum Bescheid gesagt.«

Paddy zuckte vor Mitgefühl zusammen. »Ich dachte, Sie wären älter«, sagte sie. »Ich dachte, ich würde einem hochnäsigen, anerkannten Anwalt, der es nicht nötig hat, mich zu empfangen, einen Streich spielen. Tut mir wirklich leid.«

»Was erzähle ich denn jetzt meiner Mutter?«

»Können Sie nicht sagen, dass nichts draus geworden ist? Das erzähle ich meiner jedenfalls immer.«

»Sie wird bei der Zeitung anrufen.«

»Sie könnten sagen, dass es in dem Artikel ausschließlich

um linke Anwälte ging, deshalb konnten wir Sie nicht berücksichtigen.«

Er überlegte einen Augenblick. »Ja, das könnte funktionieren.«

»Erzählen Sie ihr, es ist eine Serie für den *Star* oder irgendeine andere Zeitung gewesen, die sie sowieso nicht liest. Oder die *Daily Mail*«. Sie wollte ja nicht voreingenommen sein, glaubte aber nicht, dass seine Mutter den *Daily Star* las.

Nachdem sich Mr. Fitzpatrick in Bezug auf die Enttäuschung seiner Mutter wieder beruhigt hatte, nahm er sich des Themas Terry sehr viel freundlicher an, als sie dies unter den gegebenen Umständen erwartet hätte.

Er nahm eine Akte heraus und schlug sie auf. Terry hatte ihr alles vermacht: Es gab einen Wagen, ein altes Modell, der ein-, zweihundert Pfund wert war, all seine Papiere und Bücher, einige Klamotten und das Haus.

»Was für ein Haus?«

»Eriskay House.« Er sah auf seine Notizen. »Ein Haus mit drei Zimmern und 1,2 Hektar Land in Kilmarnock. Das alte Haus der Familie. Ich weiß nicht, in welchem Zustand es ist, aber schlecht kann es nicht sein: Mr. Hewitts Cousine, eine gewisse Miss Wendy Hewitt, hat bereits Einspruch erhoben.«

»Was bedeutet das?«

»Das bedeutet, sie ficht die Gültigkeit des Testaments an. Kurz gesagt, wir können nicht vollstrecken.«

Paddy rutschte peinlich berührt auf ihrem Stuhl herum. Ein Haus. Sie wollte nichts mit Terry zu tun haben, glaubte nicht, dass sie in einem Haus würde leben können, in dem er gewohnt oder das er besessen hatte, aber es war immerhin ein Haus. Und noch dazu keines, das Burns bezahlte. Und Land war auch dabei. Land, auf dem Pete spielen konnte.

»Könnte ich es ihr verkaufen?«

»Nein. Sie müssen es erst mal besitzen, bevor Sie es verkaufen können. Im Moment gehört es Ihnen nicht.«

»Wem gehört es denn?«

»Es ist Teil des Nachlasses von Mr. Hewitt.«

»Und das heißt …?«

»Hm.« Fitzpatrick begutachtete erneut seine Notizen. »Wir werden abwarten müssen und sehen, was passiert.«

»Wie lange kann so was dauern?«

Er blies Luft zwischen den Lippen hervor. »Ein paar Monate? Ein Jahr? Länger?«

Paddy sah auf ihre Uhr. Es war fünf nach drei und Pete kam um halb vier aus der Schule. Sie musste einen Parkplatz in der Nähe des Tors finden, sonst würde er versuchen, die Straße alleine zu überqueren. Die Schülerlotsin verschwand manchmal hinter einem Baum auf eine Zigarette und die Straße war stark befahren.

»Okay …« Sie stand auf. »Egal. Halten Sie mich auf dem Laufenden.«

»Da sind noch die Papiere …« Er machte eine Geste zu einem Aktenordner auf dem Tisch. Die Mappe war braun, aus weicher Pappe und an den Kanten zerfleddert. Sie konnte sehen, dass sie mit abgegriffenen Notizzetteln, vergilbten Zeitungsartikeln und Ausschnitten aus Zeitschriften vollgestopft war. Ihr Name stand in blauem Filzstift auf dem Deckel, »Paddy«, das Pigment verblasste allmählich zu einem gelblichen Grün. Hätte Fitzpatrick versuchen wollen, sie in die Höhle des Löwen zu locken, hätte er es kaum geschickter anstellen können, als den Ordner am Eingang zu platzieren. Paddy lief das Wasser im Munde zusammen. »Wo haben Sie das her?«

»Er hat es mir zur Verwahrung gegeben, für den Safe.«

»Wann?«

»Vor einem Jahr.«

Vielleicht hatte es also gar nichts mit dem Mord an ihm zu tun. Ihr Interesse flaute ab, sie sah ihn mit unbewegter Miene an, aber Fitzpatrick heckte schon seinen nächsten Schachzug aus. Er leckte sich die Unterlippe und sah sie unverwandt an.

»Was ist da drin?«

»Keine Ahnung.« Fast lächelte er.

Sie löcherte ihn weiter. »Kann ich mal sehen, was da drin ist?«

»Nein. Ich könnte Ihnen die Mappe jetzt übergeben, Sie könnten sie mit nach Hause nehmen, aber das würde voraussetzen, dass Sie schriftlich versichern, keine weiteren Ansprüche anzumelden, auch nicht auf das Haus.«

Er wartete. Sie wartete. Sein Blick glitt ab. Mit jeder Sekunde wurde Fitzpatrick bewusster, dass sie doch nicht so heiß auf die Mappe war.

Sie räusperte sich. »Dann kennen Sie also Wendy Hewitt?«

Seine Augenlider zuckten einen kurzen Moment lang, dann riss er die Augen wieder auf. »Nicht persönlich, nein.«

»Vertreten Sie sie als Anwalt?«

»Nein«, sagte er viel zu schnell.

Plötzlich war es ihr egal. Sie stand auf. »Scheiß drauf. Ich gehe.«

Fitzpatrick sprang auf und eilte zu ihr. »Aber was wird aus seiner Habe? Sie müssen die Wohnung auflösen.«

»Was?«

»Sein beweglicher Besitz. Der Vermieter will, dass die Wohnung aufgelöst wird, sonst lässt er räumen …«

»Na ja, dafür sind Sie doch verantwortlich, oder?«

»Es handelt sich nur um wenige unwichtige Sachen. Krimskrams. Sie könnten das Zeug einfach wegwerfen.«

Paddy hatte den Eindruck, dass er sich bereits einen Eindruck verschafft hatte und die Sachen für wertlos hielt. Aber er hatte keine Ahnung, und egal was es war, Merki würde es jedenfalls nicht angeboten bekommen.

Sie dachte daran, wie sie abends zu Hause sitzen und ständig darauf horchen würde, ob Michael Collins wieder sanft an die Tür klopfte, während Pete in seinem Zimmer spielte. »Okay«, sagte sie. »Wo ist es?«

»Partick.« Er zog die oberste Schreibtischschublade auf und fischte einen Satz Schlüssel an einem schmutzigen Stück Schnur mit Papierschildchen heraus. »Lawrence Street 40, hier sind die Schlüssel.«

Paddy riss sie ihm aus der Hand. »Das ist Ihre Aufgabe, Fitzpatrick. Ich weiß das. Glauben Sie bloß nicht, dass ich das nicht weiß.«

11

Terrys Besitz

Die Straße fiel schon wegen ihrer Gärten auf. Alte Bäume blühten in den kleinen Vorgärten, so hoch wie die Gebäude selbst, die Wurzeln reichten bis unter die Zäune hindurch und brachen wie Finger durch warme Butter aus den Gehwegen hervor. Einige der Vorgärten waren chaotisch überwuchert, einer mit Kies zugeschüttet, doch in dem vor Terrys Tür gediehen üppige Blumen, Stauden in lebendigem Rot, Blau und Gelb wie im Bilderbuch. Unter einem knorrigen alten Baum stand ein von der Sonne ausgebleichter Liegestuhl, ein Buch lag aufgeschlagen daneben. Die Gärten waren mit den funktionalen schwarzen Eisengittern eingezäunt, die die schmiedeeisernen Zäune ersetzt hatten, die im Krieg eingeschmolzen worden waren. Pete sah aus dem Autofenster auf den Liegestuhl. »Wieso müssen wir hierher?«

»Ich muss ein paar Sachen von einem Freund durchgehen«, sagte Paddy und zögerte, aus dem Wagen auszusteigen. Sie fürchtete sich vor dem, was sie in Terrys Wohnung vielleicht finden würde, fürchtete, er könne Fotos von ihr haben, oder ihr einen letzten verzweifelten, liebeskranken Brief geschrieben haben, den er nicht mehr hatte abschicken können.

»Wieso?«

Auf dem Beifahrersitz zog Dub eine Augenbraue hoch.

»Hab's halt versprochen, sonst nichts.«

Pete sah wieder aus dem Fenster. »Ist dein Freund verreist?«

»Ja.«

Egal, welche Fragen Terrys Wohnung aufwarf, komplizierter als diejenigen, die Pete ihr bereits im Wagen stellte, konnten sie auch nicht sein. Paddy öffnete die Tür und trat auf die warme Straße hinaus. Die Hochsommersonne verbreitete den Geruch von geschnittenem Gras und Blüten in der Luft. Hinter der Häuserreihe rauschten Autos über eine geschäftige Straße, aber die Lawrence Street war verschlafen, warme Luft sammelte sich zwischen den Gebäuden.

Terrys Wohnung befand sich in einem klassisch geschnittenen Haus mit einem Giebeldach aus hellem Sandstein. Der goldene Sonnenschein brachte den Schmutz an den Fenstern zum Vorschein und offenbarte, wie schäbig die billigen Gardinen waren. Eines der Fenster im zweiten Stock war von einem Sprung in der Scheibe durchzogen, der mit Klebeband von innen repariert worden war.

Die hintere Wagentür ging nun ebenfalls auf, aber Paddy hielt sie fest, blockierte sie mit festem Griff. »Was hab ich dir gesagt? Immer auf der Gehwegseite aussteigen.«

Pete murmelte eine Entschuldigung und rutschte auf dem Rücksitz zur anderen Tür.

Dub trat neben sie. »Wirst du das Zeug behalten?«

»Ich weiß es nicht. Ich glaube schon. Ich werde es behalten, bis das Testament für ungültig erklärt wird.«

»Ist vielleicht ein paar Pfund wert. Vielleicht hatte er Schmuck.«

»Ja, Terry stand schon immer tierisch auf dicke Goldketten!«

»Na ja«, sagte Dub, der ungern Unrecht hatte, »ich hab ihn mal mit einem Rubindiadem und dazu passenden Strandschuhen gesehen.«

»Ach, ja.« Sie lächelte, ohne ihn anzusehen. »Ich erinnere mich. Mit Absätzen, oder?«

»Mit Absätzen und auf dem großen Zeh war das heilige Abendmahl abgebildet. Judas hat geschielt.«

»Ein wunderbarer Schuh.«

»Zwei wunderbare Schuhe.« Dub knuffte sie aufmunternd. Sie drehte sich zu ihm um und sah, dass er seine Füße angrinste. Er war über dreißig Zentimeter größer als sie und sah auf seltsame Weise gut aus. Sie waren bereits jahrelang befreundet gewesen, noch bevor sie zum ersten Mal ein Wort mit Terry Hewitt gewechselt hatte, und manchmal, heute zum Beispiel, mochte sie ihn so gerne, dass sie ihn am liebsten gepackt und geküsst hätte. Sie sah weg. »Gut, dann mal los.«

Pete wartete brav auf dem Bürgersteig, bis Paddy zu ihm kam, ihn an der Hand nahm und ihn die Straße und den Weg zwischen den Zäunen entlang zur Tür führte. Sie steckte den Schlüssel ins Schloss und zu dritt traten sie in den Flur.

Drinnen war es dunkel und roch nach feuchtem Kalk. Kleine schmierige Pfützen hatten sich in Marmoroptik auf dem PVC-Boden gebildet. Als sie die breite Wendeltreppe nach oben hinaufstiegen, ließ Paddy ihre Finger über den geschwungenen Eichenhandlauf wandern. Spinnweben hingen zwischen den schmiedeeisernen Geländerstreben.

Die Wohnungstür bestand aus ungestrichenem Sperrholz und einem einzigen Schloss, der Geruch von frisch gesägtem Holz haftete noch daran. Eine mit Kugelschreiber und in Blockbuchstaben geschriebene Liste mit sechs Namen war mit Tesafilm am Türrahmen befestigt. Die Fußmatte war schmutzig. Von drinnen hörte man das Krächzen eines eingeschalteten Fernsehers.

Dub rümpfte die Nase. »Das ist ein möbliertes Zimmer. Wieso hat er denn immer noch in einem möblierten Zimmer gewohnt?«

Paddy zuckte ahnungslos die Achseln und legte ihren Arm um Petes Schultern. »Er hat immer schon so gewohnt. Ich weiß nicht warum. Der Anwalt hat gesagt, er hatte ein Haus. Sollen wir anklopfen oder einfach so reingehen?«

Dub zuckte die Schultern. »Wahrscheinlich besser anklopfen.«

»Ich klopfe«, sagte Pete und hämmerte laut und unhöflich mit der ganzen Faust gegen die Tür.

»Pete! So klopft man doch nicht an eine Tür …«

Schritte wurden vernehmbar, dann wurde die Tür aufgerissen. Ein Mann in einem gestreiften T-Shirt öffnete, wischte sich die mehligen Hände an einem Küchenhandtuch ab, das er sich in den Hosenbund gesteckt hatte. Er sah sie erwartungsvoll an.

»Entschuldigung, dass wir so an die Tür gehämmert haben.« Paddy machte eine Kopfbewegung Richtung Pete. »Er war ein bisschen übereifrig.«

»Was kann ich für Sie tun?«

»Ähm, Sie wissen doch Bescheid wegen Terry, oder? Ich wollte seine Sachen holen.«

Doch der Mann hörte nicht richtig zu; er lächelte wegen Dubs Hose, die aus Drillich gemacht war, blau-grün mit weißen Streifen, wie ein altmodischer Matratzen-Überzug.

»Ich erinnere mich an die Hose. Sie sind Dub McKenzie. Ich habe Sie früher oft als Moderator im Blackfriars Comedy Club gesehen.«

»Ach so? Kennen wir uns?«

»Nee«, der Mann schüttelte den Kopf. »Nee, nee, ich war bloß Zuschauer. Ich habe gehört, Sie waren der Manager von George Burns.«

»Das war ich mal, ja.«

»Haben Sie sich mit ihm verkracht und ihm zur Strafe geraten, die *Variety Show* zu übernehmen?«

Dub grinste süffisant. »Ich habe ihm geraten, sie nicht zu übernehmen, woraufhin er mich rausgeschmissen hat.«

»Meine Fresse, die Show ist scheiße.«

»Das ist sie wirklich, oder?«

Einen Augenblick lang grinsten sie sich gegenseitig an, bis Pete die Geduld verlor und gegen die Tür drückte.

»Pete, lass das«, sagte Paddy.

»Na, komm rein, Kleiner.«

Der Mann öffnete die Tür und ließ Pete herein. Sieben Türen führten vom Gang ab, alle geschlossen, abgesehen von der Küchentür, die sich geradeaus befand. Ein roter Teppich mit Schottenmuster lag über einer Reihe anderer Teppichböden. Eine kaputte Pappjalousie hing von der Decke, von der die Farbe abblätterte. Der warme Duft von Schinken schlug ihnen zur Begrüßung entgegen.

»Sandwich mit gebratenem Speck?«, fragte Dub.

»Ich, äh« – der Typ wirkte verlegen – »ich wollte nur kurz was in die Röhre schieben.«

»Geht das denn? Ich dachte, dazu bräuchte es zwei.«

Der Mann ahmte einen Trommelwirbel mit Beckenschlag nach und die beiden Männer grinsten.

»Welches Zimmer ist das von Terry?«

Er zeigte auf die Tür neben der Küche. Sie war mit einem Vorhängeschloss verschlossen, das so klein war wie ein Kofferschloss. Der Schlüssel dafür befand sich an dem Stück Schnur, das ihr Fitzpatrick gegeben hatte. Sie steckte ihn in das Schloss und öffnete die Tür zu einem großen Zimmer.

Zwei lange Fenster an einer Wand mit Blick direkt zur Straße und auf die gegenüberliegenden Wohnungen. Die Sonne schien herein und wurde nur durch den Schmutzfilm auf dem Glas gefiltert und gedämpft. Die Bodendielen waren schwarz gestrichen, schartig und staubig.

Terry hatte die Tapete heruntergerissen. Kleine Streifen hingen immer noch an der Fußleiste und pulvrige Überreste klebten an den Wänden. Die Farbe darunter war mal dunkelgrün gewesen, doch jetzt war sie abgeschabt und verblasst, eine südamerikanische Wand. Paddy stellte sich vor, dass Wochenmärkte vor einem solchen Hintergrund stattfanden, Hinrichtungen vollzogen wurden und Kinder aus purer Langeweile mit den Füßen dagegentraten.

Terry hatte hier eher gehaust als gewohnt. Sein Bett bestand lediglich aus einer Matratze mit schmutzigem, zerknautschtem Bettzeug, seine Federdecke hatte keinen Bezug und war grau. Das Zimmer war zu groß für seine spärlichen Habseligkeiten: Eine silberfarbene Truhe stand an der nächstgelegenen Wand, ein alter Ghettoblaster daneben. An der Matratze lag eine große blaue Reisetasche, vollgestopft mit Klamotten. Paddy erkannte sie: Es war dieselbe Tasche, die er dabeigehabt hatte, als sie ihn vor acht

Jahren zum Zug nach London gebracht hatte. Auf dem Boden standen Romane in einer Reihe an der Wand, hauptsächlich Penguin Classics, das Papier nach intensiver Lektüre bereits vergilbt und zerfleddert.

»Es tut mir ehrlich leid wegen Terry«, sagte der Koch. »Er war erst seit ein oder zwei Monaten hier, ich habe ihn kaum gekannt. Netter Typ.«

Auf den staubigen schwarzen Dielen erkannte sie Fußspuren, die sich im Staub abzeichneten, ein Gewirr in der Mitte des Raums. Schritte, die dorthin und wieder davon wegführten.

»Hier waren Leute drin«, sagte Paddy und zeigte auf die Spuren im Schmutz.

»Die Polizei.« Der Koch war ihnen in das Zimmer gefolgt. »Die sind alles durchgegangen. Waren außerdem ziemlich unausstehlich, wir mussten eine Nacht lang ausziehen, damit sie Spuren sichern konnten. Soweit ich weiß, haben sie aber nur seinen Pass mitgenommen. Und ein Journalist war hier. Hat geschielt und war verdammt unhöflich.«

»Merki«, nickte Paddy. »Hat er irgendwas mitgenommen.«

»Nein. Er hatte eine Flasche Whiskey dabei, hat sie auf den Tisch gestellt und uns eine Stunde lang über Terry ausgefragt, dann hat er die Flasche wieder eingesteckt und sich verpisst.«

Dub lachte, aber Paddy nicht. »Wieso hat er so gelebt?«, fragte sie laut. »Er hatte ein Haus in Kilmarnock.«

»Ach, das stimmt also?« Der Koch war überrascht. »Ich hatte schon gedacht, das sei Blödsinn gewesen.«

»Hier ist überhaupt nicht viel, oder?«

»Vielleicht wäre mehr da gewesen, aber vergangene Woche wurde bei uns eingebrochen. Deshalb haben wir auch eine andere Tür. Die alte war aus Papier. Die neue ist wenigstens aus stabiler Pappe gemacht.« Er lachte über seinen eigenen Witz und störte sich nicht daran, dass sonst niemand lachte.

Paddy verfolgte die Spuren im Staub, suchte nach Unterbrechungen. Eine flache freie Stelle an der Truhe wirkte sauberer als der Rest des Bodens. »Haben Sie etwas weggenommen?«

Der Koch sah auf die Stelle. »Nein, Terry hat die Truhe umgestellt. Da war eine Mappe drin und er hat sie nach dem Einbruch woanders hingetan.«

»Wohin?«

Er machte ihr Zeichen, ihm in den Flur hinauszufolgen, und ging anschließend in die Küche.

Der Raum war feucht und es roch herrlich. Auf dem Tisch, wo er Teig geknetet hatte, lag Mehl verstreut. Auf einem der beiden Gaskocher stand eine Bratpfanne, in der Speckstreifen abkühlten. Zu den Kochstellen führte eine Gasleitung, die lose von der Decke hing. Unter dem Fenster war in einem gefährlich windschiefen Einbauschrank die Spüle untergebracht. Verschiedene Regale und ein rotweißer Vorratsschrank aus den Fünfzigerjahren standen nebeneinander an der Wand.

In viktorianischen Zeiten war die Küche das Reich der Dienstboten gewesen. Damals war es üblich, eine kleine Nische in die Wand einzulassen, in der das Küchenmädchen schlief und sich an der niemals versiegenden Wärme des schmiedeeisernen Herds wärmen konnte. Nach schlechten Sanierungsarbeiten war die Nische zugemauert und in ei-

nen Schrank oder, wenn die Nische sehr groß war, manchmal auch in eine fensterlose Küche umgebaut worden, doch
hier gehörte sie zum gemeinschaftlich genutzten Platz. Ein
schmutziges Sofa stand mit dem Rücken zur Küche auf einen alten kastenförmigen Fernseher gerichtet, der in einer
Ecke vor sich hin blubberte. Über dem Gerät waren in zwei
Metern Höhe Schiebetüren aus Sperrholz angebracht.

»Das ist so eine Art kleiner Dachboden, aber man
braucht eine Leiter, um hochzukommen«, sagte er. »Terry
hat da hinten drin Sachen verstaut, für den Fall, dass noch
mal eingebrochen wird.«

Paddy sah sich um. »Habt ihr eine Leiter?«

»Klar, ja, haben wir.« Er verschwand in einem der Zimmer und kam mit einer klapprigen, farbverspritzten Holz-
leiter wieder. »Chris streicht sein Zimmer.« Er klappte sie
auf und stellte sie unter die Schiebetüren.

Er erwartete, dass Paddy hinaufkletterte, aber sie erklärte, sie wisse nicht, wonach sie suchen solle. Zögerlich kletterte der Koch selbst die Leiter hinauf. Nicht ohne
Schwierigkeiten schob er die Tür zur Seite. Der Hohlraum
war tief und pechschwarz, genau im falschen Winkel, sodass kein Licht hineinfiel.

Er griff in das finstere Loch, zog ein Zelt und zwei Stangen heraus, zwei ordentlich zusammengerollte Schlafsäcke, eine Kiste mit verstaubtem Weihnachtsschmuck und
reichte alles an Dub weiter, der die Sachen auf den Boden
stellte. Als Nächstes kamen drei schwarze Müllsäcke mit
Bettzeug zum Vorschein, alte Daunendecken und Kissen.
Der Koch kletterte von der obersten Sprosse herunter und
kniete sich in die Öffnung hinein, seine Füße ragten hinten
heraus.

Sie hörten ein langgezogenes Schleifen und er kletterte vorsichtig wieder auf die Leiter zurück, seine Knie waren staubig grau und er verzog sein Gesicht, als wollte er niesen. Er holte eine große, quadratische Kiste aus Eibenholz heraus. Obwohl sie verstaubt war, war das Holz noch herrlich gelb und die Kanten verzinkt. Sie war mit einem flachen Messinghaken vorne verschlossen. Er reichte sie Paddy herunter, die den Haken löste und die Kiste öffnete.

Darin lagen Fotografien, hauptsächlich von Familienmitgliedern, die meisten davon alt. Eine ziemlich weit oben sah aus, als könnte es sich um Terrys Eltern handeln, ein Paar, das die Arme umeinandergeschlungen im Hochsommer unter einem Apfelbaum stand. Die Farben waren orange und gelb verblichen, die weißen Ränder abgegriffen. Mit dünnem Kugelschreiber stand auf der Rückseite: »Sheila und Donald 76«. Die Mutter sah Paddy auf unheimliche Weise ein bisschen ähnlich.

Dub blickte ihr über die Schulter und seufzte in ihren Nacken. »Ich sag nichts.«

»Ich auch nicht.«

»Moment mal«, der Koch griff noch einmal in die Öffnung. »Das hier ist auch noch drin.«

Er kletterte wieder heraus und zog eine große schwarze Mappe in DIN A3 hinter sich her, genau so eine Mappe, wie Kevin sie Paddy am Sonntagabend gezeigt hatte. Der Koch wirkte verdutzt. »Ich nehme an, die wollte er nicht verlieren.«

»Sie war Teil eines Buchs, das Terry schrieb«, sagte Paddy. »Er hatte das Geld dafür schon bekommen.« Sie streckte sich und nahm sie ihm ab. »Vielen Dank. Das ist wirklich sehr nett.«

»Kein Problem«, sagte er und nahm Dub die Camping-ausrüstung wieder ab, schob sie zurück in das schwarze Loch. »Mein Teig muss sowieso noch gehen. Wird eine Quiche.«

Er schob die widerspenstige Tür wieder vor die Öffnung, kletterte die Leiter herunter und wischte sich die Hände sauber.

»Wir räumen Terrys Zimmer aus und verschwinden.«

»Wenn ihr die Schlüssel für den Nächsten dalassen könntet …« Er klappte die Leiter zusammen und hängte sie sich über die Schulter. »In der Schublade sind Müllsäcke, da könnt ihr das Zeug reinpacken.«

Wieder im Zimmer baute sich Pete ein kleines Spiellager am Fenster auf, nahm seine Murmeln aus der Tasche und ließ sie aneinanderklackern, brabbelte vor sich hin und war sich gleichzeitig sein eigenes Publikum. »Boah, der war gut. Ganz dicht dran, ganz dicht dran, Mann. Ausgezeichnet.«

Dub grinste Paddy an, als sie eine schwarze Mülltüte auf-schüttelte und die Penguin Classics hineinplumpsen ließ. »Was ist in der Mappe? Wieso hat er die so sorgfältig ver-steckt?«

»Weiß nicht«, sagte sie leise. »Vielleicht nur, weil er noch daran gearbeitet hat. Vielleicht aber auch, weil er wusste, dass die Einbrecher genau danach gesucht haben.«

Dub stellte den Müllsack ab, bat sie, kurz zu warten, und ließ sie alleine. In der Truhe fand sie einen Koffer voller Papiere, hauptsächlich Zeitungsausschnitte mit Terrys ei-genen Artikeln.

»Der Typ da draußen sagt, die Einbrecher hatten es nicht hauptsächlich auf Terrys Zimmer abgesehen. Sie haben ein Fahrrad und eine Münzsammlung geklaut, klingt nicht unbedingt nach Meisterdieben. Vielleicht hatte Terry einfach nur übertriebene Angst, wenn es sich um seine Arbeit handelte. Er hatte ja noch nie ein Buch veröffentlicht, oder?«

»Nein.«

»Du weißt ja, was das für ein Gefühl ist. Vielleicht war ihm das einfach wirklich wichtig.«

»Vielleicht.«

Sie ging zum Bett und zog es ab. Als sie die Daunendecke zusammenfaltete und in den Müllsack stecken wollte, kam ihr Terrys Geruch entgegen. Sie stopfte die Decke wütend in den Sack, presste sie immer tiefer hinein und schwor sich, sie noch auf dem Nachhauseweg in der Mülldeponie zu entsorgen.

Sie stapelten die Müllsäcke in der Mitte des Zimmers auf, füllten die Truhe und schlossen sie, stellten die Reisetasche an die Tür. Der Quichekoch sagte, sie könnten die Matratze dalassen. Der Nächste würde sie benutzen.

Sie waren bereit zu gehen.

»Komm schon«, sagte Dub, »Mary Ann wird bald da sein.«

Paddy gab Pete die Mappe zum Tragen, während sie und Dub gemeinsam in zwei Gängen alles die Treppe herunterschafften.

Beim letzten Gang blieben sie im Türrahmen des großen staubigen Zimmers stehen. Die Sonne hing tief und auf der Lawrence Street brannten noch keine Laternen. Als sie die blanke Glühbirne ausknipsten, wurde das große Zimmer vom Licht in den Fenstern der gegenüberliegenden Wohnungen erleuchtet.

Auf der anderen Straßenseite hatte sich eine Familie vor

dem Fernseher versammelt, der Apparat stand vor dem Fenster und die Familie saß in einer Reihe nebeneinander auf einem Sofa, als wollten sie direkt in Terrys Zimmer gucken. Durch ein anderes Fenster sah man eine Frau in einem makellosen Wohnzimmer Staub wischen, Zierdeckchen anheben und Schonbezüge zurechtzupfen. In einem wieder anderen sah eine ältere Frau aus dem Fenster auf die Straße, offenbar hielt sie nach jemandem Ausschau.

Paddy roch Terry in dem Staub, konnte ihn sehen, wie er auf seinem Bett saß, eine Tasse Kaffee trank und über den Tag nachdachte. Er wirkte klein und einsam, wie sie ihn sich dort vorstellte, hilflos wie ein Staubkorn, das, sanft von unsichtbaren Luftströmen getragen, durch den Raum schwebt.

Dub fasste sie am Ellbogen. »Du bist nicht bloß schockiert, Schatz. Du bist wirklich traurig, oder?«

Paddy fühlte sich ertappt und holte tief und zittrig Luft. »Dabei weiß ich gar nicht, warum.«

»Vielleicht weil es in Wirklichkeit um deinen Dad geht.«

»Ja, vielleicht«, sagte sie. »Vielleicht.« Aber sie wusste, dass es nicht so war.

12

Die geheime Suppensprache

I

Besonders schön sah es nicht aus. Die Pasta war verkocht, weich und matschig. Paddy goss den Inhalt eines Glases mit Fertigsauce darüber und rührte um. Es sah immer noch nicht schön aus, aber sie wusste, sie würden es essen. Sie setzte den Deckel darauf und nahm fertig geriebenen Parmesan aus dem Schrank und stellte den Pappbehälter auf den Tisch.

Dub sah von seiner Gratiszeitung auf, kaute mit ernster Miene auf seinem Stift. »Der beste Freund des Menschen, vier Buchstaben?«

Sie zuckte mit den Schultern. »Jesus?«

Sie nahm die Teller und Gläser aus dem Schrank und deckte den Tisch für vier Personen. Hier vor den angelaufenen Fensterscheiben, in der friedlichen Ecke des Hauses umgeben von all den Dingen, die sie an ihren Alltag und noch zu erledigende Aufgaben erinnerten, wirkte die Bedrohung, die von Callum Ogilvy ausging, und das Entsetzen über Terrys Tod fast ein bisschen absurd.

Sie sah auf den Korb mit der frischen Bügelwäsche oben auf der Waschmaschine und betrachtete die Falten, die Dub sorgsam in ihre Büroklamotten und Petes Ersatzuniform eingearbeitet hatte, und verbot sich, darüber nachzudenken, jedenfalls an diesem Abend, solange Mary Ann da war. Sie sahen einander so selten und es wäre ein Jammer, den Abend mit anderen Dingen zu verschwenden.

Die Türglocke klingelte sachte und Dub versuchte aufzustehen, stieß sich aber das Knie an der Tischkante. Paddy und Pete trafen sich im Flur, eilten beide zur Tür und sogar Paddy hatte vor Aufregung einen kleinen Kloß im Hals. Sie ließ ihn öffnen.

Mary Ann stand in einem einfachen blauen Kleid mit langer Knopfleiste draußen vor der Tür und hatte eine Plastiktüte mit einem schweren fassartigen Gegenstand dabei. Ihre blonden Ringellocken waren brutal kurz geschnitten.

Sie lächelte breit, trat in den Flur ein und griff sich schüchtern an den Kopf. Pete wollte ihn anfassen, weshalb sie sich zu ihm herunterbeugte.

»Oje«. Paddy hakte sich bei ihrer Schwester ein und schüttelte den Kopf. »Das ist ein entsetzlicher Haarschnitt, aber sogar damit bist du noch hübscher als ich. Das ist so gemein.«

Sie gingen in die Küche und fanden Dub stolz vor dem Topf mit der heißen Pasta stehen, als hätte er sie gekocht. Er nahm Mary Ann die Plastiktüte ab, die sie ihm hinhielt, zog eine durchsichtige Tupperdose heraus und stellte sie an den Rand des Tisches. Es war Suppe, gelb durch die Linsen darin, mit grünen Erbsentupfern und weißen Kartoffelstücken. Der Deckel saß nicht richtig fest und am Rand war etwas von der Suppe mehlig heruntergetropft und angetrocknet. Pete drückte die Nase an die Dose und versuchte hindurchzusehen.

»Suppe«, sagte Mary Ann.

Paddy erkannte den Schnitt der Kartoffeln und den eigentümlichen gelben Farbton, den Trisha erzielte, indem sie die getrockneten Erbsen statt nur eine Nacht zwei Nächte lang einweichen ließ. Sie nahm Dub die Dose ab und überspielte ihre Irritation. »Hat sie dir das in die Mission gebracht?«

»Nein«, Mary Ann fasste sich wieder in die Haare. »Ich war zu Hause.«

Suppe war Trishas Geheimsprache. Trishas Suppe bedeutete Liebe und Zuhause; sie bedeutete, dass eine Mutter, die mit wenig Geld auskommen musste, ihre Kinder dennoch gut ernähren konnte; Suppe bedeutete Fürsorge. Wäre Trishas Leben ein Musical gewesen, hätte es damit geendet, dass alle ihre drei Töchter im Abstand von hundert Metern zu ihr wohnten, ein Dutzend wohlerzogener Kinder großzogen und sich jeden Morgen versammelten, um gemeinsam nach ihren Rezepten Suppe zu kochen. Tatsächlich aber war ihre älteste Tochter geschieden und wohnte unglücklich bei ihr im Haus; Mary Ann war Nonne geworden, was gut war, aber auch bedeutete, dass sie eine schrecklich schmeckende Suppe aus einem Sack voller getrockneter Zutaten zubereitete; und ihre jüngste kaufte überteuerte Suppen in Feinkostläden. Die mitgebrachte Suppe war als Vorwurf gegenüber einer Tochter gemeint, die nicht in der Lage war, sich selbst zu versorgen und ihren unehelich geborenen Sohn ordentlich zu ernähren.

Paddy nahm sie und stellte sie in den Kühlschrank. »Die essen wir später. Morgen vielleicht.«

Dub setzte sich wieder hin. »Oder wir lassen sie im Kühlschrank stehen, bis sie stinkt, und kippen sie dann ins Klo.«

Pete kicherte, weil Dub Klo gesagt hatte.

Mary Ann fand die Vorstellung schockierend und betrachtete ihren leeren Teller mit gerunzelter Stirn. Paddy setzte sich neben sie und versuchte das Thema zu wechseln.

»Was hast du denn zu Hause gemacht?«

Dub klatschte einen Haufen verkochte rote Pasta auf Mary Anns Teller. Sie sah zu, wie die Spiralnudeln widerwillig auseinanderfielen und sich auf dem kalten Teller verteilten. Normalerweise musste Mary Ann über alles kichern – wenn ein Hund vorbeirannte, jemand einen Bleistift fallen ließ oder sich beim Erzählen verhaspelte, sie musste über fast alles lachen – aber heute Abend lachte sie nicht. Heute sah sie zu, wie sich das matschige Abendessen auf ihrem Teller verteilte, und seufzte wie eine Erwachsene.

Dub und Paddy sahen einander an.

Paddy setzte sich neben sie und nahm ihre Hand. »Was ist los?«

Mary Ann schüttelte den Kopf, als wollte sie einen unangenehmen Gedanken vertreiben.

»Ist Mum krank?«

»Nein.« Sie nahm ihre Gabel und stocherte in ihrem Essen herum.

»Bist du krank?«

»Nein.«

Betretenes Schweigen senkte sich über den Tisch. Es war Dubs Lieblingsessen und er aß, so schnell er konnte. Er schaufelte sich die Nudeln in den Mund, spülte sie mit einem großen Glas Apfelsaft herunter und entschuldigte sich anschließend, nahm Pete mit und ließ Paddy und Mary Ann zu zweit nebeneinander am Tisch sitzen. In ihrem Exil im Wohnzimmer stellten die beiden Männer den

Fernseher laut und teilten ihnen auf diese Weise mit, dass sie sie nicht belauschten.

»Also?«

Mary Ann hatte nicht viel gegessen. Sie hatte langsam ihre Nudeln hin und her geschoben, eine Spirale über den halben Teller verfolgt und sie dann doch liegen lassen. Nun legte sie ihre Gabel weg. »Ich mag nicht mehr.«

Hätte man Mary Ann Hundewelpengulasch serviert, hätte sie es normalerweise schon aus Frömmigkeit und Dankbarkeit gegessen. Paddy wurde schlagartig bewusst, dass sie vor dem Essen nicht einmal gebetet hatten.

»Mary Ann, was ist los?«

Mary Ann bewegte sich nicht. Sie saß ganz still, starrte ihre Nudeln an und ließ Tränen auf die Tischplatte tropfen. Dann drehte sie sich zu ihrer Schwester um und sah sie an.

»Ich bin verliebt. In einen Mann. Er liebt mich auch.«

»Wer ist es?«

»Pater Andrew.«

»Von St. Columbkille?«

Sie nickte unglücklich, fasste sich erneut an die verhunzte Frisur und weinte. Paddy berührte Mary Anns Haar: Es war so weich wie das eines Babys.

»Haben sie dir das deshalb angetan?«

Aber Mary Ann weinte zu heftig, um sprechen zu können. Paddy trocknete ihr die Tränen mit einem Blatt Küchenpapier, das sie statt Servietten benutzten, aber es half nichts. Die Tränen trockneten nicht. Sie wollte ihr tausend Fragen stellen, wollte ihr sagen, dass Pater Andrew ein Widerling war, dass sie niemals Nonne hätte werden dürfen, aber das war das, was sie sagen wollte, nicht das, was Mary Ann jetzt brauchte.

»Hast du's Mum erzählt?«

Mary Ann griff sich wieder an den Kopf.

»Hast du's deiner Mutter Oberin erzählt?«

Sie formte ein tonloses »Nein« mit den Lippen und schluchzte.

Paddy wusste nicht, was sie tun sollte. Sie wischte ihrer Schwester erneut die Tränen ab, drückte sie ganz fest und trocknete ihr noch mal das Gesicht.

»Willst du Suppe?«

Mary Ann musste durch den feuchten Schleier auf ihrem Gesicht hindurch lachen, kam schließlich mit kurzen schmerzhaften Japsern wieder zu Atem. Jetzt trocknete sie sich mit ihrer eigenen Serviette das Gesicht.

»Habt ihr beiden irgendeinen Plan gefasst?«

Mary Ann faltete das Küchenpapier zu einem ordentlichen Rechteck zusammen und schnäuzte sich, putzte resolut ihre Nase, wischte so heftig daran herum, als wollte sie sich selbst bestrafen. Sie brachte es nicht fertig, Paddy anzusehen. »Wir reden nicht …«

Paddy war schockiert. Dieser beschissene Pater Andrew, kaum war er zwei Jahre aus dem Priesterseminar entlassen, zwang er der Gemeinde seinen Willen auf und berührte Mary Ann auf eine Weise, gegen die sie wehrlos war. Paddy wäre am liebsten ins Auto gesprungen, zum Pfarrhaus gefahren und hätte ihn verprügelt, bis er nicht mehr wusste, wo oben und unten war. Mary Ann zuliebe würde sie nichts dergleichen tun, aber wenn ihre Brüder etwas davon mitbekämen, würde sie sie kaum zurückhalten können.

»Sag's bloß nicht Mum.« Das war kein großer Trost, aber etwas Besseres fiel ihr nicht ein.

Und wieder fing Mary Ann an zu weinen, aber diesmal

nicht wegen der Liebe, sondern in der Voraussicht auf all die Schmach und Schande, die sie über ihre Familie bringen würde.

Paddy nahm das feuchte Gesicht ihrer Schwester in beide Hände. »Hör mal zu, Mary Ann, hör zu, du kannst Mum nicht mehr wehtun, als wir das schon getan haben. Trisha ist stark, sie ist sehr stark. Caroline ist geschieden, Pete ist unehelich, die Jungs gehen nicht mal mehr zur Messe.« Mary Anns Liebesaffäre in die Liste der Leiden ihrer Mutter aufzunehmen, trug jedoch nicht zu ihrer Beruhigung bei. »Ich habe Zigaretten hier. Wollen wir eine rauchen?«

Paddy stand auf, zog das Päckchen aus der Handtasche, nahm einen Aschenbecher, zündete eine an und gab sie ihrer Schwester. Manchmal als sie noch jünger waren und Sean in ihrer Gegenwart sehr viel geraucht hatte, hatten sich die Mädchen manchmal eine Zigarette geteilt. Mary Ann inhalierte nicht, aber sie hielt sie gerne, führte sie wie ein Filmstar an die Lippen und zuckte zusammen, wenn sich eine Rauchschwade in ihre Nase verirrte.

Jetzt steckte sie die Zigarette in den Mund, schielte dabei und nahm den längsten Zug, den Paddy je gesehen hatte. Die halbe Kippe war weg. Sie behielt den Rauch in der Lunge, ihre Brust wölbte sich und sie blies ihn gekonnt über Paddys Kopf.

Die beiden Schwestern sahen einander an. Paddy staunte. Zum ersten Mal in ihrem Leben mimte Mary Ann nicht mehr das kichernde kleine Mädchen. Jetzt war sie eine Frau.

Ohne ihrem Blick auszuweichen, führte Mary Ann den Filter an die Lippen und zog noch einmal, sog das verbliebene Leben aus der Zigarette, ließ nur eine graue, krümelige Hülle übrig. Sie hielt den Rauch unfassbar lange in der Lunge und blies ihn dann seitlich aus dem Mundwinkel heraus, hielt zum Schluss inne, wandte sich ihrer Schwester zu und blies ihr zwei perfekte Rauchringe entgegen, zog eine Augenbraue hoch, um die Geste zu unterstreichen.

Paddy musste lachen und konnte nicht mehr aufhören. Mit geschlossenen Augen schlug sie auf den Tisch, warf ihren Teller zu Boden, ihre Gabel prallte vom Stuhl ab und flog klappernd auf die Fliesen.

Das Telefon klingelte und sie sah auf, erwartete, dass Mary Ann ebenfalls losprusten würde, doch Mary Ann lachte nicht. Sie biss sich auf die Oberlippe und drückte die Zigarette im Aschenbecher aus, hob und senkte die Augenbrauen in einem stillschweigenden Dialog.

McVie hielt sich nicht mit Begrüßungen auf. »Gedenkfeier, Donnerstag. Große Sache. Zehn Uhr vormittags in der Kathedrale. Du hältst eine Rede.«

»Nein, tu ich nicht.«

»Alle werden da sein.«

»Wer alle?«

»Alle eben.« Sie hörte ein Blatt Papier knistern. »Hast du Merkis Artikel gelesen?«

Sie drehte sich zur Wand. »Wurde Merki namentlich erwähnt?«

»Geh, hol dir morgen die *News*. Die haben die Tatwaffe gefunden.«

Sie legte auf.

Mary Ann hatte sich eine weitere Zigarette genommen und den Kopf in den Händen versenkt, der Rauch kräuselte sich bis hinauf zu dem Wäschegestell, an dem hoch über ihren Köpfen Petes Kleidung trocknete.

»Mach die Kippe aus«, sagte Paddy bestimmt. »Wir machen einen Ausflug.«

II

Es war ein seltsames Gefühl, Mary Ann mit in die Redaktion zu nehmen. Allein schon mit ihr im Wagen zu sitzen, war wie ein bizarrer Zusammenprall zweier völlig unterschiedlicher Bereiche ihres Lebens. Paddy wusste nicht, wie sie sich verhalten sollte: Sollte sie Mary Anns kichernde kleine Schwester geben oder den feuerspuckenden Drachen, den sie auf der Arbeit markierte. Es wäre ihr noch seltsamer vorgekommen, hätte sich Mary Ann wie Mary Ann benommen, aber sie war still, besorgt, verzweifelt. Immer wieder berührte sie ihre Haare, suchte nach einer Strähne, die lang genug war, sodass sich ihre Finger darin hätten verlieren können. Der Schnitt war so schlecht, dass es aussah, als hätte sie sich die Haare versengt.

»Warte hier«, sagte Paddy und öffnete die Tür. Der absurde Gedanke, Mary Ann könne aus dem Wagen steigen und auf dem dunklen Parkplatz für immer verschwinden, schoss ihr durch den Kopf. Sie schleuderte ihrer Schwester ihre Handtasche auf den Schoß. »Da sind Zigaretten drin. Rauch eine. Bin in zwei Sekunden wieder da.«

Die Lieferwagenfahrer arbeiteten hart, schwangen Packen von Papier in einer Reihe stehend in die Transporter, ihr Rhythmus wurde nur durch den Anblick von Paddy Meehan unterbrochen, die aus der dunklen Nacht heraustrat und eine Ausgabe aus einem aufgeplatzten Packen zog, der an die Seite gestellt worden war.

Der Artikel stand gleich auf der Titelseite, Merkis Name oben drüber und es war ein Foto des Grabens abgebildet, in dem man Terry gefunden hatte, mit polizeilichem Absperrband als Tatort markiert. Ein in den Text eingesetztes Foto zeigte Terry als jungen Mann, der den Fotografen angestrengt angrinste. Am Kragen erkannte sie, dass er seine Lederjacke trug, die mit den roten Schulterpolstern. Sie wandte sich ab und ging wieder zum Wagen zurück, strich zärtlich mit dem Zeigefinger über das Bild, verschmierte aus Versehen die noch feuchte Druckerfarbe und machte sich die Hand schmutzig.

Die rote Spitze der Zigarette glühte hinter der Windschutzscheibe auf, als Paddy auf den Wagen zuging. Diese Mary Ann kannte sie kaum. Sie hatte ihr letztes Gelübde noch nicht abgelegt, es wäre also gar nicht so schwierig, das Kloster zu verlassen, falls sie das wollte. Aber Pater Andrew hatte seine Gelübde abgelegt. Paddy konnte sich die junge Liebe sehr gut vorstellen, die Blicke und Mary Anns errötende Wangen, verstohlene Momente in zugigen Klostergängen, flüchtige Berührungen der Hände, ein sehnsüchtiger Blick und den käsigen Hintern von Pater Andrews, wenn er seinen Schwanz in ihre Schwester steckte.

Sie öffnete die Tür und ließ sich auf den Fahrersitz plumpsen, nahm Mary Ann die Zigarette aus der Hand und warf sie auf den verdreckten Parkplatz. »Also, dann. Ich muss ein paar Dinge wissen: Wie lange geht das schon?«

Schon weil sie es gewohnt war, zu gehorchen, erzählte ihr Mary Ann die ganze Geschichte. Beinahe ein Jahr ging das nun schon so. Sie hatten sich kennengelernt, als er bei der Mission die Messe las. Sie trafen sich heimlich. Sein Priesteramt wolle er aber nicht aufgeben.

»Willst du das Kloster verlassen?«

Mary Ann sagte, sie wisse es nicht.

»Du kannst bei mir wohnen.«

Mary Ann antwortete nicht, und obwohl Paddy es niemals zugegeben hätte, war sie ein bisschen beleidigt. Sie breitete die Zeitung auf dem Lenkrad aus und schaltete das Innenraumlicht an.

Mary Ann nuschelte neben ihr: »Hast du noch Kippen?«

Paddy nickte in Richtung ihrer Handtasche.

»Die sind alle«, sagte Mary Ann.

»Wir halten gleich an und besorgen welche.«

Merki war gut in Form, daran bestand kein Zweifel. Im perfekten blatttypischen Stil berichtete er, die Polizei habe die Waffe gefunden, mit der Terence Hewitt, wie bei einer Hinrichtung, mit einem Kopfschuss getötet wurde. Entgegen anderslautender Berichte handele es sich nicht um eine IRA-Waffe und man sei nun sicher, dass der Mord nichts mit den Unruhen in Nordirland zu tun habe. Die Schusswaffe war in der Nähe des Tatorts gefunden worden, und die Ballistiker der Polizei bestätigten, dass die Kugel, die Terence getötet hatte, aus dieser Waffe stammte. Sie suchten jetzt nach einem Einzeltäter und vermuteten Raub als Motiv. Der Bericht war als Exklusivartikel ausgewiesen.

»Was ist das?« Mary Ann versuchte über Paddys Schulter hinweg mitzulesen.

»Mit einem Schlag zurück an der Spitze«, sagte Paddy. »Der Typ, der das geschrieben hat, hatte seit zehn Monaten keinen namentlich gekennzeichneten Artikel mehr im Blatt. Aber er ist ehrgeizig. Ein gewissenloser Informant könnte ihn dazu bringen, zu behaupten, die Königin sei ein

Mann, vorausgesetzt er wäre der Ansicht, seine Karriere käme damit aus dem Keller.«

Sie faltete die Zeitung zusammen und warf sie auf den Rücksitz.

III

Mary Ann weinte, als sie draußen vor dem Kloster im Wagen saßen und sie eine Zigarette rauchte. Sie versuchte mit Paddy zu sprechen, aber es kamen nur abgehackte Halbsätze heraus, Verben und Hauptwörter versanken in Schluchzern und die schmerzhafte, aber altbekannte Geschichte von unglücklicher Liebe verwandelte sich in sinnloses Wortgetümmel. Paddy wollte sie nicht ausfragen oder sie bitten, sich deutlicher zu erklären. Sie hätte gerne mehr Einzelheiten erfahren, scheute sich aber davor, zu neugierig zu sein. Gleichzeitig hatte sie plötzlich das Gefühl, ihre Schwester wiederzuhaben, eine Frau ungefähr in ihrem eigenen Alter und keine Braut Christi, die an Wunder und an Märchen glaubte.

Paddy beobachtete sie, wie sie zum Klostertor ging, auf die beleuchtete Klingel drückte und beim Warten einen letzten sehnsüchtigen Blick zurückwarf. Mary Ann sah plötzlich so hübsch aus mit dem Efeu auf den Klostermauern, das sich um den Torbogen schlängelte und sie einrahmte, ihr kurzes blondes Haar wurde von hinten durch das Licht der Klingelanlage erleuchtet; selbst das einfache Kleid mit dem schäbigen Hemdkragen und den hässlichen Knöpfen sah an ihr hübsch aus.

Die Tür öffnete sich und das Kloster schluckte sie wieder.

Paddy fuhr den Hügel hinunter Richtung West End. Als sie an einer Ampel warten musste, stellte sie sich vor, Mary Ann würde zu ihr ziehen und die erdrückende graue Eintönigkeit der Kirche hinter sich lassen. Ein Hochgefühl flackerte auf in ihrer Brust.

Sie legte den Kopf zurück und schrie tonlos den Namen ihrer Schwester.

IV

Sie schaltete das Radio nicht ein, auch nicht den Fernseher und sie ließ die Tür zu ihrem Arbeitszimmer offen stehen, sodass sie jedes Geräusch draußen vor der Tür hören konnte. Michael Collins würde nicht wiederkommen, jedenfalls nicht heute Abend. Das wusste sie, obwohl sie seit Petes Geburt einen sehr starken Beschützerinstinkt entwickelt hatte. Hinter jeder scharfen Biegung konnte eine Gefahr lauern. Das war der Grund, weshalb sie ihn kontrollierte, herummeckerte und alles, was potenziell gefährlich war, sehr hoch ins Regal stellte, und nun schrieb sie eine mitreißende Kolumne über die nordirischen Unruhen und behielt dabei immer ein Ohr zur Tür gerichtet.

Sie hatten Terrys Sachen im Flur stehen lassen, sie gesondert aufbewahrt, für den Fall, dass der Anwalt um Rückgabe bat. Sie hatte die silberfarbene Truhe innen vor die Wohnungstür gestellt, sodass ein Einbrecher sie über den Flur würde schieben müssen, bevor er hereinkommen könnte. Trotzdem würde sie heute Nacht auch ihre Schlafzimmertür offen lassen.

Als sie mit der Kolumne fertig war, kürzte sie sie so weit

herunter, dass sie nur noch fünf Wörter Überlänge hatte und die Redakteure sie nicht zu sehr beschneiden konnten. Dann nahm sie den Hörer ab, um den Text durchzugeben. Die männliche Aushilfskraft tippte die Kolumne für sie, fragte bei ein paar Zeilen nach, korrigierte einmal nach höflicher Nachfrage ihre Zeichensetzung. Als sie fertig war, bedankte sie sich, tat, als könne sie sich noch von Pater Richards' Abschiedsfest vor Jahren an ihn erinnern und legte auf.

Sie hätte eigentlich die Küche aufräumen und Petes Sportsachen herauslegen sollen, damit sie in sechs Stunden, wenn sie aufstehen müsste, nicht so viel zu tun hätte. Im dunklen Flur hielt sie an und holte Luft, horchte auf Petes gleichmäßiges Atmen, hörte stattdessen aber nur Dubs pfeifendes Schnarchgeräusch. Terrys Mappe lehnte an der Wand, die Eibenkiste stand davor. Sie hob beide auf und nahm sie mit in die Küche.

Sie stellte sie auf dem Tisch ab, ging an Dubs Lebensmittelschrank und nahm sich ein riesiges Glas Erdnussbutter heraus, schaufelte einen Löffel voll heraus und steckte ihn sich in den Mund, bevor sie darüber nachdenken konnte, dann leckte sie den Löffel mit der Zunge ab und genoss die salzige Süße, schwor sich, sie würde keinen weiteren nehmen. Nur noch einen. Sie kratzte mit dem Löffel über die Innenwände des Glases, barg einen übervollen Löffel, von dem sie die obere Schicht ableckte, um nicht zu kleckern, während sie den Deckel wieder aufschraubte.

Sie setzte sich. Terrys Kiste war wunderbar, sehr schön gearbeitet und aus dickem, makellosem Holz. Sie hob den Deckel. Sie war mit bräunlich verblichenem, ursprünglich einmal fliederfarbenem Samt ausgeschlagen. Die meisten Fotos zeigten Terry, als Baby, als Kleinkind in einem Garten, Terry in Petes Alter, wie er stolz und steif in einer brandneuen Schuluniform dastand, Terry als molliger Teenager, die Haare hingen ihm über die Augen, er trank Cola und lachte. Mit seinem siebzehnten Lebensjahr hörten die Fotos schlagartig auf, damals waren seine Eltern gestorben. Da waren Fotos von ihnen und einige noch ältere Schwarz-Weiß-Aufnahmen von einer alten Dame vor einem Kaminsims aus Eiche, und von der Hochzeit seiner Eltern. Seine Mutter trug einen Bob und lächelte schüchtern. Ganz unten lagen kleine namenlose Andenken: ein Zeitungsartikel über eine Schulaufführung, Terrys Name war unterstrichen, ein Katzenhalsband mit plattgedrücktem Glöckchen daran und zwei zusammenpassende Eheringe an einem kurzen grünen Band, seiner und ihrer.

Seine Eltern waren bei einem Autounfall ums Leben gekommen. Sie küsste das staubige Band und war traurig; ob sie um ihn oder seine Eltern trauerte, wusste sie nicht. Wäre sie ehrlich gewesen, hätte sie vielleicht zugeben müssen, dass sie um ihn trauerte.

Sie begriff, dass dies seine wichtigsten Familienerinnerungen waren, was bedeutete, dass sich in dem braunen Ordner, den Fitzpatrick in seinem Büro hatte, etwas ganz anderes befand.

Sie legte die Bilder in die Schachtel zurück, schloss sie und wischte mit der Hand über den Deckel, stellte sie sachte auf den Stuhl neben sich und wandte sich der Mappe zu.

Sie war schwarz, durch den Staub im Schrank leicht angegraut, ansonsten aber genau dieselbe Mappe wie Kevins. Vielleicht hatten sie sie gemeinsam gekauft. Terry hatte Schreibwaren immer gemocht. Er verwendete Notizbücher von Moleskine, wenn er reiste – in einem Koffer in der Truhe hatte sie eine Schachtel voller zerfledderter Notizbücher gefunden.

Sie zog das Gummiband ab und öffnete die Mappe, hob die einzelnen Seiten Fotopapier aus der Lasche heraus und legte sie auf den Tisch. Ein kleiner Moleskine-Block steckte hinten drin. Sie blätterte ihn durch, las Terrys krakelige Kurzschrift und begriff, dass es sich um die Notizen zu den Interviews der Fotografierten handelte, durchnummeriert bis vierzig und mit verschiedenen Daten aus einem Monat des letzten Jahres versehen. Sie sah sich die Bilder an. Senga – New Jersey. Billy – Long Island. Die anderen hatten noch keinen Begleittext, sondern waren einfach nur Fotos, doch alle trugen Kevins ganz besondere Handschrift. Ein strahlendes frisches Licht, gestochen scharfe Farben und eine Person im Vordergrund, die lächelte oder auch nicht, schön war oder auch nicht, aber alle mit entspannten, ehrlichen und offenen Gesichtern.

Ein schwarzes Gesicht war dabei, eine Frau mit einem aristokratischen afrikanischen Profil, die in New York auf der Sonnenseite einer langen schmalen Straße mit Wohnhäusern aus rotem Backstein stand, an deren Fassaden sich Feuerleitern hinaufschlängelten. Winzige Quarzkristalle glitzerten im Asphalt. Sie lächelte schief, als wollte sie ihre Zähne verstecken und ihr Haar war zu wespenartigen gelbschwarzen Zöpfen geflochten, die um ihren Kopf herumwirbelten.

Wer auch immer die Frau war, Paddy nahm an, sie war froh, in den Staaten zu leben. In Schottland gab es so wenige Schwarze, dass die beiden einzigen dunkelhäutigen Glasgower, die sie kannte, als kleine Berühmtheiten galten. Einer war Akademiker, stammte von den westindischen Inseln, unterrichtete an der Glasgow University und hatte eine Linguistin geheiratet. Der andere war ein junger Mann, Tontechniker an der Scottish Opera, der öfter mal im Chip einen trinken ging. Kevins Frau sah afrikanisch aus und Paddy nahm an, sie müsse von einem wohlmeinenden schottischen Ehepaar adoptiert worden sein und sich so schnell wie möglich aus dem Staub gemacht haben. Sie wirkte sehr jung für eine Auswanderin.

Paddy betrachtete das Foto eingehend und plötzlich nahm ein Detail im Hintergrund ihre Aufmerksamkeit gefangen. Wäre das Bild kleiner gewesen oder durch das schräg einfallende Licht weniger scharf definiert, wäre es ihr nicht aufgefallen.

Michael Collins war damals schlanker gewesen. Er stand zweihundert Meter hinter der Frau, lehnte an einem großen grünen Wagen. Er trug ein dünnes pfirsichfarbenes Sommerhemd, seine Hose saß ihm lässig auf der Hüfte, das Sonnenlicht blitzte auf seiner Brille. Collins sah nicht in die Kamera. Wenn sich Kevin beeilt hatte, hatte er bestimmt nicht einmal bemerkt, dass ein Fotograf ein Bild von der Straße gemacht hatte. Lachend lehnte er mit geöffnetem Mund am Wagen, trug die Haare sehr kurz geschnitten. Auf der anderen Seite, an der Beifahrertür, stand ein weiterer Mann, ein dicker Mann in einem dunklen Anzug, dessen Gesicht verdeckt war, da er sich umgedreht und die Hand nach dem Türgriff ausgestreckt hatte.

Paddy lehnte sich zurück und kippte frischen Mutes den Wein hinunter. Sie hatte ein Foto von ihm. Zwar zeigte es ihn in New York und auch schon vor einiger Zeit, aber es war dennoch ein Foto von ihm, aufgenommen in einem alltäglichen Moment, als er einen Freund im Auto mitnehmen wollte.

Sie ging Terrys Notizbuch nach Namen durch, suchte einen afrikanisch klingenden: Morag, Alison, Barney, Tim, keiner passte zu der schwarzen Frau. Wenn sie adoptiert worden war, hatten ihre Eltern ihr vielleicht einen schottischen Namen gegeben. Die Schotten hatten halb Afrika im Auftrag des Empire kolonialisiert. Sie konnte sich gut vorstellen, dass Morag auch ein verbreiteter äthiopischer Name war.

Sie dachte wieder an Terry, wie er in einer Bar saß, betrunken und verschwitzt, den Arm um ein hungriges, junges Mädchen legte und ihr lief ein Schauder über den Rücken. Sie schüttelte den Gedanken ab.

Kevin Hatcher würde wissen, wer die Frau war, wo das Foto aufgenommen wurde und vielleicht kannte er sogar den Mann im Hintergrund oder verfügte über irgendeine Information, die Paddy helfen würde, ihn aufzuspüren und sich und Pete vor ihm zu schützen. Aber es war bereits ein Uhr morgens und es wäre unhöflich gewesen, ihn jetzt noch anzurufen.

Stattdessen packte sie Petes Sportsachen und räumte die Spülmaschine ein. Stattdessen wusch sie sich das Gesicht und putzte sich die Zähne. Stattdessen ging sie zu Bett und freute sich, weil sie nun einen Anhaltspunkt hatte, ein Bild von Michael Collins.

Dabei hätte sie Pete nehmen und davonlaufen sollen.

13

Yeah

Seine Nachbarn feierten eine Party. Damals zu seinen besten Säuferzeiten hatte Kevin montagabends regelmäßig Partys besucht und wusste, wie freudlos es dort zuging. Sie fanden statt, wenn die Kneipen bereits geschlossen hatten, dauerten bis zum kalten, feuchten Morgen und wurden von melancholischen Trinkern bevölkert, die auf billigen Alkohol aus waren und sich nur deshalb miteinander abgaben, weil sie sich gemeinsam zudröhnen wollten. Er erinnerte sich an Nächte, die zehn Stunden dauerten und in denen alle Gespräche ermüdend beiläufig verliefen. Frauen mit Koordinationsstörungen, die ihr gutes Aussehen längst an Wein und schlaflose Nächte verloren hatten, tanzten aufreizend miteinander, während sie von den Männern aus toten Augen angestarrt wurden. Die Musik diente als Mörtel, um die Löcher aus Schweigen zu stopfen. Dorthin wollte er nie wieder zurück. Doch heute Abend klangen die gelegentlichen Jubelrufe, die Gitarrenmusik und der durch die Wand dringende Trubel freundlich.

Der Schmerz in seinem Arm und an seinem Kinn nahm ab und da er stillhielt, spürte er, wie die Gewissheit, dass alles wieder gut werden würde, durch seinen Körper pulsierte.

Sein Magen war allerdings anderer Ansicht. Er verkrampfte einmal, zweimal und der Griff an seinem Kinn wurde wieder fester.

Es war dunkel im Raum. Der Mann hatte kein Licht gemacht, als er Kevin hier hereingezerrt und auf den Sessel geworfen hatte. Die Vorhänge waren offen. Das waren sie immer: Kevin machte es nichts aus, wenn ihm die Leute auf der anderen Straßenseite ins Zimmer sahen. Er konnte nach draußen sehen, ein Paar kehrte ihm den Rücken zu und sah bei gedämpftem Licht fern. Ein dunkles Zimmer. Ein Mann wusch sich die Hände in der Küche.

Der Mann hatte, wie es Kevin vorgekommen war, stundenlang auf seinem Unterarm gekniet. Er hatte das Gefühl in seinen Fingern verloren, seine Handgelenke und Ellbogen wurden fest ins Leder gedrückt, aber jetzt schien es nicht mehr wehzutun. Nichts schien mehr wehzutun. Nicht mal seine Zähne, nicht mal sein Kiefer, den der Mann mit einer Art Meißel aufgehebelt hatte, bevor er ihm kleine Papiersäckchen in den Rachen geschoben, Wasser nachgegossen und ihn gezwungen hatte, alles zu schlucken.

Kevin sah zu der Brille mit dem Metallgestell auf, die orangefarbene Straßenbeleuchtung von unten spiegelte sich auf den rechteckigen Gläsern, und er spürte, dass sich sein Angreifer schlechter fühlte als er selbst. Der Mann war verzweifelt und hatte Angst. Er schwitzte.

»Wenn du kotzt, mach ich dich fertig.«

Kevins Stimmung war ebenso schnell umgeschlagen wie eine lose Feder im Wind. Er wusste, alles würde gut werden, dabei hatte er sich einen kurzen Augenblick zuvor noch hilflos gefühlt und gedacht, er säße in der Falle.

Zuerst kam die Hitze, eine brennende Hitze in seinem

Gesicht und seiner Brust. Ein Schleier aus Schweiß glitt ihm über die Augen und sein Herzschlag passte sich der Musik im Nachbarhaus an, hämmerte immer schneller, überholte schließlich den Rhythmus und durchstieß sein Gesicht. Er konnte nichts mehr sehen.

Plötzlich war jeder Muskel seines Körpers zum Zerreißen gespannt und er stand auf, der kleine Mann rutschte wie eine Serviette von seinem Stuhl. Er packte Kevin an den Knöcheln, war aber machtlos gegen die Kraft, die Kevin durchströmte.

Kevin hob lächelnd den Fuß vom Boden und trat seinem Angreifer auf die Hand. Er hörte den Schmerzensschrei des Mannes und wie er sich zu seinen Füßen krümmte, halb unter dem Wohnzimmertisch verschwand, aber Kevin war das egal. Es war wunderbar, wenn einem alles egal war. Er stampfte noch einmal auf, verfehlte ihn dieses Mal, aber auch das war egal. Er wandte sich dem Zimmer zu. Licht drang aus jeder Ecke. Die Tür. Er sollte zur Tür gehen und verschwinden.

Er machte drei Schritte vorwärts, wie ein Koloss, der in Bewegung geriet, die kühle Nachtluft streichelte seine heiße Haut, seine Brust wies ihm den Weg, sein Herz drängte nach vorne, trieb ihn hinaus in den Gang, wo es kühler sein würde, besser. Er stellte sich vor, wie er das Gesicht gegen den kalten nackten Stein pressen, die köstliche Kälte in sich aufnehmen würde. Einer der betrunkenen Nachbarn schrie »Yeah« und Kevin drehte sich zur Wohnzimmertür um, schrie zurück, seine Stimme berührte die Stimmen des anderen durch die Wand.

Yeah.

Eine absolute Vereinigung der Stimmen. Perfekt. Etwas Kleines krabbelte an seinen Füßen, etwas packte ihn, kratzte, zog an seinen Beinen, zerrte an ihm.

Weißes Licht, kühles Licht, überströmte ihn plötzlich, herrlich, aufregend. Er schloss eine Sekunde lang die Augen, vergaß aber, sie wieder zu öffnen.

Er lag auf dem Boden, auf der Seite, den Arm unter dem Kinn, seine gesamte linke Seite pochte im Takt der Musik. Sein Gesicht war feucht.

Über ihm krachte ein Fuß herunter, trat ihm auf den Kopf, ein Körper bewegte sich und eine Sohle schwebte über seinem Gesicht. Zwei orangefarbene Rechtecke funkelten böse und grell auf ihn herab.

Kevin machte die Augen wieder zu.

Eine Stimme rief ihn durch die Wand, nahm ihn mit zurück in die verdreckten Räume, auf die klebrigen Sofas und die von Toten bevölkerten Montagabend-Partys.

Yeah.

14

Geschmeidige Ratten

Callum war erledigt. Sein Zimmer war klein, dunkel und warm, er war lange nicht mehr in einem so warmen Zimmer gewesen. Obwohl Sommer war, hatten sie die Heizung aufgedreht und er konnte nicht unter der Decke liegen, ohne zu schwitzen. Aber die Müdigkeit kam zum Teil auch daher, dass er seit über neun Stunden nicht mehr allein gewesen war. Er hätte nicht gedacht, dass er das Alleinsein so sehr vermissen würde.

Es war ein winziges Zimmer, halb so groß wie die kleinste Zelle, in der er je untergebracht war. Das Einzelbett stand gegenüber einem Regal und einem weißen Plastikkleiderschrank, bei dem eine Tür fehlte, und nahm den größten Teil des Zimmers ein. Er musste sich seitlich daran vorbeischieben, um zum Fenster zu gelangen.

Zwei der Kinder hatten hier geschlafen. Ihre Stockbetten standen jetzt am Fußende von Seans und Elaines Bett. An der gelben Tapete klebten Reste von Aufklebern, ein halbes Raumschiff, die Mähne und die Beine eines Löwen, das Gesicht fehlte. In der Ecke hatte Elaine versucht, schwarzes Filzstiftgekritzel wegzuwischen.

Von Callums Fenster aus sah man auf die Straße. Das sei jetzt besser so, hatte Elaine beim Essen gesagt, weil die Kinder jetzt nicht mehr vom Straßenlärm geweckt würden.

Besser so. Als wollte sie sich selbst überzeugen. Sie war schlank für eine Mutter von vier Kindern, hatte braunes, glänzendes Haar. Wenn sie sich beim Essen vorbeugte und ihre Bluse ein bisschen herunterrutschte, konnte er ihren BH sehen. Fast hätte er sie dort an Ort und Stelle besprungen.

Die Kinder hatten sie belogen. Mary, die Älteste, hatte es ihm erzählt, als Sean und Elaine draußen waren und die Kleinen badeten.

Du warst in Birmingham, sagte sie. *Du hast viele Probleme.* Sie war winzig, ihre Hände waren so klein, dass sie nicht mal seine Handfläche abdeckten. Alles, was sie tat, war niedlich. Wenn sie Milch über den Boden kippte, war das niedlich. Sie lächelte ihn häufig an, ging den anderen mit gutem Beispiel voran. Der Kleine, Cabrini, mochte ihn auch, aber die Atmosphäre war trotzdem gespannt. Elaine war nervös und Sean ließ ihn nie aus den Augen.

Und wer wollte ihnen Vorwürfe machen.

Callum setzte sich im Bett auf und ließ die Füße auf den Boden sinken, hielt den Vorhang mit einem Finger von der Wand weg und beobachtete die vorbeifahrenden Wagen draußen. Er sehnte sich nach der frischen Kälte, die durch das Glas strahlte. Eine Frau ging mit gesenktem Kopf vorbei, die Jeans waren ihr zu eng, man sah alle Speckfalten. Er überlegte, ob er masturbieren sollte, um einschlafen zu können, aber es hätte jemand hereinkommen und ihn erwischen können.

Es war so warm, die Vorhänge, der Teppich und dann war auch noch die Heizung aufgedreht. Er war es gewohnt, dass die Wände um ihn herum Kälte abgaben und er sich fest in die Gefängnisdecken hüllen musste, um sich warm zu halten. Er wusste nicht, ob er es in dieser Hitze aushalten würde; er konnte kaum atmen.

Draußen war es dunkel. Auf der anderen Straßenseite in einem Türeingang sah er, wie sich etwas bewegte, und hielt es für eine Ratte. Ein paar Ratten, aber sie glänzten im orangefarbenen Straßenlicht. Füße.

Ein paar Füße versteckten sich in dem dunklen Eingang, traten auf und ab, um warm zu bleiben. Jemand beobachtete die Straße.

Schweiß kribbelte Callum im Nacken. Seine Finger zitterten, sodass der Vorhang bebte. Er ließ die Hand sinken, blieb aber, wo er war, in der Falle, den Tränen nahe, von panischer Angst erfüllt und alleine.

Er saß die ganze Nacht dort, schlief immer nur kurz und nervös mit dem Kopf an die Wand gelehnt, sehnte sich nach der Kälte, die von draußen in die enge, kleine Wohnung drang.

15

Musik am Morgen

I

Der Morgen war hell und freundlich, als Paddy mit Pete um die Ecke bog. Auf der Straße wimmelte es vor kleinen Kindern in roten T-Shirts und grauen Röcken oder Hosen, alle bereit für das neue Schuljahr. Die Kinder stammten aus einem armen Einzugsgebiet und die Uniform beschränkte sich auf das Nötigste.

Es war eine altmodische Grundschule, der Spielplatz war durch einen Zaun von der Straße getrennt und das hohe Gebäude schlang sich u-förmig darum. Die beiden Eingänge befanden sich an gegenüberliegenden Seiten und darüber stand jeweils in Stein gemeißelt »Mädchen« und »Jungen«.

Pete blieb wie angewurzelt stehen. »Mum! Meine Sportsachen!«

Paddy klopfte ihm auf den Rucksack. »Alles hier drin.«

Er gab ein lustig übertriebenes Geräusch der Erleichterung von sich, zeichnete mit einer Kopfbewegung eine liegende Acht, sodass die feinen Haare in seinem Nacken sichtbar wurden, wie bei Terry. Sie überlegte, ob sie ihn nehmen und zurück zum Wagen laufen sollte. Sie könnte in der Schule anrufen. Behaupten, er habe eine Erkältung.

Auf diese Weise könnte sie jeden Tag ihren Ängsten nachgeben und ihn unter dem Bett verstecken, bis er achtzehn war.

Ein junger Mann in einem schwarzen Trainingsanzug reihte sich vor ihnen ein, überquerte die Straße bis zum Zaun, presste sein Gesicht dagegen und suchte nach einem Kind.

Im Hof wies Miss MacDonald, die blonde Lehrerin, die Kinder an, sich nach Altersgruppen sortiert in Reihen aufzustellen, bereit für das Abzählen und den Eintritt ins Schulgebäude. Draußen auf der Straße standen die Eltern nebeneinander am Zaun und starrten die Kinder im Hof an, die ihre neuesten Spielsachen herumzeigten und sich in Grüppchen zusammenschlossen, um für den neuen Tag gewappnet zu sein, oder sich innerhalb des eingeschränkten Umkreises der Gruppe, die Miss MacDonald ihnen zugewiesen hatte, gegenseitig jagten.

Plötzlich machte sich Pete von Paddys Hand los und schoss auf die Straße hinaus. Sie sprang ihm hinterher, packte ihn fest und drehte ihn so ungestüm zu sich, dass er beinahe hingefallen wäre.

»Mum!« Er sah zu ihr auf, den Mund offen vor Schreck.

Sie sah sich selbst, wie sie sich an ihn klammerte, um ihre eigene Unsicherheit zu überspielen und ihn damit um sein eigenes Leben brachte. Sie strich ihm mit der Hand über das Haar und wich seinem Blick aus. »Was hab ich dir gesagt, wie man über die Straße geht?«

»Du hast mir wehgetan.« Er sah sie an, forderte von ihr, dass sie ihn ebenfalls ansah. Sie beschäftigte sich damit, die Schulterriemen seines Rucksacks festzuzurren. »Sei einfach … sei vorsichtig.«

Er schlug ihre Hand weg. »Ich bin doch vorsichtig.«

»Tut mir leid. Ich hab mich erschreckt, als du losgerannt bist. Tut mir leid.« Entschuldigungen gegenüber einem Kind – ihre Mutter würde das entsetzlich finden. Entschuldige dich nie und erkläre auch nichts, würde Trisha sagen, was für sie auch in Ordnung ging: Alles, was sie tat, wurde ihr von der Kirche oder von den Lehrern der katholischen Kirche vorgegeben. Paddy wollte, dass Pete lernte, Autoritäten zu hinterfragen, aber es war sehr viel schwieriger ihm beizubringen, zwischendurch auch mal den Mund zu halten und zu gehorchen.

»Tut mir leid.«

Pete nickte und sah zu seinen Freunden hinüber und sein Gesicht strahlte vor Freude. Ihr Ausrutscher war vergessen.

»Komm schon.« Sie nahm seine Hand und führte ihn über die Straße.

Er rannte auf den Hof, direkt zu Miss MacDonald, die ihn einer anderen Gruppe zuwies, weg von seinen Freunden. Paddy folgte ihm.

»Miss MacDonald? Könnten Sie Peter heute im Auge behalten?«

»Ist er krank?«

»Nein.« Sie wollte nicht paranoid klingen. »Sie wissen ja, dass Peters Vater und ich nicht zusammen sind?«

Miss MacDonald griff sich an das winzig kleine goldene Kruzifix, das sie um den Hals trug, und zog eine mitleidige Miene, als hätte sie persönlich erfolglos versucht, die Beziehung zu retten.

»Wir streiten uns wegen des Sorgerechts«, sagte sie und klang streng, obwohl traurig besser gewesen wäre. »Ich mache mir Sorgen, dass Peters Vater versuchen könnte, ihn heute von der Schule abzuholen. Würden Sie bitte ein Auge auf ihn haben?«

»Natürlich.«

»Vielleicht kommt er nicht selbst. Vielleicht schickt er einen Freund, um Peter abzuholen.«

»Wir passen auf ihn auf.« Sie wandte sich einem Kind zu, das zwischen verschiedenen Gruppen hin- und herwanderte, und beendete damit die Unterhaltung.

»Lassen Sie ihn bitte mit niemandem außer mir gehen, das will ich eigentlich sagen.«

Aber Miss MacDonald war bereits außer Hörweite.

Paddy trottete vom Hof und blieb draußen mit den anderen Müttern stehen, hielt sich mit beiden Händen an den Zaunstäben fest, redete sich in Gedanken selbst gut zu, um den ihr bereits wohlvertrauten Kloß im Hals herunterzuschlucken: Es geht ihm gut, du machst dir zu viele Sorgen, es ist ganz normal, ängstlich zu sein. Du musst damit aufhören.

Eine laute, ohrenbetäubende Schulglocke unterbrach die fröhlichen Kinderstimmen und prallte von den Gebäudemauern ab. Verspätete Eltern eilten mit ihren Kindern die Straße entlang und schoben ihre Sprösslinge ohne größeres Getue durch das Tor. Miss MacDonald wartete auf die letzten Nachzügler, zog das Tor zu und legte einen Riegel vor.

Paddy sah zu, wie Pete in eine Reihe gestellt wurde, und hoffte, er würde ihr noch ein letztes Mal zuwinken, aber er unterhielt sich mit seinen Freunden.

Bedrückt ging sie zum Wagen zurück, dachte an Michael Collins und daran, wie viel Angst man als Mutter hatte. Dabei gab es keinen Grund, sich ständig so zu fürchten: Sie hatte jetzt ein Foto von Collins, sie konnte es herumzeigen, ihn identifizieren.

Sie schloss die Wagentür auf und stieg ein, kurbelte alle Fenster herunter und zündete eine Zigarette an.

Eltern liefen in alle Richtungen auf der Straße auseinander. Frauen gingen alleine oder in Zweiergruppen zu Fuß, wer mit dem Auto gekommen war, parkte langsam aus, noch immer ein wenig benommen von der plötzlichen Ruhe nach dem morgendlichen Sturm, und freute sich auf die kommenden sechs Stunden bis Schulschluss.

Das Einbahnstraßensystem der schmalen Seitenstraßen führte Paddy an die Ampel auf der Hyndland Road. Sie hielt bei Rot und schloss die Augen, ging in Gedanken durch, was sie zu tun hatte. Collins' richtigen Namen herausfinden. Kevin Hatcher müsste jetzt aufgestanden sein. Sie würde ihn anrufen und ihn nach dem Bild fragen.

Hinter ihr wurde gehupt. Im Rückspiegel erkannte sie eine Mutter aus der Schule, eine hübsche Frau, deren Sohn stotterte. Die Frau lächelte, deutete auf die grüne Ampel über ihnen und die freie Straße vor ihnen. Paddy hob entschuldigend die Hand und löste die Handbremse. Sie sah zur Seite, hielt nach heranfahrenden Wagen Ausschau und fuhr auf die Straße hinaus.

Sie konzentrierte sich auf die Entfernung, deshalb sah sie ihn zuerst nicht. Er befand sich am Rande ihres Blickfeldes, ein kleiner, verschwommener Kopf, der an einer Bushaltestelle wartete. Der silberne Reißverschluss an seinem schwarzen Trainingsanzug glitzerte wie Wasser in der Sonne und lenkte ihren Blick auf ihn.

Es war der junge Mann, der draußen vor der Schule gestanden hatte, der kinderlose Mann, der vor ihr und Pete die

Straße überquert und durch den Zaun hindurch die Kinder beobachtet hatte. Seine Körperhaltung war lässig, aber sein Gesichtsausdruck merkwürdig angespannt und er starrte sie direkt an. Unter dem schwarzen Trainingsanzug sah sie grün und weiß hervorblitzen. Er trug ein Celtic-Trikot.

Entnervt und aufgeregt trat sie aufs Gas, schoss quer über die Straße in eine kleine Seitenstraße hinein, zog die Handbremse und riss die Tür auf, sprang heraus und blickte zurück.

Zwischen ihr und dem jungen Mann befand sich nun ein Bus, aber sie rannte trotzdem über die Straße, sprang hinten um den Bus herum.

Keine fünf Sekunden, nachdem sie ihn gesehen hatte, war sie auch schon an der Ecke, doch der junge Mann war verschwunden.

II

Die Wohnhäuser in Kevins Straße waren fünfstöckig und befanden sich in einer derart aufgewerteten Wohngegend, dass zu jeder Wohnung mindestens auch ein Wagen gehörte. Paddy musste zweimal durch die Straße kurven, um einen Parkplatz zu finden.

Eine der Straßenecken wirkte einen Hauch weniger verkehrswidrig als die anderen, und sie stellte ihr Auto dort illegal ab, die Motorhaube ragte auf die Straße.

Sie würde nicht länger als zehn Minuten brauchen. Kevin war wahrscheinlich sowieso nicht da und, wenn doch, dann würde er ihr nur einige Informationen geben müssen. Sie würde keinen Tee mit ihm trinken, falls er ihr einen anbot. Sie würde sich den Namen sagen lassen, die Polizei anrufen und direkt wieder zu Petes Schule zurückfahren und ihn aus der Klasse holen.

Kevins Treppenaufgang war schöner, als sie ihn in Erinnerung hatte. Sie hatte ihn nur im Dunkeln gesehen und die staubige Vierzig-Watt-Birne hatte den grünen Wandfliesen Unrecht getan. Die Nachbarn hatten Pflanzen vor die Türen gestellt und sie gediehen prächtig in der Südsonne, die durch die großen gitterverstärkten Fenster drang.

Kevins Wohnungstür war verschlossen. Sie klingelte und wartete höflich, bevor sie klopfte. Ihr Klopfen hallte durch den leeren Gang. Er war nicht da. Bedenkt man, wie viel Mühe sich Michael Collins gegeben hatte, ihr einen Schrecken einzujagen, dann war ihm das bei Kevin vielleicht sogar gelungen.

Sie zog einen Notizblock aus der Tasche und kritzelte ihre Nummer mit der Bitte um Rückruf darauf. Sie hatte gerade den Briefschlitz aufgeklappt, als sie Musik hörte.

Sie bückte sich und spähte durch den Schlitz. Sie konnte nichts sehen: Borsten von oben und unten versperrten die Sicht, was einerseits verhinderte, dass Wind in die Wohnung zog und andererseits Neugierige genau das taten, was sie gerade versuchte: in die Wohnung spähen. Sie versuchte die Borsten mit den Fingern auseinanderzuschieben, aber der Briefkasten war zu tief und sie kam nicht heran. Auf jeden Fall war von drinnen Musik zu hören, aus dem Wohnzimmer, glaubte sie.

Sie kniete sich auf die grobe Fußmatte und schob die Borsten mit ihrem Stift und einem ihrer Hausschlüssel auseinander. Sie konnte ein bisschen was sehen, aber nicht viel. Sie hielt ihren Mund an die Öffnung.

»Kevin? Bist du da?«

Vielleicht schlief er im Wohnzimmer, übertönte die Straßen- und Morgengeräusche mit Musik. Sie sah den Teppichläufer auf dem Boden, das Bein eines Stativs, den Stuhl, auf dem er am Sonntagabend ihren Mantel abgelegt hatte.

Auf Knien, wie eine Pilgerin, rutschte sie ein Stück zur Seite und veränderte damit ihren Blickwinkel: Die Wohnzimmertür stand offen, Sonnenlicht sammelte sich auf einem Turnschuh, der auf der Seite lag, die abgetragene Sohle zeigte zu ihr. Von dort kam die Musik, die fröhliche Ouvertüre aus *Die Hochzeit des Figaro.* Es klang, als liefe das Radio.

Sie wollte sich gerade zurückziehen und noch einmal durch den Schlitz rufen, als sie sah, dass die Fußkappe des Turnschuhs zuckte. In dem Turnschuh steckte ein Fuß.

16

Negative Negative

I

Die Polizei brach die Tür auf und Paddy folgte den Sanitätern in die Wohnung.

Kevin lag leblos auf der linken Seite im Wohnzimmer, seine Wange in einer Pfütze aus getrocknetem, kreideähnlichem Speichel. Hinter ihm flutete grell gelbes Sonnenlicht in das Wohnzimmer und warf einen grauen Schatten über sein Gesicht. Seine Augen waren ein klein wenig geöffnet, zwei schmale weiße Streifen. Sie sahen aus wie die trockene Spucke an seiner Wange. Seine rechte Hand lag verkrampft vor seiner Brust, die Hand fest zusammengekrallt. Er hatte einen Schlaganfall gehabt, meinten sie, so gut wie sicher.

Paddys Stimme war ein ersticktes Flüstern. »Er ist fünfunddreißig. Wie kann er denn einen Schlaganfall bekommen?«

Die Sanitäter zeigten auf den Wohnzimmertisch. Alle Kisten mit Negativen waren verschwunden. Es sah seltsam aus, weil es die einzige freie Fläche im ganzen Haus war. Auf der Rauchglasplatte lag eine einzelne weiße Line. »Kokain.«

»Wird er wieder gesund?«

»Das wird er«, sagte der Sanitäter und vermied, ihr in die Augen zu sehen.

»Du wirst wieder gesund, Kevin«, sagte sie, hob die Stimme und klang sehr viel ängstlicher, als es ihre Absicht gewesen war. »Mach dir keine Sorgen. Die sagen, dass du gesund wirst.«

Paddy stand inmitten des Durcheinanders im Flur und sah zu, wie die Rettungshelfer Kevins Lebenszeichen prüften, ihn nicht für tot erklärten, noch nicht. Einer berührte die kreidige Substanz an seinen Wangen und verrieb sie zwischen den Fingern. Es sei grobkörnig, sagte er; auf jeden Fall eine Überdosis. Sie fragten, ob er gewohnheitsmäßig Drogen nahm, und sie sagte, das wisse sie nicht, aber sie glaube nicht: Er trank ja nicht mal mehr. Sie nickten, als sei dies genau die Antwort gewesen, die sie erwartet hatten. Einer von ihnen schien zu zittern, was sie beunruhigte.

Zwei Polizeibeamte standen in der Schlafzimmertür und redeten leise. Ihre Sommerhemden waren so sehr gestärkt, dass sie wie blaue Pappe aussahen. Schichtbeginn.

Normalerweise standen nie fünf Menschen in Kevins Flur. Sie mussten genau aufpassen, wohin sie traten. Er war eher der Typ, der seine Sachen fallen ließ, wenn er nach Hause kam, der Leute lieber draußen traf und nach einem schönen Abend mit Freunden alleine nach Hause wankte. Sie sah sich um, stellte sich vor, wie er sich vorgenommen hatte, an einem ruhigen Sonntag aufzuräumen, wie er stattdessen aber doch lieber ausgeschlafen, lange gefrühstückt, Radio gehört und ein Buch gelesen hatte.

Sie sah noch einmal zu ihm. Sein linker Arm lag unter seinem Körper, die zarte Innenseite seines Unterarms war nach oben verdreht. Sie war blau. Ein riesiger blaugrüner Fleck bedeckte die Haut, eine Prellung. Am Sonntag, als sie ihn besucht hatte, hatte er die noch nicht gehabt.

Sie machte einen Schritt nach vorne. »Die Prellung da an seinem Arm«, sie zeigte sie dem Sanitäter. »Kann das passiert sein, als er gestürzt ist?«

Einer von ihnen zog die Schultern hoch, leicht verärgert, weil sie ihn von ihrer Arbeit abgelenkt hatte. »Ich denke schon.«

Sie versuchte, sich vorzustellen, wie er gefallen sein musste, sodass er sich eine so starke Prellung an der Innenseite des Unterarms zugezogen hatte. Und dann sah sie ihn: einen entsprechenden Fleck unter dem Kinn. Er war nicht leicht zu entdecken wegen des grellen Lichts hinter ihm. Ein u-förmiger blauer Fleck, wie von einem festen Griff, der sein Kinn auf beiden Seiten fixiert und ihn bewegungsunfähig gemacht hatte.

»Entschuldigung«, sie berührte den Sanitäter an der Schulter. »Sind Sie sicher, dass das ein Schlaganfall war?«

Er schüttelte ihre Hand ab, verärgert wegen der erneuten Ablenkung. »Ja, das ist es. Klarer Fall, sehen Sie sich seine Hand an.«

Sie trat um Kevins Füße herum, um sie besser sehen zu können, und der Sanitäter seufzte, warf einen Blick zu den Polizisten zurück. »Können Sie …?«

Aus Kevins tiefstem Innern drang ein Geräusch, ein Glucksen, das aus seinem Magen zu kommen schien. Eine kleine feuchte Blase bildete sich an seinen Lippen und platzte.

Er starb. Sie wusste, dass er starb. Einer der Beamten sah Paddy rückwärtsschwanken und packte sie unter dem

Arm, drehte ihren Kopf weg. Er nahm sie mit hinaus in den kalten dunklen Gang und riet ihr, tief Luft zu holen.

»Ist er tot?«

»Er wird wieder gesund. Die Sanitäter sagen, dass er wieder gesund wird.«

»Er ist tot, oder?«

»Nein, er wird gesund.«

»Er ist tot.«

Er setzte Paddy auf die Türschwelle der Nachbarn und sagte, sie solle sich vorbeugen und den Kopf zwischen die Beine legen. Sie konnte ihn nicht richtig hören, hielt den Kopf aber gesenkt und schlang die Arme darum, als würde sie von der Polizei abgeführt. Sie hatte einen schmalen engen Rock an und drückte ihre Wangen fest an die Knie. Sie starrte ihre orangefarbenen Wildledersportschuhe an und bekam einen tauben Hintern auf dem kalten Stein, sie wollte nicht noch mehr sehen und konnte den Gedanken nicht ertragen, den Blick zu heben. Sie dachte an Terry, wie traurig er gewesen sein musste, und das wiederum erinnerte sie daran, wie ihr Kevin am Sonntagabend die Fotos gezeigt hatte. Er hatte gesagt, hinter ihm sei niemand her. Er hatte gesagt, es habe nichts mit dem Buch zu tun.

Sie sah zu, wie sie ihn sorgfältig auf die Trage legten, eine Seite schlaff, die andere angespannt wie ein Zugband. Sein linkes Knie befand sich knapp unter seinem Kinn, seine verkrampfte Hand lag dazwischen. Die Wände rutschten seitlich weg und sie ließ wieder den Kopf zwischen ihre Knie sinken.

Paddy hatte Hunderte von tödlichen Unfällen gesehen, aber die Leichen in den Säcken waren keine Menschen gewesen, die sie kannte, das Blut war das Blut gesichtsloser

Fremder, das Leid lastete auf anderen Personen, nicht auf ihr.

Sie richtete sich auf. Der Polizeibeamte stand vor ihr, sah ins Haus zurück, trat von einem Fuß auf den anderen und fingerte an seinem Gürtel herum. Er war jung und fand es spannend, mal etwas anderes zu tun zu haben, als nur Schulschwänzer im Park zu nerven oder Junkies aus Woolworth's zu vertreiben.

Kevin wirkte auf der Seite liegend kleiner. Paddy sah zu, wie die Sanitäter langsam die Trage anhoben, ihn durch die Tür trugen und um die Treppenbiegung herumschleusten. Sie sah Kevins blondes, verkrustetes Haar mit den weißen Rückständen darin.

Der ältere Beamte stand vor ihr und nickte, als er rauschende Anweisungen über sein Walkie-Talkie empfing. Er meldete sich ab und hing es wieder an seinen Gürtel, wandte sich förmlich an Paddy.

»Wir würden Ihnen gerne ein paar Fragen darüber stellen, wie es kam, dass Sie hier waren, und was Sie über ...« Er deutete mit dem Daumen in den Flur.

»Kevin.«

Er nickte ernst. »Was Sie über Kevin wissen.«

Sie sah ebenfalls in den Flur. Die Sonne war inzwischen ein Stück gewandert und der Lichtfleck hatte nun die verkrustete Speichelmasse erreicht.

Kevin nahm kein Kokain. Wenn er welches genommen hätte, hätte sie das gemerkt. Sie hatte ihn als Säufer erlebt, als er bei der *News* gearbeitet hatte, und er war ganz eindeutig ein Suchtcharakter. Sie hatte mitbekommen, wie Männer ins Gras bissen, die sich geschworen hatten, vorher aufzuhören, falls es bei ihnen jemals so schlimm werden sollte wie bei Kevin. Einmal hatte sie gesehen, wie ein Betrunkener in der Redaktion zusammengeklappt war, sich mit einer Tasse Tee hingesetzt hatte und am Nachmittag wieder trinken gegangen war. Solche Männer zogen sich nicht gelegentlich eine Line rein, wie Dub das manchmal machte. Jemand hatte es ihm verabreicht.

Collins. Sie sah ihn vor sich, wie er daneben stand, während Kevin auf den Boden kotzte, wie er seelenruhig zusah, während sich Kevin durch den Schlaganfall krümmte wie Herbstlaub.

»Passen Sie auf«, sagte sie zu dem älteren Beamten, »ich muss weg, aber glauben Sie mir, Kevin hat keine Drogen genommen. Die Druckstellen an seinem Arm und am Kinn – haben Sie die nicht gesehen?«

Er sah sie an. »Nein, sind mir nicht aufgefallen.«

»Ich glaube, Kevin wurde von demselben Täter getötet, der auch Terry Hewitt ermordet hat.«

»Terry …?«

»Hewitt. Der Mann, der erschossen auf der Greenock Road gefunden wurde? Der Journalist?«

Terrys Tod war in allen Zeitungen, im Fernsehen und in den Radionachrichten breitgetreten worden, aber keiner der Beamten schien zu wissen, wovon sie sprach. Offenbar gehörten sie nicht zu den Allerhellsten.

Der Jüngere spürte ihre Verärgerung. »Ach, ich glaube, ich hab davon gehört«, sagte er und nickte seinem Kollegen zu.

»Woher wollen Sie wissen, dass der Fall etwas damit zu tun hat?« Der ältere Beamte beugte sich vor, als erwartete er, dass Paddy die Morde selbst gestand.

»Verfluchte Scheiße«, sagte sie ungeduldig, »melden Sie's

einfach. Fragen Sie das Team, das im Mordfall Terry Hewitt ermittelt. Die werden schon wissen, wovon ich rede.«

Der ältere Mann richtete sich mit bebenden Nüstern zu voller Größe auf und ihr wurde klar, dass es ein Fehler gewesen war, einen solch schnippischen Ton anzuschlagen. Er mochte ein Idiot sein, aber ebenso wie alle anderen Polizisten schätzte er es nicht, wenn man sich ihm anders als unterwürfig und respektvoll näherte.

»Die Entscheidung dürfen Sie ruhig uns überlassen und rufen Sie nicht im Präsidium an. Außerdem wäre ich Ihnen sehr verbunden, wenn Sie auf Ihre Ausdrucksweise achten würden.«

Sie entschuldigte sich, behauptete, der Schock sei schuld daran, und versuchte zu erklären, dass sie die Mappe mit Kevins Fotografien für das Buch durchsehen musste.

Der jüngere Beamte blickte zu seinem Mentor und nickte so häufig, dass sie überzeugt war, dass er nicht zuhörte. Der ältere Beamte schien es diesmal verstanden zu haben, machte sich aber keinerlei Notizen und reagierte überhaupt nicht. Als sie fertig war, sagte er ihr, sie solle warten, und ging die Treppe herunter, vermutlich um Meldung zu machen und einen Vorgesetzten zu fragen, wer zum Teufel Terry Hewitt sei und was zum Teufel er jetzt tun solle.

Der jüngere Mann blieb bei ihr im Gang. Paddy wusste, dass sie unter Aufsicht stand und die Polizisten vorhatten, sie zur Befragung mitzunehmen, was bedeuten konnte, dass sie zwei Stunden würde warten müssen, um ein kurzes Gespräch zu führen, und noch einmal zwei Stunden zu warten, bis endlich jemand entschied, dass sie gehen durfte. Sie hätte versuchen können, sich aus dem Staub zu machen, aber der Streifenwagen stand wahrscheinlich direkt vor dem Hauseingang. Selbst rennen hätte keinen Sinn gehabt, da beide Beamte offenbar fit genug waren, um sie spielend einzuholen. Wahrscheinlich hätte sogar ihre eigene Mutter sie eingeholt. Sie war nicht besonders fit.

»Sie kennen den Mann also?«

»Wir waren früher mal Arbeitskollegen.«

»Bei der Zeitung?«

»Ja.«

»Dann sind Sie Sekretärin?«

»Nein, ich bin Journalistin.«

Er grinste, aber nicht gemein. »Sie verdienen Ihr Geld also damit, sich Sachen auszudenken?«

»So in der Art.«

Er lachte ein bisschen spöttisch und sah weg, beugte sich über das Geländer, hielt nach seinem Kollegen Ausschau. Als er keine Spur von ihm entdeckte, machte er einen Schritt in Kevins Wohnung, zuckte mit den Schultern und lächelte wie ein unartiger Schuljunge. Er machte Paddy Zeichen hereinzukommen.

»Kommen Sie, wir suchen die Fotos«, sagte er und bewies damit, dass er doch zugehört hatte.

Sie stand im Flur und beobachtete ihn, wie er im Schlafzimmer über einen wüsten Berg Schmutzwäsche stieg, der vor einer Kommode aus dem Boden wuchs. Sie wandte sich ab, sah wieder ins Wohnzimmer hinein. Mit der Line Koks auf dem Wohnzimmertisch stimmte etwas nicht. Paddy neigte den Kopf: Wenn Kevin Platz gemacht hätte, um eine Line zu legen, dann hätte er die Kisten mit den Negativen auf den Boden unter den Tisch gestellt, denn das war die einzige Stelle, an der noch Platz war. Sie sah sich zum Sofa um, sah unter den Fernseher, neben den Sessel. Die Kisten waren verschwunden.

»Eigentlich sollten hier irgendwo Kisten mit Negativen sein, sie standen auf dem Tisch …«

Der neugierige Beamte lächelte sie an, stand auf der anderen Seite des zerwühlten Betts und hielt triumphierend eine große schwarze Mappe hoch, die Paddy von ihrem letzten Besuch her wiedererkannte. Er legte sie aufs Bett.

»Warten Sie, warten Sie«, sagte sie. »Wenn Kevins Angreifer die Mappe in der Hand hatte, dann sind seine Fingerabdrücke drauf.«

Er zuckte die Schultern, löste das Gummiband, schlug die Mappe auf und fuhr mit seinen fettigen Fingern derart skrupellos über das Deckblatt, dass Paddy es kaum glauben mochte. Sie begriff, dass er nicht gerade ein Freidenker und auch kein undercover operierendes Genie war. Er war ein Idiot, der ihre hanebüchene Geschichte über die Ermordung von Kevin und Terry durch jemanden, den Kevin fotografiert hatte, keine Sekunde lang glaubte. Sie täuschte sich immer in stillen Menschen.

Er hob die Fotos eines nach dem anderen, sah die Bilder an, dann sie und wartete, dass sie Stopp sagte, da ist er, aber das Foto von der schwarzen Frau befand sich nicht in der Mappe.

»Es war aber da drin«, sagte sie, »und die Negative sind auch weg.«

Er antwortete mit seinem wie gewohnt spöttischen Grinsen.

Hallende Schritte kündigten die Rückkehr des älteren Beamten an. Leicht keuchend verdrehte er die Augen und kam gerade genug wieder zu Atem, um den anderen Beamten die Anweisung zu erteilen, die Wohnung zu sichern.

Sie schlossen die Tür und reparierten das Schloss gerade genug, damit es bei Zugluft nicht wieder aufsprang.

»Hören Sie«, sagte Paddy in die Rücken der Beamten hinein, »ich muss wirklich weg. Ich gebe Ihnen meine Nummer, falls Sie mich anrufen müssen.«

»Sie kommen mit uns, Miss Meehan«, sagte der ältere Beamte mit größter Genugtuung. »DI Garrett möchte mit Ihnen in der Peel Street sprechen.«

Draußen sah Paddy, dass die Polizisten keine große Mühe gehabt hatten, einen Parkplatz für ihren Streifenwagen zu finden. Sie hatten zwischen zwei Reihen geparkter Wagen gehalten, waren ausgestiegen und jetzt waren sie zwischen anderen Fahrzeugen eingeklemmt. Der Beamte, der die Mappe in den Fingern hatte, konnte kaum die hintere Tür für sie öffnen.

»Aber ich hab einen eigenen Wagen«, protestierte sie.

»Nein«, sagte sein Freund, »Sie dürfen nicht mit dem eigenen Wagen zum Revier fahren.« Vermutlich wollte er nicht, dass sie selbst fuhr, damit sie nicht irgendwo abbog und sich verpisste. Genauso wenig würde er sich damit einverstanden erklären, dass sein Partner sie begleitete und er den Streifenwagen fuhr.

»Beweissicherung«, sagte sie und teilte ihnen auf diese Weise mit, dass sie verstanden hatte. Sollte sie plötzlich gestehen, Kevin überfallen zu haben, wäre ihre Aussage vor Gericht nur verwertbar, wenn ein zweiter Beamter Zeuge des Geständnisses war. Er antwortete nicht. »Dann bin ich also verdächtig?«

»Er hatte einen Schlaganfall.«

»Wenn ich verdächtigt werde, dann sollten Sie mich über meine Rechte belehren.«

Aber er wollte sie weder verhaften noch gehen lassen.

»Kann ich etwas aus dem Kofferraum meines Wagens holen?«

Sie sahen einander an und sagten Nein.

»Es ist eine Mappe wie die oben, aber mit dem Foto, von dem ich Ihnen erzählt habe.« Sie übergab ihnen die Schlüssel. »Sie holen sie.«

Gemeinsam gingen sie an die Ecke und fanden dort ihren Wagen unerlaubt auf dem Bordstein stehen.

»Das ist verkehrswidrig. Hier dürfen Sie nicht parken. Sie werden abgeschleppt.«

Vielleicht war es der Schock oder die Sorge, oder einfach nur der kaltblütige Diensteifer der Beamten, der Paddy vor Wut zittern ließ. »Passen Sie auf, ich habe mir Sorgen um Kevin gemacht und nur kurz angehalten, um hochzurennen und an die Tür zu klopfen. Ich wusste nicht, dass ich volle anderthalb Stunden dort würde herumstehen müssen.«

Sie blieben ungerührt. »Sie müssen den Wagen trotzdem entfernen. Was, wenn ein Feuerwehrwagen hier vorbeimuss?«

»Der Krankenwagen ist auch durchgekommen, oder?«

»Löschzüge sind breiter.«

Sie sahen, dass sie vorwurfsvoll auf den Streifenwagen blickte. Er blockierte die gesamte Straße.

»Wir dürfen das«, sagte der jüngere Beamte spöttisch, »weil wir in Polizeiangelegenheiten unterwegs sind. Sie müssen Ihren Wagen umparken.«

»Wohin denn? Hier ist kein Platz.«

»Stellen Sie ihn da hinten in den Wendehammer.«

Sie warf die Hände in die Luft. »Schön«, sagte sie laut,

»wunderbar, dann park ich eben verdammt noch mal um.«

Sie gaben ihr die Schlüssel, sie stieg ein, schloss die Tür und ließ den Motor an. Sie legte den ersten Gang ein, warf den Beamten noch ein stummes »Fickt euch« entgegen und raste in ihrem Volvo davon, direkt auf die Hauptstraße zu.

Die Beamten würden mindestens fünfzehn Minuten brauchen, bis sie ihr Fahrzeug aus dem Wagengewühl befreit hatten.

II

Das West End war das Studentenviertel der Stadt und in jedem zweiten Laden, egal ob es sich um eine Reinigung oder einen Zeitungskiosk handelte, stand ein Fotokopierer.

Sie hielt an einem Zeitungsladen in der Nähe ihrer Wohnung und öffnete den Kofferraum, kramte in der Mappe herum, zog das Foto der schwarzen Frau heraus und rollte es zusammen, bevor sie den Kofferraum wieder schloss und hineinging.

Ein handgeschriebenes Schild an der Tür verkündete, dass jeweils nur zwei Schulkinder gleichzeitig im Laden geduldet wurden. Drinnen sah sie weshalb: Es war ein Paradies für Ladendiebe. Chips und Süßigkeiten standen in Kisten an der Tür, die Zeitschriften lagen in einer uneinsehbaren Ecke am Ausgang und billiges Spielzeug stapelte sich auf einem Regal in Ellbogenhöhe von Kindern. Paddy trat ein, und die Frau hinter dem Ladentisch richtete sich nervös auf, als würde sie erwarten, schon wieder überfallen zu werden.

Paddy erkannte an dem Schmutzkreis, der die Start-taste umgab, dass der Fotokopierer häufig benutzt wurde. Sie machte drei Schwarz-Weiß-Kopien, verschob das Bild, um Collins' Gesicht in die Mitte zu bekommen, machte dann noch eine vergrößerte und eine farbige Kopie, die allerdings nicht sehr gut gelang. Im Hintergrund gab es ohnehin kaum Farbe, dafür strahlte Collins' Hemd plötzlich grell pink und ging übergangslos in seinen Hals über.

Sie betrachtete die Kopie und machte sich Sorgen wegen der Qualität, als ihr Blick plötzlich auf einen Schatten im Wageninneren fiel. Ein Halbkreis von einem Schatten auf dem Beifahrersitz: das Lenkrad. Plötzlich fiel ihr ein, dass man in Amerika auf der anderen Straßenseite fuhr. Der Wagen hatte Linkssteuerung. Collins war nicht der Fahrer. Er war nur der Beifahrer: Der dicke Mann brachte ihn irgendwohin.

Sie bezahlte bei der Frau hinter der Theke, kaufte einen riesigen Schokoriegel und eine Packung Embassy Regal und rechtfertigte den Kauf der Zigaretten mit dem Gedanken daran, dass sie wenigstens ein Laster brauchte, dem sie zügellos nachgehen konnte, wenn sie mit Brian Donaldson würde trinken müssen.

Typen wie er trauten Abstinenzlern nicht über den Weg.

17

Love war ein Unfall

I

Das Shammy lebte von seiner Stammkundschaft, so viel stand fest. Viel hätte nicht gefehlt und der Barmann wäre in traditioneller Tracht aufgetreten und hätte Folksongs zum Besten gegeben.

Es wurde Guinness vom Fass ausgeschenkt, zwei verschiedene Sorten Lager, Irischer Whiskey und Chips der Marke Tayto. Alles, was nicht vom Nikotin gelblich verfärbt war, war grün – sogar die Sitze. Verschrumpelte Kleeblätter aus Papier hingen hinter der Bar, ein Überbleibsel vom letzten St. Patrick's Day, obwohl äußerst fraglich war, was der adelige Stoiker von der schmutzigen Bar gehalten hätte.

An drei Wänden waren hoch oben Regalbretter befestigt, auf denen weit weniger harmlose Erinnerungsstücke zur Ansicht standen. Eine Panzergranate aus Messing mit schwarzem Trauerflor. Staubige Flaggen verschiedener irischer Grafschaften, Mayo, Galway und Cork standen an Bierkrüge gelehnt. Ein nachgebautes Plastikgewehr und ein kleines, sehr schlecht zusammengebasteltes Modell des Maze Prison aus handbemalter Pappe mit winzigen Männern auf einem der Dächer.

Das Herzstück der Bar aber war eine Messingplakette auf einem dicken Holzbrett, in die das Porträt von Bobby Sands eingraviert war. Die Augen passten nicht ganz zusammen, seine lange Siebzigerjahremähne reichte ihm bis über die Ohren und stand dem Mann mit dem Gesicht eines Bauernjungen auf der Gravur genauso wenig wie im wirklichen Leben.

Die dichten Rauchwolken weckten in Paddy das Bedürfnis, sich selbst eine anzuzünden, sei es auch nur, um den Gestank zu überdecken. Sie nahm ihre Schachtel und zog eine Zigarette heraus, zündete sie mit einem Streichholz an, inhalierte halbherzig und dachte, dass sie wahrscheinlich ziemlich verwegen aussah.

Einige Männer an der Bar drehten sich um und starrten sie an, als sie näher kam. Sie hatte sich ihre Klamotten am Morgen einfach nur übergeworfen, und trotzdem kam sie sich total overdressed vor. Die Männer trugen T-Shirts oder Sweatshirts unter schwarzen Lederjacken, dazu Jeans, die unter ihren Bierbäuchen hingen. Sie nickte ihnen zu.

»Wie geht's?«, fragte sie und versuchte dabei so irisch wie möglich zu klingen.

Ein paar schnaubten abfällig. Zur Ablenkung zog sie an ihrer Zigarette, kam sich dabei albern vor und trat an den Tresen. Der Barmann ließ ein halb voll eingeschenktes Glas Guinness unter dem Zapfhahn stehen und wartete geduldig, bis sich der Schaum gesetzt hatte.

»Äh, hallo, ich suche Brian.«

»Hier gibt's keinen Brian«, sagte er. Schottisch mit irischem Einschlag, eine Masche, die einige in ihrer Familie ebenfalls draufhatten.

»Ich hab neulich mit ihm gesprochen. Ich hab ein paar Fotos von dem Herrn, von dem er mir erzählt hat.«

Er musterte sie von oben bis unten. »Und Sie sind …? Detective Constable …? Detective Inspector …?«

Paddy hob empört die Hände. »Seit wann werden bei den Bullen fette Frauen eingestellt? Ich bin gerade mal eins sechzig groß, verdammte Scheiße.«

Er schüttelte den Kopf und zapfte weiter sein Guinness. »Hier gibt's keinen Brian, Schätzchen.«

»Na gut, wenn Brian-der-ganz-anders-heißt herkommt, sagen Sie ihm, Paddy Meehan hat ihn gesucht, und ich kann ihm die Fotos zeigen. Er weiß, wo ich arbeite.«

Holz kratzte auf Stein, als einer der Kerle am Tresen seinen Hocker zurückschob, herunterstieg und sich vor ihr aufbaute.

Paddy nahm an, er müsse einst der ganze Stolz des Rudels gewesen sein. Mittlerweile aber hatte er im Mittelteil Fett angesetzt und seine Wampe, die direkt unter den zwei wohlgeformten Brüsten ansetzte, zeichnete sich deutlich unter seinem billigen weißen T-Shirt ab. Seine schwarze Lederjacke hatte einen Gummizug an der Taille, der sich dort zusammenzog, wo der Mann auseinanderging, und betonte, was einmal recht ansehnliche Beine gewesen sein mussten. Er trat ins Licht und sie sah, dass ihm ein kleines Stückchen oben vom Ohr fehlte.

Paddy hätte sich nicht gewundert, wenn er sie zur Tür hinausgejagt hätte, aber stattdessen nahm er sein Bierglas und machte ihr mit dem Zeigefinger ein Zeichen, ihm zu folgen. Sie drückte ihre Zigarette im nächsten Aschenbecher aus und ging ihm nach in den hinteren Teil der Kneipe.

Die Nische war so ausgerichtet, dass man vom eigentlichen Raum aus keinen Einblick hatte. Dort war es dunkel und das trübe Licht stammte von einer vergilbten Wandleuchte, die Hitze der Glühbirne hatte ein braunes Oval in den Lampenschirm aus Plastik gebrannt. Die Bänke waren aus abgewetztem Holz, der Tisch war voller Wasserflecken und Brandlöcher. Er rutschte über die Sitzfläche, sein dicker Bauch drückte gegen den angeschraubten Tisch. Er lehnte sich in die Ecke, legte ein Bein auf die Bank und signalisierte ihr, sie solle sich ihm gegenübersetzen.

»Schön, dass Sie selbst gekommen sind.« Er fuhr sich wie ein schläfriger Löwe mit der Zunge über die Mundwinkel. Sie erkannte seine Stimme sofort. Brian Donaldson.

Sie nahm ihre Zigaretten heraus und zündete eine an, bot auch Donaldson das Päckchen an, doch er lehnte ab, hielt sein Glas in ihre Richtung geneigt, als wollte er sagen, dass ein Laster genug sei. Er war Mitte vierzig und sah an sich nicht schlecht aus. Ein breites Kinn, blaue Augen und das Gebaren eines Mannes, der etwas zu sagen hat. Die Falten in seinem Gesicht erinnerten an vergangenes Lachen, auch Augen und Mund waren von Fältchen umgeben.

»Kevin Hatcher ist tot.« Sie wollte nicht sagen, dass Kevin nur verletzt war. Vielleicht wäre dann jemand ins Krankenhaus gefahren und hätte den Job zu Ende gebracht.

Er schüttelte den Kopf. »Wer ist das?«

»Kevin Hatcher«, wiederholte sie. »Hatcher und Terry Hewitt haben zusammen an einem Buch gearbeitet, über Auswanderer in New York.«

»Irische Auswanderer?«

»Schottische. Sie fotografierten Menschen, Porträts auf der Straße und Terry schrieb kurze Begleittexte dazu. Sollte ein aufwändiger Bildband werden. Eigentlich ein unterhaltsames Buch und ein Vorwand für einen gemeinsamen Ausflug nach New York.« Sie stellte sich vor, wie Kevin und Terry zusammen im Flugzeug Erdnüsse aßen und kicherten. Ihr stiegen Tränen in die Augen. »Zwei gute Jungs. Jetzt sind beide tot. Ich habe Ihnen von dem Mann erzählt, der bei mir zu Hause war. Michael Collins. Sehr bedrohlicher Typ, er hat behauptet, im Namen Ihrer Organisation zu sprechen.«

»Das tut er aber nicht.«

»Sie haben doch behauptet, Sie würden ihn gar nicht kennen.«

»Ich kenne ihn auch nicht, aber ich weiß, wer in unserem Namen spricht.«

»Ich glaube, Sie wissen aufgrund meiner Beschreibung sowieso längst, von wem ich rede, aber ich möchte Ihnen trotzdem etwas zeigen.« Sie entrollte die Fotokopien. »Ich habe ihn auf einem der Porträts im Hintergrund entdeckt.«

Donaldson blickte auf die körnige Vergrößerung, strich sie glatt und betrachtete sie noch einmal.

Collins war lachend im Profil zu sehen, seine Brille saß ihm auf der Nasenspitze.

»Das ist das ganze Foto?«

»Nein, das ist eine Vergrößerung. Deshalb ist sie so körnig.«

»Ich wollte gerade sagen, ein besonders gutes Foto ist das nicht.«

Langsam ging er die anderen Kopien durch.

Collins war nicht sehr scharf darauf zu sehen – sie hätte ihn selbst nicht erkannt, wenn sich ihr sein Gesicht nicht eingebrannt hätte –, doch Donaldson schien ihn ohnehin nicht anzusehen. Sie beobachtete ihn, sah, dass er die Straße genau betrachtete, die Gebäude auf beiden Seiten, den dicken Mann an der Fahrertür, das Nummernschild des Wagens, das angeschnittene Gesicht der schwarzen Frau am Rand der Fotokopie.

Er nahm sich noch einmal die Vergrößerung vor, sah alle Bilder mit versteinerter Miene durch, eins nach dem anderen. Er schob sie ihr über den Tisch zu.

»Kennen Sie ihn?«

»Nie gesehen.« Sein Tonfall war bemüht unaufgeregt, sein Blick fest und ausdruckslos.

»Doch, das haben Sie.« Sie rollte die Bilder wieder zu einem stabilen Rohr zusammen.

»Ich recherchiere hier nicht für einen Artikel, Donaldson, falls Ihnen das Sorge macht.«

»Journalisten recherchieren immer. Sie recherchieren Tag und Nacht.«

»Es geht aber um keine Story.« Sie tappte mit der Bilderrolle auf die Tischplatte. »Dieses Arschloch hat heute Morgen jemanden zur Schule meines Sohnes geschickt. Er war bei mir zu Hause, verdammt. Ich muss wissen, was für eine Art von Bedrohung er darstellt.«

Donaldson blieb eisern. »Wir alle haben schon Familienangehörige verloren.«

»Sie blödes Arschloch.«

Er blinzelte, hob sein Glas und schluckte drei Viertel des fast vollen Pint Guinness und beobachtete sie über den Rand hinweg. Er stellte das Glas auf den Tisch, fuhr sich mit der Zunge über die Oberlippe. Kein einziges Mal gab sein Blick nach. Er wartete darauf, dass sie etwas sagte.

»Wenn Gewalt hier zum Glücksspiel wird ...«, sagte sie

vorsichtig, »wenn es darum geht, wer den höheren Einsatz bringt, dann denken Sie dran, dass hier von meinem Sohn die Rede ist.«

Donaldson starrte durch sie hindurch, drehte sein leeres Glas mit den Fingerspitzen am oberen Rand herum, während weiße Schaumreste langsam an den Innenseiten herunterliefen.

»Haben Sie gehört, was ich gesagt habe, Donaldson?«

»Ich kann Sie ausgezeichnet verstehen, Mädchen.«

Mit den zusammengerollten Blättern zeigte sie über den Tisch, beugte sich zu ihm vor und bohrte ihm die Rolle fest in die weiche Brust. »Sagen Sie Ihrem Freund Folgendes und merken Sie es sich gut: Ich werde nicht zulassen, dass Sie oder er, oder die komplette Armee von Hooligans, die die Führung des Fenian Brotherhood of Ireland an sich gerissen haben, meinem Kind etwas tun.«

Donaldson sah hinunter an die Stelle, wo sie ihn gepiesackt hatte, zog langsam und amüsiert eine Augenbraue hoch, als wäre ihre Drohung lediglich ein Scherz.

Paddy merkte, wie ihr heiß wurde und sie in Rage geriet; keine gute Mischung.

»Donaldson, es ist mir scheißegal, ob Sie der verdammte König des Maze Prison sind, oder ob Sie sich wegen einer Wette selbst das Ohr abgesäbelt haben – von mir aus –, aber wenn von Ihnen auch nur der Hauch einer Bedrohung für meinen Kleinen ausgeht, dann werde ich Sie finden und fertigmachen.«

Sie lehnte sich zurück, holte Luft und hoffte, dass sie ihm wenigstens ein kleines bisschen Angst eingejagt hatte.

Donaldson lächelte. »Miss Meehan, meinen Sie nicht, dass jede Frau, die einmal ein Kind verloren hat, ähnlich denkt? Wir kämpfen alle für unsere Kinder, nur deshalb kämpfen wir.«

Sie stand auf und beugte sich über den Tisch, die Nase keine zwei Zentimeter von seiner entfernt. »Ich rede hier nicht von politischen Kämpfen. Ich spreche von Ihnen. Ich werde Sie persönlich fertigmachen.«

Er lachte ihr eine herbe Guinnessfahne ins Gesicht. »Wollen Sie mir drohen?«

Sie setzte sich wieder und sah ihn an. Eine vollkommene Fehleinschätzung. Er war kein bisschen zusammengezuckt, hatte sich nicht mal die Mühe gemacht, sein Pokerface beizubehalten. Genaugenommen wirkte er fast gelangweilt, als habe man ihm schon hundertmal gedroht, ihn fertigzumachen.

Sie seufzte und sah aus der Nische heraus. »Ich hab's versucht, aber es scheint nichts zu bringen.«

Donaldson lachte in sich hinein, seine Männerbrüstchen wabbelten, sein Hals bildete zwei dicke Wülste.

Sie hielt die Blätter hoch. »Ich werde herausfinden, wer der Kerl ist.«

Er fegte ihre Hartnäckigkeit mit einer lässigen Handbewegung vom Tisch. »Ja ja, vielleicht gelingt Ihnen das sogar. Vielleicht, ja.«

»Haben Sie sich mal überlegt, welche Folgen diese Morde für Ihre Organisation haben könnten? In Ulster Teenager umlegen ist eine Sache …«

»Wir legen keine Teenager in Ulster um.« Einen kurzen Augenblick lang rümpfte er die Nase, seine Mundwinkel bogen sich und er hob die Schultern, als könne er den Vorwurf nicht ertragen.

»Charles Love«, sagte sie, ein sechzehnjähriger Katholik,

der aus Versehen zu Beginn des Jahres von einer Bombe der IRA getötet wurde, die eigentlich gegen Soldaten gerichtet war.

»Love war ein Unfall.« Donaldson verengte die Augen zu Schlitzen. »Seamus Duffy war keiner: Die RUC hat ihn letztes Jahr erschossen. Er war fünfzehn.« Er zuckte mit den Schultern. »Die Liste ließe sich ewig fortsetzen.«

»Journalisten auf neutralem Boden zu töten, könnte alles zunichtemachen, wofür Sie gearbeitet haben. Nicht mal die Amerikaner werden so was noch unterstützen.«

»Wir töten keine Journalisten auf neutralem Boden.«

»Heißt das, Schottland gehört jetzt zum Kriegsgebiet?«

»Nein.«

»Kevin und Terry gelten also nicht als Journalisten? Wieso? Genau das waren sie, nichts anderes. Ich habe Terry gekannt, seit er ein Teenager war, und er hätte niemals für den britischen Geheimdienst gearbeitet.«

»Sie würden sich wundern, wer alles für den britischen Geheimdienst arbeitet.« Es war eine Randbemerkung, eine traurige Feststellung, weniger ein Gesprächsbeitrag. Auf der Suche nach einem Trostgetränk kippte Donaldson sein Bierglas ein klein wenig zur Seite, bevor ihm wieder einfiel, dass es leer war und er es wieder abstellte.

»Sie irren sich«, sagte Paddy. »Vorgestern Abend hat Kevin noch geglaubt, niemand sei hinter ihm her. Er dachte, jemand aus Liberia habe Terry umgebracht, zum Teufel. Wenn Sie glauben, das rechtfertigen zu können, indem Sie behaupten, die beiden wären in ein großes Spionagekomplott verwickelt gewesen, dann täuschen Sie sich.«

Donaldson beugte sich über den Tisch und sprach betont langsam. »Wir haben nichts damit zu tun, weder offiziell, inoffiziell noch in irgendeiner Grauzone dazwischen. Wir sind es nicht gewesen. Wir würden so etwas nicht tun. Wir waren es nicht.«

»Soweit Ihnen das bekannt ist«, sagte sie trocken und versuchte damit anzudeuten, dass er lediglich zum Fußvolk gehörte.

»Nein.« Er sprach langsam. »Von ganz oben. Wir waren es nicht. Auf keinen Fall und unter keinen Umständen.«

Sie lehnte sich zurück und sah ihn an. Donaldson wirkte verlottert, war dick und stank nach Guinness, aber er hatte die selbstsichere Aura eines Mannes mit Macht. Sie würde vielleicht später noch einmal mit ihm sprechen müssen.

»Tut mir leid, dass ich Ihnen gedroht habe, Mr. Donaldson.« Sie steckte die Bilder in ihre Tasche und merkte, dass er ihnen mit den Augen folgte. »Aber ich bin verzweifelt.«

»Das ist schon okay.« Er nickte sanft den Tisch vor sich an. »Ich verstehe das. *A mother's love's a blessing.*«

»*No matter where you roam*«, sagte sie und ergänzte damit die nächste Zeile des rührseligen alten irischen Lieds, das sie schon ihr ganzes Leben lang kannte.

Er fuhr mit dem Ende des Refrains fort. »*You'll never miss a mother's love til she's buried beneath the clay.*«

Sie lächelten, sahen in den Augen des jeweils anderen das ängstliche katholische Kind, das sie beide einmal gewesen waren.

»Emotionale Erpressung als Hymne. Haben Sie Kinder, Mr. Donaldson?«

»Einen Sohn«, sagte er und es war, als verschließe sich etwas in seinen Augen. »Er starb. In Untersuchungshaft in Long Kesh.«

»Oh, Gott. Das tut mir sehr leid.«

Donaldson seufzte die schmutzige Tischplatte an.

»Ja«, sagte er. »Mir auch.«

II

Im Vergleich zu der düsteren Bar war es auf der sommerlichen Straße blendend hell. Paddy ging über den belebten Bürgersteig und trat auf die Fahrbahn, um einem Laster auszuweichen, der vor einem Laden parkte und entladen wurde. Sie kaute auf ihrer Zunge herum, um den ekligen Zigarettengeschmack wieder loszuwerden, dachte an Kevin, wie er auf der Trage gelegen hatte, und fragte sich, ob seine Eltern noch lebten und sie sie anrufen und ihnen sagen sollte, dass er im Krankenhaus war.

Sie drehte sich nicht um. Sie sah den jungen Mann im schwarzen Trainingsanzug nicht, der ihr von der Bar aus gefolgt war, sie an ihrem Wagen beobachtete und sich ihr Nummernschild einprägte.

Sie fuhr ziellos durch die geschäftige Innenstadt, dachte an Collins und Donaldson, achtete kaum auf die Fußgänger, die ihrem Wagen Platz machten. Nachdem sie nur knapp an einer kleinen Frau mit schweren Einkaufstüten vorbeigeschrammt war, sah sich Paddy schon einem Polizisten gegenüber, dem sie zu erklären versuchte, dass sie am Tatort eines schweren Überfalls zwei Beamten entwischt war, anschließend beinahe eine unschuldige Passantin niedergemäht, es aber eigentlich nicht böse gemeint hatte.

Am Ende der riesigen Einkaufszone bog sie in einen Parkplatz ein, entdeckte eine Lücke und hielt.

Frauen in leichter Sommerkleidung huschten mit widerwilligen Kindern im Schlepptau vorbei. Zwischen ihr und dem Flohmarkt am Fluss befand sich ein noch größerer Parkplatz, die grelle Sonne funkelte unerbittlich auf den Motorhauben und Autodächern. Sie holte tief Luft und überlegte, ob sie eine Zigarette anzünden sollte, fand es dann aber doch zu widerlich.

Vielleicht täuschte sie sich wegen Collins. Sie hatte keinerlei Beweise dafür, dass der Mann, der den Schulhof beobachtet hatte, überhaupt in irgendeiner Verbindung zu ihm stand. Oder dafür, dass er Terry ermordet hatte. Er war zu ihr gekommen und hatte sich nach Terry erkundigt, aber das war das Einzige, was sie sicher wusste. Abgesehen davon war es nur ein Bauchgefühl und, was das anging, war sie derzeit nicht gerade in Bestform. Terry und Kevin hatten ihn vielleicht gekannt, er konnte ein seltsamer Bekannter gewesen sein, Journalisten hatten oft mit Kontaktpersonen zu tun, die als Freunde nicht infrage kamen, mit denen man sich nur wegen einer Story abgab. Als sie noch in der Nachrichtenredaktion arbeitete, hatte sie selbst solche Kontakte gepflegt, unheimliche und verschrobene Typen, die einem eine Heidenangst eingejagt hätten, wäre man ihnen in einer dunklen Nacht alleine in einer verlassenen Seitenstraße begegnet. Die Press Bar war voll von ihnen.

Ein dünner Mann strich an ihrem Wagen vorbei, seine Plastiktüte streifte geräuschvoll über die Motorhaube und holte sie in die Gegenwart des strahlend hellen Tages zurück.

Kevin lag irgendwo im Krankenhaus und sie hatte keine Ahnung, ob er schon tot war oder noch lebte.

III

Draußen vor dem Albert Hospital rauchte sie eine Zigarette, die sie eigentlich gar nicht hatte rauchen wollen, und dachte nach. Es war, gelinde gesagt, äußerst ungewöhnlich. Dass Kevin Hatcher in keinem der vier großen Krankenhäuser in Glasgow mit Notaufnahme gemeldet war, ließ sich nur so erklären, dass man seinen Namen auf dem Anmeldeformular falsch geschrieben hatte, etwas Besseres fiel ihr nicht ein. Aber sie hatte ein halbes Jahr lang jede Nacht im Reporterwagen die Krankenhäuser abgeklappert und wusste, wie pingelig bei der Einlieferung verfahren wurde. Sie hatte den Beamten genau erklärt, wer Kevin war und sein Name hatte auf allen Briefen auf dem Tischchen im Flur gestanden.

Sie war an allen vier Krankenhäusern vorbeigefahren, hatte mit ihrem Presseausweis gewedelt und erklärt, sie käme von der *News*. Nirgendwo war ein Hatcher, Catcher oder Thatcher gemeldet.

18

Wie aus Schlächtern Helden werden

I

Die Geräusche hallten seltsam durch die viel zu volle Leichenhalle. Die gefliesten Wände brachen und verstärkten den Klang, sodass Bohrer, klirrendes Metall und merkwürdig dumpfe Rufe verzerrt und verstärkt durch die Gänge hallten, nicht mehr als alltägliche Geräusche erkennbar waren, sondern sich in das Knurren von Ungeheuern oder in Sägen verwandelten, die Schädeldecken spalteten.

Weil Paddy versuchte, den Geruch möglichst nicht einzuatmen, schnappte sie nach Luft, als sie endlich Aoifes Büro erreichte.

Die Tür stand offen, aber ihr Stuhl war leer. Eine einsame Zigarette glühte im Aschenbecher, der Qualm war eine willkommene Abwechslung zu dem stechenden Gestank der Desinfektionsmittel.

Das Büro wirkte unordentlich. Aktenmappen und Ordner bedeckten den Großteil des Bodens. Ein Stapel brauner Akten auf dem Schreibtisch drohte auf den Boden umzustürzen.

»Ich hab mich gewundert, als die vom Empfang meinten, Sie wollten mich sehen«, Aoife McGaffry stand plötzlich hinter ihr. »Ehrlich gesagt, habe ich gedacht, ich wäre Ihnen auf den Schlips getreten.«

Sie lächelte, freute sich freimütig über ihren Besuch und Paddy überkam der Anflug eines schlechten Gewissens. Sie hatte sich tatsächlich auf den Schlips getreten gefühlt. Aber jetzt war sie froh um jede Informationsquelle.

»Ach, da müssen Sie sich schon ein bisschen mehr anstrengen, um mir zu nahe zu treten.«

Aoife kaufte es ihr ab und wirkte erleichtert. »Na, dann kommen Sie doch erst mal rein.«

Mit einer Rolle von Adressaufklebern in der Hand gestikulierte sie Richtung Büro und beide gingen hinein, schlossen die Tür hinter sich. Irgendwo in der Ferne wurde eine Säge in Betrieb genommen, ein schrilles Jaulen und Aoife sah, wie Paddy zusammenzuckte. Sie verkniff sich ein Lächeln und hielt die Rolle hoch. »Ich muss alle Akten durchgehen und die Seriennummern ändern. Die Reihenfolge stimmt nicht mehr.«

»Spielt das eine Rolle?«

»Wenn sie vor Gericht verwendet werden, schon.«

»Wieso müssen Sie das machen? Wäre das nicht die Aufgabe einer Assistentin?«

»Ich habe eine, irgendwo jedenfalls, aber sie erscheint nie zur Arbeit und die Geschäftsführer interessiert das offenbar nicht. Ich hab mich schon gefragt, ob sie die Tochter vom Bürgermeister ist oder so was.«

»Oh ja, jeder faule Sack träumt davon, für die Gemeindeverwaltung zu arbeiten. Meine beiden Brüder waren mal bei der Stadtgärtnerei angestellt. Haben sich die meiste Zeit hinter Bäumen versteckt.«

»Ja, na ja, ist immer komisch, wenn man neu irgendwo

anfängt. Die ganzen inoffiziellen Vorschriften und Regeln. Ich glaube, ich habe mich schon mit halb Glasgow angelegt, dabei bin ich kaum eine Woche hier. Das ist persönliche Bestleistung, selbst für meine Verhältnisse.«

Aoife setzte sich auf den Schreibtischstuhl und bot Paddy die Liege als Sitzplatz an. Auch dort lagen Akten und anstatt sie zur Seite zu räumen und bequem zu sitzen, quetschte sie ihren Hintern lieber auf den Rand.

»Also …« Aoife sah auf die Akten auf ihrem Schreibtisch, klopfte mit beiden Händen auf ihren Arbeitsplatz und versuchte sich zu erinnern, wo was lag. »Was kann ich für Sie tun?«

Paddy nickte in Richtung der Akten. »Tut mir leid wegen der Störung.«

»Nein, ist kein Problem.« Aoife wandte sich ihr zu, damit sie ihrer ungeteilten Aufmerksamkeit sicher sein konnte. »Ich habe das neulich Nacht vergessen zu sagen: Es tut mir sehr leid wegen Ihres Freundes. Das war wirklich eine scheußliche Sache.«

»Ja, brutal«, sagte Paddy. Sie holte tief Luft. »Ich bin gekommen, weil Sie Ihre Ausbildung in Belfast absolviert haben.«

Aoife sah sie skeptisch an. »Sie wollen doch keinen Artikel schreiben, oder? Ich weiß nicht, wie das hier ist, aber, wo ich herkomme, dürfen wir eigentlich keine Interviews geben.«

»Nein, nein, kein Interview.« Sie wusste nicht recht, wie sie es ausdrücken sollte.

»Ein Freund von Terry hatte heute Morgen einen Schlaganfall. Er war erst um die dreißig. Ich habe ihn gefunden.« Sie sah weg, in Gedanken stand sie wieder in dem unaufgeräumten Flur, sah erneut den getrockneten kreidigen Speichel vor sich. »Die Polizei hat behauptet, er habe gekokst und den Schlaganfall selbst verschuldet, aber ehrlich gesagt, ich glaube nicht, dass er Drogen genommen hat.«

»Viele Drogenabhängige konsumieren heimlich. Sie würden es nicht unbedingt wissen, wenn er Drogen genommen hätte.«

»Nein, es wirkte inszeniert.« Jetzt, wo sie noch einmal darüber nachdachte, war sich Paddy sicher. »Auf dem Tisch lag eine Line Kokain, jedenfalls glaube ich, dass es Koks war …«

»Wenn es weiß war und eine Line, dann war es wahrscheinlich Koks. Nur Speed wird sonst noch geschnupft, das ist aber eher gelblich.«

»Die Sache ist die, dass Kevin jahrelang getrunken hat. Er war ein ungezügelter Säufer und berüchtigt dafür. Er hat überall getrunken, vom Morgengrauen bis spätnachts. Und vor ein paar Jahren hörte er auf. Wenn er Drogen genommen hätte, hätte das jeder mitbekommen. Er hätte es nicht heimlich getan, sondern genauso exzessiv, wie er gesoffen hat.«

Aoife nickte. »Okay. Aber auf dem Tisch lag doch eine Line, oder?«

»Ja, schon«, räumte Paddy ein, »und er hatte kreidiges weißes Pulver vermischt mit Speichel erbrochen. Ich weiß, das sieht aus, als hätte er …«

»Warten Sie«, Aoife hob eine Hand. »Er hat weißes Pulver erbrochen und auf dem Tisch lag eine Line zum Schniefen?«

Paddy zögerte. »Ja, ich weiß, das sieht aus, als hätte er es genommen, aber ein Krankenwagen hat ihn weggebracht und er wurde in keiner Notaufnahme gemeldet …«

Aoife unterbrach sie abrupt. »Wer weiß, dass wir uns kennen?«

Paddy zuckte mit den Schultern. »Das könnte jeder wissen. Die Beamten haben sich wegen Samstagnacht das Maul zerrissen. Glauben Sie mir das mit Kevin, ich weiß, es sieht nach einem eindeutigen Fall aus, aber er …«

Aoife unterbrach sie noch einmal. »Das sieht nicht eindeutig aus. Das sieht seltsam aus.« Sie stand plötzlich auf, wirkte sehr aufgebracht. »Seltsam. Sie kommen besser mit mir.«

Sie hob eine braune Lederhandtasche vom Boden, legte sich den Riemen um die Schulter und rief zur Tür hinaus: »Ich gehe essen. Ärgert mir die Leichen nicht.«

Paddy folgte ihr hinaus in den Gang und sah, wie sie der Kopf eines Mannes aus dem begehbaren Kühlschrank heraus anstarrte. Er warf ihr ein Lächeln zu und hielt die Daumen hoch.

»Mir nach«, sagte Aoife und marschierte den Gang entlang.

II

Er stand in Landsdowne Crescent, hatte die Hände in den Taschen seines Trainingsanzugs vergraben und ließ die Atmosphäre auf sich wirken. Direkt daneben befand sich eine stark befahrene Straße, aber die Häuser umringten einen privaten Garten, der den Lärm zu schlucken schien. Die alten Gebäude standen einander in stiller Würde gegenüber. Er war viele Male in der Gegend gewesen, in Clatty Pat's Nachtclub, montags wimmelte es da nur so von scharfen Bräuten, aber das Haus hier würde niemandem auffallen, es sei denn, man suchte etwas, oder hätte jemandes Adresse aus dem Telefonbuch abgeschrieben und wäre absichtlich hierhergekommen.

Die fette Schnalle wohnte zwei Treppen hoch, im obersten Stockwerk. Keine Sicherheitsvorkehrungen an der Tür unten. Ein großer Torbogen, der einst für Kutschen gedacht war und auf einen verlassenen Hinterhof mit überwucherten Gärten und eingefallenen Mäuerchen führte, trennte ihn vom Gehweg. Nachts würde es hier sehr dunkel werden.

III

Das Nordufer des Clyde war ein gottverlassener Ort. Paddy hatte es in düsteren Momenten des Selbstmitleids und der Verzweiflung hierherverschlagen. Es war dreckig, voller Insekten und mit rissigem und fleckigem Beton gepflastert, graue Wassermassen rauschten vorbei. Viele Sitzgelegenheiten gab es nicht.

Kahles Buschwerk trennte sie von der geschäftigen Straße, leere goldfarbene Bierdosen lagen zu ihren Füßen. Die Sonne, die warmen Tage und die milde Luft hatten allerdings ein paar vereinzelte Büroangestellte in ihrer Mittagspause hierhergelockt.

Sie saßen auf der Kante eines Blumenkübels aus Beton und Aoife bot ihr die Hälfte ihres Mittagessens an, ein großes Baguette mit einem Berg Eiern und Mayonnaise belegt. Einer aus dem Büro ziehe immer mit den Bestellungen los, erklärte sie. Es sei das einzige mit Ei gewesen, das es noch gegeben habe.

»Wieso machen die überhaupt so dicke Sandwiches?« Sie betrachtete es irritiert. »Davon könnte ein Bus voller Touristen satt werden.«

»Genau«, erwiderte Paddy verlegen. Sie hatte einmal ein ganzes davon verdrückt und hinterher sogar noch Kekse nachgeschoben. »Wieso haben Sie gesagt, die Sache mit Kevin sei seltsam?«

Aoife biss von ihrem Brot ab und kaute es in einer Ecke ihres Munds.

»Eine Line legt man zum Schnupfen, zum Inhalieren. Wenn man Kokain erbricht, bedeutet das, dass man es geschluckt hat. Niemand macht beides gleichzeitig.«

»Gibt es denn Leute, die es schlucken?«

»Manchmal. In Zigarettenblättchen einwickeln und dann schlucken, ist genauso effektiv, dauert aber länger und man kann es weniger gut dosieren. Aber beides gleichzeitig wäre wie russisches Roulette. Es ist sowieso schon schwer genug, die richtige Balance zu finden, auch wenn man bei einer Methode bleibt.«

Paddy kaute auf einem Mund voll cremiger Eierfüllung, freute sich über Aoifes Akzent, die harten nasalen ›r‹s und die kurzen Vokale. »Wie kann er aber verschwinden? Bedeutet das, er wurde erst gar nicht ins Krankenhaus gebracht? Seine Hand war verkrampft.« Sie ahmte Kevins Kralle nach. »Kann er sich auf dem Weg ins Krankenhaus erholt haben und zu seinen Eltern gefahren sein, oder so?«

Aoife sah sie ausweichend an. »Das glaube ich kaum. Vielleicht hat er's aber gar nicht bis ins Krankenhaus geschafft. Vielleicht ist er … Sie wissen schon … verstorben.« Aoife sprach mit gesenkter Stimme weiter. »Die trauen mir nicht.«

Paddy sah sie an. »Wer?«

»Die da oben. Graham Wilson, den ich vertrete, hat gesessen, er war einer von ihnen, ihm konnten sie vertrauen. Vielleicht ist Ihr Freund deshalb verschwunden: Sie wussten, dass ich Spuren in seinen Nasenlöchern und seinem Magen finden und es weitersagen würde.«

»Aber wem?«

Die grelle Sonne glitzerte auf dem Wasser und zwei Geschäftsleute gingen vorbei, kicherten und schlenkerten mit den Aktentaschen.

»Wollen wir den Jungs da drüben hinterherpfeifen?«, fragte Aoife, deren Laune sich mit dem Themenwechsel schlagartig besserte.

»Ja, los«, forderte Paddy sie auf.

Aoife drehte sich zu ihnen um und rief leise »Hey, Jungs!« und pfiff.

Sie lachten sich an, beobachteten die Männer, die sich langsam am Uferrand entfernten.

»Gott, das war vielleicht ein Vormittag«, sagte Paddy und erzählte Aoife von Collins, der zu ihr nach Hause gekommen war und dem Mann, der die Schule ihres Sohnes beobachtet hatte.

»Der Typ ist Nordire, sagen Sie?«

»Ich hab ein Foto von ihm.« Sie öffnete ihre Tasche und nahm die Fotokopien heraus. »Vielleicht kennen Sie ihn.«

»Ja, wahrscheinlich ist es mein Vetter oder so, Sie wissen ja, Irland ist nur drei Meter breit.« Aoife betrachtete die Vergrößerung von Collins und lächelte. »Sie machen sich lustig.«

Paddy war verdutzt. »Mach ich das?«

Sie sahen einander fragend an.

»Den kennen Sie doch«, behauptete Aoife.

»Kenn ich den?«

»Kennen Sie ihn wirklich nicht?«

Paddy schüttelte den Kopf.

»Der ist so bekannt wie Sie selbst.« Sie merkte, dass Paddy keine Ahnung hatte, wovon sie redete. »Das ist Martin McBree. Einer der Köpfe der IRA. Ich denke, Sie arbeiten bei der Zeitung?«

»Aber ich weiß nicht, wer das ist.«

»Martin McBree«, sagte sie wieder, als ob damit irgendetwas erklärt wäre. »Das Foto, auf dem er am Blutsonntag einen Mann wegträgt?«

»Hab nie von ihm gehört, tut mir leid.«

»Er war letztes Jahr in New York, als Botschafter, hat die Northern Ireland Aid umstrukturiert. Das kam zu Hause in den Hauptnachrichten. Er hat die Organisation ziemlich auf den Kopf gestellt. Hat eine neue Geschäftsleitung installiert und die ganze alte Truppe abgesetzt, die haben früher immer nur Knarren und Geistesgestörte rübergeschickt. Die Republikaner ändern allmählich ihre Position, nähern sich Friedensverhandlungen an. Jetzt sollen erst mal Friedenswillige in die entsprechenden Machtpositionen gesetzt werden.«

»Also ist McBree einer von den Guten?«

Aoife nickte, um zu signalisieren, dass sie dieser Ansicht war. Paddy dachte wieder an Sonntagabend und an McBree in ihrer Wohnung. Vielleicht hatte sie alles falsch verstanden. Es war einfach nur ein Bauchgefühl gewesen, das sie gegen den Mann eingenommen hatte: Er war mit einem Anliegen gekommen, so viel hatte sie kapiert, das bedeutete aber nicht unbedingt, dass er gewalttätig war.

Sie freute sich, dass sie sich geirrt hatte.

Sie hatten das Baguette gemeinsam so weit wie möglich vernichtet und ließen die Überreste liegen. Paddy packte ihre Zigaretten aus. Aoife nahm eine von ihren.

»Er hat sich viele erbitterte Feinde gemacht.«

»McBree? Aber wollen jetzt nicht alle Frieden?«

»Das sollte man meinen. Das ist das Problem mit dem bewaffneten Kampf. Selbst wenn er am Anfang einem noblen Anliegen dient, so zieht er irgendwann doch Schläger und Sadisten an. Es wird immer eine Fraktion geben, die den Kampf nicht beenden will.« Aoife streckte ihre papierweißen Beine aus und sonnte sie. »Zum Schluss landen sie in der Pathologie. Wir kriegen sie dann alle zu sehen.« Sie blinzelte ihre Zigarette an. »Mein alter Boss zu Hause hatte die Opfer der Shankill Butchers auf dem Tisch. Haben Sie davon gehört?«

»Nein.«

Sie nahm einen weiteren Zug und hielt die Luft an. »Verurteilt wegen neunzehn Morden, aber eigentlich waren es dreißig. Die Shankill Butchers waren eine Bande von Männern, zwölf oder so. Protestantische Loyalisten. Sie hatten sich ein schwarzes Taxi besorgt und fuhren damit nach der Sperrstunde herum. Egal, wer das Taxi herangewunken hat, wurde ermordet. Sie hatten es auf Katholiken abgesehen, aber manchmal erwischten sie auch die eigenen Leute. Sie waren nicht wählerisch. Was sagt uns das über ihre politischen Absichten?«

Sie versuchte besorgt zu klingen, aber in ihren Augen war es lediglich eine Geschichte über gesichtslose Männer, die andere gesichtslose Männer umbrachten.

»Dass sie nur als Vorwand dienten?«

Aoife sah zu einer Gruppe von Arbeitern hinüber, die ihre Mittagspause zum Sonnenbaden nutzten und sich auf der anderen Seite des glitzernden Wassers bis zur Hüfte ausgezogen hatten. »Ein Mann, Thomas Madden, ein stiller Mann, achtundvierzig, unverheiratet, ein Sicherheitsbeamter. Sie haben ihn sechs Stunden lang an den Füßen aufgehängt. Einhundertsiebenundvierzig Messerstiche. Sie stachen stundenlang auf ihn ein.« Sie knackte mit dem Handgelenk. »Nur einer hat zugestochen, das konnte man an der Form der Wunden erkennen. Der Todeszeitpunkt wurde auf vier Uhr morgens festgelegt. Nachdem man ihn gefunden hatte und der Tatort bekanntgegeben worden war, meldete sich eine Zeugin, eine Frau, die um zirka vier Uhr dort vorbeigekommen war. Sie war auf dem Nachhauseweg von einer Party und sagte, sie habe die Stimme eines Mannes gehört. Sie habe gedacht, er sei völlig betrunken und außer sich. Er habe immer wieder gerufen: »Tötet mich, tötet mich.« Aoife legte sich traurig die Hand auf die Brust. »Ich weiß nicht, wieso mir das so zusetzt.«

Paddy hob die Hand. »Also, mir reicht das auch schon.«

»Na gut, was ich sagen will, ist: In Friedenszeiten wären die Butchers nur sadistische Serienmörder gewesen, aber in den Augen mancher Leute gelten sie als Volkshelden. Und das sind dieselben Menschen, mit denen diejenigen klarkommen müssen, die Frieden wollen. Auf beiden Seiten gibt es mehr als genug Arschlöcher. Jeder Einzelne kann den Waffenstillstand im Alleingang brechen und die Auseinandersetzungen gehen weiter. Diese Leute müssen ausgemerzt werden, sonst gibt es keine Hoffnung.«

»Und McBree ist derjenige, der sie ausmerzt?«

»Habe ich mir sagen lassen.«

Paddy lehnte sich zurück, stützte sich mit den Ellbogen ab und ließ sich das Gesicht von der Sonne wärmen. »Als Sie gesagt haben, die würden Ihnen nicht trauen, wen haben Sie da gemeint?«

Aoife zuckte mit den Schultern, als handele es sich um eine blöde Frage. »Die Chefs.«

»Weshalb sollten die verschleiern wollen, woran Kevin gestorben ist?«

Aoife piekte Paddy mit dem Finger in die Schulter. »Das herauszufinden ist Ihre Aufgabe.«

IV

Helen, die Chefbibliothekarin, verpasste gerade einem eifrigen jungen Mitarbeiter einen deftigen Anschiss. Hochnäsig betrachtete sie ihn durch ihre rote Plastikbrille.

»Sag ihm, wir brauchen ein oder zwei Schlagworte, damit Idioten wie du nicht mit einer Schubkarre voll Umschlägen verschwinden und sie auf dem Weg nach oben verlieren.«

Der Aushilfsjunge war noch ein Teenager, seine dürren Beine füllten die elegante Hose kaum aus, die ihm seine Mum gebügelt hatte. Er starrte auf die roten Perlen an Helens Brillenkette und versuchte den Eindruck zu erwecken, als würde er sie ansehen, ohne den Mut aufzubringen, es tatsächlich zu tun.

»Wenn du das nächste Mal den Auftrag bekommst, Ausschnitte zu besorgen, dann nimm das Formular hier mit.« Helen hielt ein kleines gelbes Blatt mit drei Fragen hoch.

»Das sollen sie ausfüllen. Dann verschwenden wir weniger von deiner und meiner Zeit.«

Paddy beugte sich über die Schulter des Aushilfsjungen und zeigte auf Helen. »Die hat mir früher auch nur Ärger gemacht.«

Er drehte sich um, zunächst ängstlich, dann aber dankbar für ihren kameradschaftlichen Ton. Helen gefiel das gar nicht. Sie schimpfte dem Jungen hinterher, als er aus dem Büro schlappte und lächelte Paddy kühl an. Wenn Helen Büropolitik und Machtspiele vergaß, waren sie Freundinnen – das kam aber nur ungefähr einmal pro Jahr vor, nämlich meist dann, wenn ihr mal wieder ein anderer frisch geschiedener Mann das Herz gebrochen hatte. Helen war auf der Suche nach der wahren Liebe.

Paddy hatte ein paar von Helens Verabredungen kennengelernt, als sie ihr zufällig in Bistros im West End begegnet war. Hauptsächlich Geschäftsleute mit roten Gesichtern und in teuren Anzügen. Sie fragte sich, wie Helen bei deren Anblick überhaupt einen Bissen herunterbekam, geschweige denn mit ihnen schlafen konnte. Doch obwohl Helen gut aussah, war sie eine gemeine Zicke und Paddy nahm an, dass ihr Marktwert dadurch stark sank.

Sie funkelte Paddy durch ihre Brillengläser an. »Ich schätze es nicht, wenn gegenüber Aushilfen so über mich gesprochen wird.«

»Schon okay.« Paddy sah in die Bibliothek zu dem Tisch hinüber, an dem früher Frauen mit Scheren unzählige Exemplare derselben Ausgabe ausgeschlachtet, Artikel ausgeschnitten, in kleine braune Umschläge gesteckt und nach Themen sortiert hatten. Heutzutage geschah das alles elektronisch: Die Ausgabe wurde in einen Computer eingegeben, gesetzt und in die Druckerei geschickt. Eine Spezial-firma bekam dann eine Diskette mit den Artikeln. Jetzt war Helen alleine in der Bibliothek – eine ihrer Armee beraubte Oberbefehlshaberin, was sie nicht unbedingt angenehmer machte.

»Okay, Brian Donaldson.« Paddy machte ein schmat-zendes Geräusch mit den Lippen und beugte sich über den Tresen. »Martin McBree. Sowohl einzeln wie auch in Ver-bindung miteinander.«

Helen zog eine spitze Schnute, um Paddy zu signalisie-ren, dass sie ihr Anliegen missbilligte, wandte sich um und rief die Suchworte auf. Sie tippte die Namen ein, die Metall-trommel knarrte und klapperte und Schlitze öffneten sich. Sie nahm Umschläge heraus und klopfte sich damit auf die Hand, dachte einen Augenblick nach. Sie sah Paddy an, ein überheblicher Gedanke machte sich auf ihrem Gesicht be-merkbar, sie ging zum Schreibtisch und stempelte die Um-schläge ab.

»Für beide gibt es Querverweise zur IRA und zu Nordir-land.« Helen überreichte ihr die Umschläge und versuchte dabei nicht zu lächeln. »Haben Sie Merkis Artikel von ges-tern Abend nicht gelesen? Widerspricht Ihrer IRA-Theorie vehement, nicht wahr?«

Paddy nickte höflich. »Ja. Ich bin einfach zu blöd, He-len«, und sie ging aus dem Raum.

Im Gang begutachtete sie die Datumsstempel vorne auf den Umschlägen. Keiner von beiden war in den letzten acht Monaten verlangt worden. Merki verfolgte nicht die-selben Spuren wie sie, weil er überzeugt war, dass die IRA nichts damit zu tun hatte.

Sie rannte in die Redaktionsräume, umklammerte die

Umschläge und zog ihren engen Rock bis zu den Oberschenkeln hoch, damit sie die Treppe schneller hochkam.

V

In einer ruhigen Ecke fand sie Platz auf einem Tisch und
öffnete den Briefumschlag, der zufällig oben lag.

Martin McBree war ein hohes Tier bei der IRA. Der Verlauf seiner Karriere war in Form eines zweiseitigen Porträts
dokumentiert. Der Organisation war er bereits als Junge
beigetreten und hatte seinen Treueeid drei Jahre vor Beginn der Unruhen im Norden geleistet, noch zu Zeiten, als
man glaubte, die Abkürzung IRA stünde für »I ran away«.
Anschließend gehörte er zu der Generation der nordirischen Republikaner, die mit Beginn der Unruhen die alte
Garde ablösten und aus der IRA eine bedeutende paramili-
tärische Organisation machten.

Am zweiten Blutsonntag hatten britische Soldaten, ohne
provoziert worden zu sein, das Feuer auf einen friedlichen
Protestzug eröffnet und dreizehn unbewaffnete Zivilisten
ermordet. McBree hatte an jenem Tag zu den Demons-
tranten gehört und ein Fotograf hatte ihn in einem so be-
eindruckenden Moment erwischt, dass Zeitungen auf der
ganzen Welt sein Bild veröffentlicht hatten. Er hatte einen
anderen Mann getragen, einen Arm unter seiner Schulter,
den anderen unter die Knie gelegt und sich weit nach hinten gelehnt, um nicht das Gleichgewicht zu verlieren. Er
war klein, nur ungefähr eins fünfundsiebzig, aber er war
sehr muskulös und drahtig. Der Mann hatte eine offene
Wunde in der Brust und war wahrscheinlich bereits tot. Er

trug einen schwarzen Mantel und das Foto war schwarzweiß, aber das dicke schwarze Blut auf seiner Brust, das ihm den Arm herunterlief und von seiner leblosen Hand tropfte, war deutlich zu erkennen. McBrees helle Schuhe waren voller Blutspritzer. Es war ein gutes Bild, seine Berühmtheit aber hatte es einem Priester zu verdanken, der vor ihnen stand, ein weißes Taschentuch zum Zeichen der Kapitulation hochhielt und darum bat, an den Scharfschützen der Regierung vorbeigelassen zu werden.

Paddy las den dazugehörigen Text: Der Tote war Klempner gewesen. Er hinterließ vier Söhne und eine Tochter. Er war nur einunddreißig Jahre alt geworden.

Sie betrachtete das Bild genauer. McBree wirkte nicht ängstlich. Er biss die Zähne zusammen wegen des Gewichts, das er trug. Aber er war ein Mann, der Blut gewohnt war. Einer, der sich schwierigen Aufgaben stellte, ohne davor zurückzuschrecken.

Sie fand seinen Namen in einem Artikel über die erste Hungerstreikwelle: Viele Male war er aufgrund von Verstößen gegen das Schusswaffengesetz verurteilt worden und ein Jahr lang Gefangenensprecher im Maze Prison gewesen. Nach seiner Entlassung scheiterten die Gespräche.

In jüngerer Zeit war er verhaftet und wieder freigelassen worden, weil er mit einem gefälschten Pass gereist war. Er hatte sich auf dem Rückweg aus dem Libanon befunden. Sie überprüfte die Daten, zählte bis zu Petes Krankenhausaufenthalt zurück. Terry war zur selben Zeit in Beirut gewesen.

Spätere Artikel berichteten, McBree habe gestanden, ein Ausbildungslager im Libanon besucht zu haben, und die unbelegte Vermutung klang an, er habe Guerillakämpfer der PLO und der ETA im Nahkampf trainiert.

McBree wurde in New York gezeigt, eine flüchtige Aufnahme auf einem Flughafen. Genau wie Aoife gesagt hatte, war er mit dem Auftrag dorthin gereist, Noraid umzugestalten, vorgeblich zur Effizienzsteigerung, tatsächlich aber, um einer neuen Generation von Soldaten Auftrieb zu geben. Schonungslos entmachtete er die Fraktionen, die die Fortsetzung des bewaffneten Kampfs forderten, und stärkte jene, die Friedensverhandlungen befürworteten. McBrees Nahkampfausbildung muss ihm dabei sehr hilfreich gewesen sein, dachte Paddy. Seine Frau und seine beiden Kinder waren zu Hause in Irland geblieben, und eine Bombe war in der Nähe seines Hauses explodiert. Die Polizei vermutete interne Auseinandersetzungen innerhalb der republikanischen Bewegung.

Er war bei ihr zu Hause gewesen. Sie erinnerte sich an den stumpfen Brieföffner, dachte daran, dass sie ihn hatte erstechen wollen und wie viel Glück sie gehabt hatte. Leicht schwitzend lehnte sie sich zurück und sah, dass Buntys Schoßäffchen sie mit verschränkten Armen und spöttischem Gesichtsausdruck beobachtete.

Aus den Artikeln über Donaldson erfuhr sie nur wenig Interessantes: Er war als Teilnehmer einer Reihe von Pressekonferenzen abgebildet und sah auf den Fotos schlanker aus, nicht so heruntergekommen. Sein Sohn war im Maze Prison gestorben und Donaldson hatte Nordirland nach Kompetenzstreitigkeiten verlassen müssen.

Zusammen ergaben die Artikel ein vollständiges Bild: Sein Sohn, David Donaldson, war mit neunzehn Jahren von einem jungen Angehörigen eines paramilitärischen Loyalistenverbands erstochen worden –, nur zwei Tage nachdem er in Untersuchungshaft gekommen war. Der

Täter wurde auf Geheiß von McBree begnadigt, am Tag nach seiner Entlassung aber mit aufgeschlitzter Kehle tot aufgefunden. Gerüchte besagten, McBree habe einen Bandenkrieg abgewendet, um den Einfluss seiner Gruppe auf die Gefängnisbehörde zu stärken und der Familie Donaldson die Chance zu geben, den Täter selbst zu töten.

Donaldson stand also in McBrees Schuld. Wahrscheinlich hatte er ihn keine Minute, nachdem sie das Shammy verlassen hatte, angerufen und ihm jede Einzelheit erzählt und ihm versichert, dass sie sich einzig und allein um die Sicherheit ihres Sohnes sorgte.

Sie lehnte sich zurück und dachte darüber nach, was Aoife gesagt hatte: McBree war einer von den Guten. Wenn man ihn mit den Shankill Butchers verglich.

19

Callum allein auf der Straße

I

Maggie, die Sozialarbeiterin, die mit seinem Fall betraut war, kam vormittags und setzte sich mit Callum ins Wohnzimmer. Sie stellte ihm Fragen darüber, wie er sich fühlte, und er erriet die richtigen Antworten: Er fürchte sich vor der Presse, schäme sich für seine Vergehen, sei glücklich, frei zu sein. Sie blieb noch lange, nachdem ihnen längst die Themen ausgegangen waren, trank eine Tasse Tee, die ihr Elaine hingestellt hatte, und sagte, sie würde in der kommenden Woche zur selben Zeit wiederkommen.

Elaine ging ihm aus dem Weg. Meistens blieb sie in der Küche. Es war zwei Uhr nachmittags und sie wirkte jetzt nicht mehr angespannt, sondern zickig, verschreckte die beiden Kleinen, weckte sie, wenn sie eingeschlafen waren, und wollte, dass sie einschliefen, wenn sie gerade erst wach geworden waren.

Callum hatte sich nicht vom Sofa wegbewegt, seit er mit den Kindern vor der Schule *Count Duckula* im Fernsehen gesehen hatte. Niemand hatte ihm gesagt, was er tun sollte, und er wollte nicht einfach so herumlaufen. Er war ein paar mal aufs Klo gegangen, hatte sich von Elaine ein Käsesandwich geben und von Maggie eine Tasse Tee bringen lassen.

Er hatte den ganzen Tag ferngesehen, während die Kleine rein- und rausgekrabbelt war. Manchmal war sie neugierig auf ihn zugekommen und hatte an seinem Hosenbein gezupft, hatte sich aber jedes Mal bald wieder verzogen. Er wusste nicht, wie er mit ihr spielen sollte.

Endlich kam auch Elaine ins Wohnzimmer.

»Gut.« Sie sah in ihr geöffnetes Portemonnaie.

»Hier sind zwei Pfund. Würdest du die Straße runtergehen und mir vier halbe Liter Milch und ein Brot besorgen?«

Callum sah sich um. Sie konnte wohl kaum die Kleine meinen. »Ich?«

»Ja, dann muss ich nicht gehen.« Sie hielt ihm die Scheine hin und er nahm sie. Sie sahen einander an. Sie ging in den Flur und kam mit seiner Jacke wieder. »Einfach nur zur Tür raus, links und drei Häuser weiter.«

Er stand im Gang und sah auf die andere Straßenseite zu der Tür hinüber, vor der er die Rattenfüße in ihrem Versteck entdeckt hatte. Er konnte bis in den dreckigen Hinterhof sehen, zu den Mülltonnen und der großen Pfütze daneben, an deren Uferrändern zwei kleine Kinder kauerten und spielten. Frauen in Sommeroberteilen und Jeans hasteten aus der Eingangstür und eilten die Straße hinunter. Alte Frauen trugen Jacken.

Er trat aus dem Eingang heraus, ein Schritt, Kopf runter, immer an der Wand entlang, zwei, drei, vier, fünf Schritte, immer weiter, bis er an eine Ladentür mit Aufklebern kam, die für Zigaretten und Bananen warben. Neunzehn Schritte draußen, alleine und nichts Schlimmes war passiert.

Die Tür klingelte, als er sie öffnete. Ein kleiner Inder sah hinter dem Verkaufstresen auf und wieder weg. Callum beeilte sich, hinter den Regalen zu verschwinden, hatte Mühe, ruhig zu atmen. Sechsundzwanzig Schritte weit draußen und nichts war passiert. Niemand hatte ihm Beachtung geschenkt. Niemand hatte ihn erkannt. Vielleicht war er gar nicht so berühmt, wie Mr. Stritcher gesagt hatte.

Im Laden lief das Radio, ein zackiger Song mit einem eindringlichen, schnellen Beat, der wie der ausgelassen fröhliche DJ angesagt hatte, von einem Sowieso Hammer stammte. Er gefiel Callum. Er spielte noch einen, diesmal einen langsameren Song mit längeren Tönen, der etwas Trauriges hatte.

Callum stand still, starrte das Brot und die eingepackten Kuchen an und hörte bis zum Ende zu. Wunderbar. Man kann nicht mehrere Gedanken gleichzeitig denken und er dachte gerade nur an die wunderschöne Musik. Er spürte den Rhythmus in jeder Pore, die bewegenden, mitreißenden Töne durchdrangen ihn. Er wollte tanzen, sich wiegen und die Füße bewegen.

»Na, du da, willst du was kaufen oder nicht?«

Der Ladenbesitzer sprach mit ihm. Callum trat um das Regal herum und sah den Mann an. Er war wirklich winzig, trug einen Turban, der ihn größer wirken ließ, aber er war nicht mal eins zweiundsechzig und klapperdürr, eine Witzfigur.

»Was?«

»Willst du was kaufen oder bloß rumstehen?« Der Mann war so klein und so wütend. Im Gefängnis hätte er keine Minute überlebt. Derart schwächliche Männer durften es sich im Gefängnis nicht leisten, wütend zu werden, es sei denn, sie hatten ein Messer oder einen Beschützer und selbst dann, das begriff Callum nun, dürften sie bei einem sehr großen Streit nicht bis zum Äußersten gehen. Deshalb war er so wütend: weil ihm hier nichts passieren konnte. Er zeigte unhöflich mit dem Finger auf Callum.

»Ja, Freundchen, ich sehe deinen Kopf da drüben hinter den Regalen. Was stehst du da so lange rum? Willst du mich beklauen?«

Callum öffnete seine Jacke, um zu zeigen, dass er nichts hatte mitgehen lassen, kein Brot versteckt hatte. »Ich hab die Musik im Radio gehört. Hab vergessen, was ich wollte.«

»Ja, ja, euch gefallen diese Songs heutzutage, bumm bumm bumm? Die gefallen euch jungen Leuten, ihr mit euren Discos. Alles Unsinn, alles Mist.«

Der winzige, alte Mann und Callum lächelten einander an. *Junge Leute.* Ich bin jung.

»Was wolltest du denn, hm?«

»Milch.«

»Da drüben ganz hinten.« Er zeigte auf einen Kühlschrank mit einer Glastür. Grüne und blaue Tetrapacks standen dort aufeinandergestapelt.

»Ich weiß nicht, welche.«

»Für wen ist sie denn? Für dich?«

»Nein, für ein Baby.«

»Dann nimm die blaue.«

Callum stellte sie auf die Theke und hielt ihm die zwei Pfund hin.

»Und ein Brot, bitte.«

»Das nimmst du dir aus dem Regal. Helles oder dunkles?«

Im Gefängnis hatte man auch zwischen hellem und dunklem Brot wählen können, aber geschmeckt hatten beide Sorten gleich. Er glaubte, sich erinnern zu können, dass das Käsesandwich mit hellem Brot gemacht war.

»Ich glaube, helles.«

Der alte Mann tippte den Preis in die Kasse ein und verlangte eins zwanzig. Er gab ihm das Wechselgeld. »Wo kommst du her?«

»Bin erst hergezogen.«

»Gut«, sagte er, klang immer noch wütend dabei, lächelte aber ein klein wenig.

»Dann hoffe ich, dass du mir ein guter Kunde bleibst, ja? Schmeiß dein Geld nicht den Schweinen vom Supermarkt in den Rachen.«

»Okay«, sagte Callum lächelnd und nahm das Wechselgeld. »Okay.«

Draußen lächelte er den ganzen Weg die Straße entlang, ließ das Brot in seiner Plastikverpackung an seinem Arm herunterschlenkern und dachte an die Musik, die er gehört hatte, und an den komischen Ladenbesitzer. Er war wieder am Hauseingang, bevor er merkte, dass er gar nicht mitgezählt hatte.

Lächelnd drehte er sich zur Straße um und sah die Lederschuhe. Sie standen im Türeingang, genauso wie in der Nacht zuvor. Braun, glatt, ein Muster vorne eingestanzt. Der Mann sah auf. Ein junger Mann wie er selbst. Lange, blonde Haare aus dem Gesicht gekämmt, Brille, rot karierte Jacke. Er beobachtete die Straße in der Richtung, aus der Callum gerade gekommen war.

Die Kinder, die im Hof an der Pfütze gespielt hatten, schoben sich an den Schuhen vorbei. Er ließ sie durch, lächelte, fasste sich an den Kopf und sah wieder die Straße hinunter. Er musste beobachtet haben, wie Callum aus dem Laden gekommen war. Musste ihn gesehen haben, wie er das Brot hatte schlenkern lassen, nicht aufgepasst und über den komischen Ladenbesitzer gelacht hatte. Callum lehnte sich mit dem Rücken an die Wand im Treppenaufgang.

Jetzt kamen sie und sie hatten es auf ihn abgesehen.

II

Endlich blieb Pete im Bett, nachdem er sechsmal wieder aufgestanden und ins Wohnzimmer gekommen war, weil er Wasser, ein Stück Brot oder in den Arm genommen werden wollte, nach einem nur wenig überzeugend vorgetäuschten Albtraum, dessen Schrecken verschwanden, sobald ihn Dub anlächelte.

Paddy und Dub waren allein im Wohnzimmer, saßen ausgestreckt in jeweils einer Ecke des Sofas und Paddy erzählte ihm von Kevin und der Polizei. Er stimmte ihr zu: Kevin Hatcher hätte auf keinen Fall klammheimlich Drogen genommen und gleichzeitig ein relativ normales Leben geführt. Aber vielleicht war es sein erster Versuch gewesen? Dub hatte von Leuten gehört, die gestorben waren, als sie das erste Mal Ecstasy probiert hatten, und vielleicht war dasselbe auch bei Koks möglich. Sie dachten beide darüber nach und fanden, dass Aoife recht hatte: Niemand nahm Koks, indem er es gleichzeitig schluckte und schnupfte.

Paddy war müde, machte sich Sorgen um Mary Ann und hatte Angst um Kevin: Am frühen Abend hatte sie noch einmal überall in den Notaufnahmen der Stadt angerufen, zu einer Zeit, in der die Leute von der Nachtschicht am Empfang saßen, die sie kannte. Aber noch immer keine Spur von ihm.

Dub wusste, was sie aufmuntern würde: Er legte eine alte

Videokassette mit *Tanz der Teufel II* ein. Sie kannten den Film in- und auswendig, hatten ihn hundertmal gesehen und sämtliche Witze auswendig drauf, aber er hatte trotzdem etwas Tröstendes.

Bruce Campbell hatte sich bereits das halbe Handgelenk durchsägt, als ihr plötzlich Fitzpatrick wieder einfiel.

»Ich habe ein Haus geerbt«, sagte sie und erzählte Dub von der Mappe, auf der ihr Name stand. Er lachte sie aus.

»Das ist absurd, er kann nicht von dir verlangen, dass du dich zwischen einer Mappe und einem Haus entscheidest. Das ist ein Testament und kein Ratequiz. Geh noch mal hin und frag ihn, was der Scheiß soll. Oder noch besser, besorg dir einen Anwalt, der sich drum kümmert.«

Paddy nickte und widmete sich wieder dem Film. Eine Frau mit einer sehr schlecht gemachten Maske bedrohte den Helden. Dub streckte sich noch weiter auf dem Sofa aus, sein Fuß berührte ihr Bein. Er zuckte zurück, wich dem knisternden Kontakt aus, bis sie ihn anlächelte, seine Zehen mit den Fingern umfasste und seinen Fuß auf ihren Schoß zog und festhielt.

Lächelnd sahen sie zu, wie Untote die Menschenwelt eroberten.

20

Rattenschuhe

I

Paddy stand einen Augenblick an der Tür, hielt die Umschläge aus dem Ausschnittarchiv fest umklammert. Der Redaktionsraum war leer. Alle standen oder saßen eingepfercht in Buntys Büro bei der Redaktionskonferenz. Verwaltungsangestellte und sonstige Mitarbeiter wuselten herum und obwohl er seine Schicht vor fast zwei Stunden beendet hatte, war auch Merki noch da, stolzierte selbstzufrieden herum, bot den anderen Zigaretten an und buhlte um Lob für seinen Artikel vom Vortag.

Genau in diesem Moment ging Buntys Tür auf und die Konferenzteilnehmer strömten in den Redaktionsraum zurück, Redakteure und Stellvertreter verteilten sich an den Schreibtischen, freie Journalisten gingen zielstrebig zur Tür oder den Telefonen, um sich der Artikel anzunehmen, die ihnen zugewiesen worden waren.

Merki trabte an einen Schreibtisch und verteidigte seinen Platz an der Tastatur, ein Notizbuch lehnte am Bildschirm, Kippenpäckchen und Feuerzeug lagen davor, er war immer bereit, eine Story herauszuhauen. Sie ging zu ihm, stellte sich neben ihn. Sie war einen ganzen Kopf größer als er, dabei war sie gar nicht besonders groß.

»Merki, woher hast du die Geschichte, das mit der Tatwaffe?«

Ohne sich zu ihr umzudrehen, kratzte er sich am Hals.
»Das würdest du wohl gerne wissen, was?«

»Ja, weil das keine andere Zeitung gebracht oder aufge-
griffen hat, und so was macht mich stutzig, weißt du, eine
einzige Quelle, die nur dir bekannt ist. Wenn jemand die
Angaben hätte bestätigen können, dann hätten es die anderen auch gebracht. Hast du deine Informationen überhaupt
überprüft?«

Merki grinste. »Du bist ja nur neidisch auf mich und
meinen Erfolg.«

Sie standen beieinander und lachten. Merki hatte Witz:
Sein Gesicht war voller Falten, völlig verhärmt, er musste
nachts arbeiten, und sie verdiente mit nur achthundert
Wörtern die Woche viermal so viel wie er.

Über Merkis linke Schulter hinweg entdeckte Paddy das
Schoßäffchen, das eine finstere Miene aufsetzte, als es sie
sah. Es winkte sie an Buntys Tür heran und sie trat einen
Schritt zurück, hielt einen Finger hoch, sah das Schoßäffchen dabei an und nahm einen Telefonhörer ab, wählte die
9, um die Leitung freizuschalten, und dann die Nummer
der Auskunft. Sie bedeckte ihren Mund, damit Merki nicht
hörte, dass sie um die Nummer der *Scotia Press* bat. Die
Nummer verriet, dass sich die Redaktion mitten im West
End befand.

Die Frau meldete sich, als hätte sie Paddys Anruf erwartet. »Ja?«

»Äh, hallo, hier ist Paddy Meehan von der *Scottish Daily
News*. Ob ich wohl etwas später bei Ihnen vorbeikommen
und mich mit Ihnen über Terry Hewitt unterhalten dürfte?«

Zögerlich gab ihr die Frau die Adresse und bat sie, nicht innerhalb der nächsten drei Stunden zu kommen und es später mehrfach klingeln zu lassen. Paddy dankte ihr und legte auf.

Das Schoßäffchen lächelte nicht, als sie näher kam. Er hielt ihr bereits die Tür zu Buntys Büro auf und verneigte sich, als sie an ihm vorbei eintrat.

Bunty hatte die Ellbogen auf den Schreibtisch gestützt, der Mund ruhte auf seinen langen spitzen Zeigefingern. Er sah zu ihr auf. Sie hatte ihn nie zuvor so bleich gesehen.

»Setzen Sie sich.«

Paddy schloss die Tür hinter sich, ließ das Schoßäffchen draußen stehen und nahm auf dem nächstbesten Stuhl Platz. Der Tisch war über drei Meter lang, sie saßen an entgegengesetzten Enden und trotzdem empfand sie den Abstand als noch zu gering.

Bunty beugte sich vor. »Callum Ogilvy. Ist er *draußen?*«

Er ließ den Namen im Raum stehen. Es war nicht ganz klar, ob es sich um eine Anklage, einen Artikelvorschlag oder einen bitteren Vorwurf handelte. Sie hätte sich herauswinden und ihm eine Lüge auftischen können, aber Lügen funktionierten bei ihr meist nicht. Das spröde Papier der Umschläge mit den Ausschnitten wurde plötzlich feucht in ihren Händen. Sie legte sie auf den Tisch.

»Bunty ...«

Er hatte ihre Kolumne auf dem Schreibtisch vor sich liegen.

»Und dann kommen Sie mir mit diesem belanglosen Mist.« Seine Stimme schwoll plötzlich an, seine Worte stolperten übereinander, so schnell stieß er sie aus. »Wo ist da der Biss? Angenommen, es waren die Provos; angenommen, sie waren es nicht. Misty benutzt keine Semikolons. Wofür, verdammte Scheiße bezahle ich Sie?«

Normalerweise benutzte er keine Fäkalausdrücke, wusste eigentlich gar nicht, wo und wie man sie einsetzte. Jetzt klang er verzweifelt. »Sie wurden vor dem Gefängnis gesehen.«

»Es gab einen weiteren Überfall.« Sie versuchte, sich seinem Tempo anzupassen, und sprach lauter, als sie es normalerweise getan hätte. »Kevin Hatcher, unser ehemaliger Bildredakteur. Ich habe Merkis Artikel gesehen. Nur weil eine Schusswaffe gefunden wurde, heißt das noch gar nichts. Jemand hat mich zu Hause bedroht. Mein Sohn ...« Gott, sie brachte es auf eine persönliche Ebene, wurde emotional. Das hatte sie gar nicht gewollt. »Ich wurde bedroht, bei mir zu Hause.«

Aber Bunty hatte kaum zugehört. »Sie waren draußen vor dem Gefängnis. Ganz Glasgow spricht davon. Alle wissen es. Ich stehe da wie ein verdammter Idiot.«

»Aber diese andere Geschichte, das wird ein Riesending, Chef. Als Terry und Kevin in New York waren ... Da gibt es jemanden bei der IRA, McBree.«

»Ich könnte meinen Job verlieren.«

Er redete so laut, dass sie das Gefühl hatte, die Glaswände seines Büro würden beben und im Redaktionsraum draußen wäre es urplötzlich mucksmäuschenstill geworden. Er lief rot an und seine Augen versanken tiefer in ihren Höhlen.

Paddy öffnete den Mund, ihr Gehirn schaltete sich aus und zu ihrem eigenen Erstaunen sagte sie: »Ich habe Ogilvy besucht. Ich arbeite mit ihm.«

»Für mich oder für McVie?«

»Für Sie, Chef, natürlich für Sie.«

Buntys Gesichtshitze kühlte wieder ab und verschwand. Seine Lippen wurden wieder sichtbar. Er blinzelte den Schreibtisch an. Draußen wurden die gewohnten Redaktionsgeräusche vernehmbar.

»Ist er nicht draußen?«

»Ähm, nein.« In der Sekunde, in der sie gesagt hätte, dass Callum nicht mehr in Gewahrsam war, hätte eine Traube von Journalisten vor Seans Haus gestanden. Sie vermutete, dass niemand bei der Gefängnisleitung nachgefragt hatte, und versuchte, sich aus der Affäre zu ziehen. »Nicht, dass ich wüsste.«

»Bringen Sie mir in den nächsten zwei Stunden sechshundert Wörter über Ihren Besuch bei Ogilvy oder Sie sind gefeuert, und ich erzähle jedem Einzelnen aus der Branche, weshalb. Raus.«

»Okay.« Sie stand auf und fragte sich, weshalb zum Teufel, sie das gesagt hatte. Sie hatte ihn sogar Chef genannt. Seit fünf Jahren hatte sie keinen Chefredakteur mehr Chef genannt.

Das Schoßäffchen musste die gesamte Unterhaltung belauscht haben, denn er öffnete ihr die Tür von draußen. Paddy nahm ihre Umschläge und ging hinaus.

Das Schoßäffchen wies sie auf einen freien Arbeitsplatz in der Themenredaktion hin. »Sie können den Schreibtisch dort drüben nutzen.«

Die Kollegen im Raum beobachteten sie, wie sie unsicher zu dem Schreibtisch ging und sich setzte, ihre Umschläge ordentlich aufeinandergestapelt ablegte.

Auch das Schoßäffchen beobachtete sie, weshalb sie zum Computer griff und ihn einschaltete. Der Bildschirm riss grün leuchtend sein Maul auf und wenig später erschien die Benutzeroberfläche.

Sie konnte keinen erfundenen Bericht über einen Besuch bei Callum schreiben. Das war überprüfbar; andere Journalisten würden im Besucherverzeichnis des Gefängnisses nachsehen und entdecken, dass ihr Name nicht drin stand. Wenn sie aber die Wahrheit über seine Freilassung schrieb, würde Sean ihr das niemals verzeihen – sie hatte ihn als Freundin begleitet, nicht als Reporterin. Ich habe auch noch ein Leben außerhalb meines Berufs, ermahnte sie sich: Ich habe ein Leben. Callum war ein lebendes Pulverfass, er wohnte bei Sean, dessen Frau und ihren gemeinsamen Kindern und er wollte nicht, dass über ihn geschrieben wurde. Wenn Callum ihren Namen unter einem Artikel entdeckte, würde er mit Sicherheit Sean die Schuld geben.

Das Schoßäffchen beobachtete sie immer noch und sie rief das Textverarbeitungsprogramm auf.

II

Callum trat aus dem Hauseingang auf die Straße, behielt die Füße gegenüber im Augenwinkel und bog rechts ab, nicht in dieselbe Richtung wie am Vormittag, sondern in die andere. Er widerstand dem Drang, sich nach dem Mann umzudrehen und herauszufinden, ob er ihn beobachtete. Das würde er auch so schnell genug merken.

Er ging weiter, den Kopf hoch erhoben, blieb ganz ruhig, versuchte sich unauffällig zu benehmen, bis er an einer Garageneinfahrt und einer alten Kirche vorbeigekommen war und eine Straßenbiegung erreicht hatte. Erst dort überquerte er die Straße, sodass er sich auf derselben Straßenseite befand wie der Mann.

Callum kannte sich in der Gegend nicht aus, aber er kombinierte messerscharf und umrundete den Häuserblock, suchte nach einem Zugang zu dem Hinterhof mit den überquellenden Mülltonnen. Es war eine Wohnsiedlung aus rotem Sandstein, noch im alten Stil, nicht saniert wie die meisten Gebäude, die er auf der Fahrt hierher gesehen hatte. Schwarzer Ruß lag noch auf den Steinen, die dickste Schicht in den oberen Stockwerken. Im Erdgeschoss kam dort, wo der Regen den Ruß abgewaschen hatte, noch etwas von dem leuchtend roten Stein zum Vorschein. Es war eine Wohnsiedlung wie die, an die er sich noch aus seiner Kindheit erinnerte: schwarz und unfreundlich.

Er fand einen offenen Durchgang und sah hinein. Dort drüben standen die Mülltonnen, dort war auch die Pfütze, an der die Kinder gespielt hatten. Der Mann stand wahrscheinlich in einem der anderen Eingänge und sah auf die Straße. Und er würde sich langweilen, an andere Dinge denken, nicht auf der Hut sein.

Callums Mund war trocken, als er sich flach gegen die Wand presste und in den Hinterhof sah. Grelles Sonnenlicht teilte ihn in zwei Hälften, ließ die Pfütze und die ausgeschlachteten Überreste eines alten Kinderwagens funkeln. Mückenschwärme hingen in der Luft. Es war ein Schultag, aber die Kinder würden bald nach Hause kommen. Elaine hatte die Kleinen im Kinderwagen ausgefahren, war früh losgegangen, weil sie noch ein paar Besorgungen machen wollte, bevor sie zur Schule ging. Sie würde nicht mal mitbekommen, dass er sich aus dem Haus geschlichen hatte, aber er hatte trotzdem nur noch fünfzehn Minuten, danach würden lauter Kinder auf den Hof stürmen.

Er sah zum Haus hinauf. Überall standen die Fenster offen, Küchenfenster. In einem der Fenster sah er die Wasserhähne, ein Wäschegestell an der Decke. Irgendwo dudelte ein Radio eine alte Melodie.

Er ging auf Zehenspitzen, hielt sich im Schatten dicht an der Wand und schlich sich bis zur Haustür.

Dort war er, Rattenschuh, stand fünf Meter von ihm entfernt, an den Eingang gelehnt, legte den Kopf in den Nacken und leerte eine Dose Cola, während er weiter die Straße beobachtete. Callum sah sein eigenes Schlafzimmerfenster, der Vorhang war seitlich ein Stück hochgezogen, dort wo er die ganze Nacht lang die Straße überwacht hatte.

Ein Mann ging auf der anderen Straßenseite vorbei und Rattenschuh verfolgte ihn mit den Augen. Callum streifte sich jeweils mit dem anderen Fuß die Schuhe ab, ließ sie liegen, wo sie hinfielen. Seine bestrumpften Füße nahmen die eisige Kälte des Betons unter sich auf. Der Boden war kalt und feucht. Die Sonne gelangte niemals hier herein.

Er machte einen entschiedenen Schritt vorwärts, um zu testen, wie wachsam der Mann war. Glücklicherweise sah er hinaus auf die helle Straße und Callum kam aus dem Schatten. Er machte einen weiteren Schritt und noch einen, doch noch immer sah Rattenschuh auf die Straße, schüttelte seine Dose Cola, um zu sehen, ob sie leer war, fand aber noch einen kleinen Tropfen und legte wieder den Kopf in den Nacken.

Callum stand nur mehr einen Meter hinter ihm, aber der Mann merkte nichts. Er trug einen Pferdeschwanz und eine Brille, war größer als Callum und seine Kleidung wirkte teuer, eine hübsche, rot karierte Jacke, die er offen über einem ebenfalls roten T-Shirt trug, dazu eine weite Hose und die Rattenschuhe.

Im Gefängnis, dem ersten Gefängnis, in dem er gewesen war, hatte man darauf geachtet, dass es möglichst wenig Gelegenheiten für Streitereien gab. Niemand wurde längere Zeit mit einem anderen alleine gelassen. Alle Zellen waren Einzelzellen, weil die Insassen so jung waren, dass die Behörden nicht riskieren wollten, dass sie sich gegenseitig vergewaltigten, umbrachten oder schwul wurden, er wusste es nicht so genau.

Trotzdem gab es andauernd Prügeleien, die Leute verkrachten sich, lernten Typen aus rivalisierenden Banden kennen. Gestritten wurde so oder so, aber egal was, ob gebrüllte Beschimpfungen oder echte Prügel, es musste sich in Sekundenbruchteilen abspielen. In der Essensschlange wurden blitzschnell Kriege gewonnen. Einmal, als der Bücherwagen vorbeikam, ging sogar einer drauf. Sie hatten Techniken dafür entwickeln müssen. Sie nannten das »einen Blitzkrieg«. Ein blitzschneller Angriff, eine Narbe im Gesicht eines jungen Mannes, eine Vergewaltigung, ein Mord.

Callum nahm beide Hände zusammen, ballte sie zu Fäusten und hob sie über den Kopf des Mannes. Er öffnete den Mund, holte tief und geräuschlos Luft und schlug die Fäuste nieder.

Mit einem blitzschnellen Schlag ließ er sein gesamtes Gewicht auf Steven Currens Schädel prallen. Rattenschuh schwankte erst rückwärts, torkelte dann in den dunklen Hauseingang, knallte mit dem Kopf seitlich gegen die Hauswand und hinterließ dort eine Blutspur, als er zu Boden rutschte.

Callum schob seine Hände unter Stevens Arme und zog ihn ein Stück zurück, damit seine Füße von der Straße aus nicht mehr zu sehen waren. Er griff ihm in die Jacke und nahm seine Brieftasche, nicht weil er es darauf abgesehen hatte, sondern als Vorwand, und zog sich durch den dunklen Gang zurück. Er rannte über den Hof, schnappte seine Schuhe, hielt sich weiterhin im Schatten der Hauswand und machte erst am Ausgang, durch den er hereingekommen war, noch einmal Halt. Dort riss er den Klettverschluss der Brieftasche auf und nahm die Scheine heraus, zwanzig Pfund, ließ alles andere drin und warf sie in den dunklen Gang.

Als er hinaus in die Sonne trat, fühlte er sich erleichtert. Er befingerte die Scheine in seiner Tasche und machte sich auf den Rückweg zu Sean. Er schlich sich durch die Vordertür, die er offen gelassen hatte, wieder herein und nahm erneut auf der Bettkante Platz. Er hob den Vorhang seitlich an, lächelte und schnaufte ein bisschen außer Atem, als er auf die sonnige Straße hinaussah.

Drei Kinder in Schuluniform, die Süßigkeiten aßen, gingen zu dem dunklen Eingang und fanden den Mann. Sie starrten ihn an und stießen ihn mit Füßen, während eines der Kinder auf die andere Straßenseite rannte. Eine Frau kam dazu, etwas später traf die Polizei ein. Steven Curren regte sich und stand auf, hielt sich den Kopf, dort wo er an die Wand geknallt war. Er tastete nach seiner Brieftasche. Hinter Callum im Flur ging die Tür auf und plötzlich war die Wohnung von den Rufen der Kinder erfüllt.

Callum stand auf und versuchte ein Gefühl von Befriedigung zu verspüren. Aber es gelang ihm nicht. Erneut tastete er nach den Scheinen und kam sich blöd vor. Die drei Kinder, die den Mann im Eingang gefunden hatten, taten ihm leid, weil sie das Blut an der Wand hatten sehen müssen.

Er ging hinaus, um seine Familie zu begrüßen.

21

Konversation mit einem Kühlschrank

I

Ein Schatten fiel auf Paddys Schreibtisch und sie blickte auf, erwartete das Schoßäffchen zu sehen.

Die Beamten, die gestern in Kevins Wohnung gewesen waren, standen hinter ihr.

»Miss Meehan, wir müssen Sie bitten mitzukommen.«

»Ach, hallo!« Sie schnellte hoch. »Hallo!«

Sie wirkten verärgert. Der Ältere packte sie am Arm, drückte fester zu, als nötig gewesen wäre, seine Oberlippe kräuselte sich verächtlich, als er sie vom Schreibtisch wegzuziehen versuchte. Instinktiv entriss sie ihm ihren Arm. »Beruhigen Sie sich, ich komme ja mit. Ich freue mich, Sie zu sehen.«

»Ja, klar«, nuschelte der Jüngere sarkastisch und drehte ihr den freien Arm mit übertriebener Gewalt auf den Rücken. Offenbar ging es weniger darum zu verhindern, dass sie wegrannte, die beiden waren einfach nur genervt, weil ihr beim letzten Mal die Flucht gelungen war.

Zwei Männer aus der Sportredaktion traten heran, Gentlemen durch und durch. »Hey, lassen Sie die Dame in Ruhe.«

»Das geht Sie nichts an.« Der Jüngere war sehr wütend

und sie vermutete, dass die beiden eine Standpauke von ihren Vorgesetzten zu hören bekommen hatten, weil sie ihnen entwischt war.

Die Sportreporter waren in der Regel eher gut gelaunt, aber offenbar hatten sie Lust auf einen Streit. Ob sie wollte oder nicht, Paddy gehörte zu ihrer Truppe und wer sie beleidigte, beleidigte alle. Sie knöpften sich jeweils einen Beamten vor und bauten sich vor ihm auf. *»Nimm deine dreckigen Pfoten von ihr.«*

Paddy erhob die Stimme zu einer Lautstärke, die ansonsten Pete vorbehalten war, wenn sie ihn vor Feuer oder heranfahrenden Autos warnte: »HÖRT SOFORT AUF!«

Die wenigen Leute in der Redaktion, die nicht sowieso schon gafften, blieben wie angewurzelt stehen. Bunty erschien in der Tür zu seinem Büro. Eine Aushilfe schaute vom Treppenhaus herein.

»Diese Beamten und ich werden jetzt ohne weitere Zwischenfälle gehen. Hab ich mich DEUTLICH genug ausgedrückt?«

Die Sportredakteure nickten stumm. Die Polizeibeamten waren kurz davor, sich zu entschuldigen. Selbst Bunty machte ein Gesicht, als hätte man ihn beim Äpfelklauen erwischt. Der Mann, der auf ihre wütende Mutterstimme nicht reagierte, musste erst noch geboren werden.

Paddy nahm die Umschläge mit den Ausschnitten und steckte sie in ihre Tasche. Sie stand auf und lächelte den Sportredakteur an. »Danke schön.«

Flankiert von den Polizeibeamten rauschte sie durch den Redaktionsraum zur Tür und kam sich sehr wichtig vor, alle Blicke waren auf sie gerichtet. Unfreiwillig drückten beide Beamte jeweils eine Seite der Flügeltür auf, hielten ihr wie Lakaien die Tür auf. Sie drehte sich noch einmal um und sprach Bunty an.

»Der Artikel kommt ein bisschen später. Tut mir leid.«

Als die Tür hinter ihr zufiel, brach in der Redaktion tosender Applaus aus. Alle mochten Rebellen.

Die Polizisten liefen im Gänsemarsch die Treppe herunter, einer vor ihr, einer hinter ihr. Sie kam sich großartig vor, morgen würde sie auf Seite eins erscheinen.

II

Ihre glamourösen Illusionen ließen sich nur so lange aufrechterhalten, wie sie sich noch innerhalb des Redaktionsgebäudes befanden. Kaum hatten sie es verlassen, packten die beiden Beamten sie am Arm und zerrten sie grob zum Streifenwagen, den sie auf der Bordsteinkante geparkt hatten. Jemand musste unten in der Press Bar angerufen haben, denn ein Fotograf kam herausgerannt, legte eine frische Filmrolle ein und knipste drauflos.

Sie blickte nach oben und entdeckte die gesamte Redaktion an den Bürofenstern, sie winkten ihr zu und grinsten, als wäre sie die Königin auf Stippvisite.

Die Gäste der Press Bar strömten auf die Straße. Journalisten und Redakteure, Fußvolk und Schaulustige reihten sich am Straßenrand auf, mit Biergläsern und Zigaretten in den Händen prosteten und jubelten sie ihr zu.

Sie grinste zurück, doch schlagartig verging ihr das Grinsen, als sie das Gesicht des jungen Mannes entdeckte.

Er wirkte verlegen, wie er da abseits der Menschentraube stand, als hätte man ihn ertappt, er hielt den Kopf gesenkt, anscheinend in der Hoffnung, nicht gesehen zu werden. Seine Jacke war offen, aber sie konnte den schwarzen Kragen sehen, den silbernen Reißverschluss seines Trainingsanzugs und den Kragen seines Celtic-Trikots darunter.

Der Beamte ließ den Motor an und fuhr los, fädelte sich begleitet von weiterem Applaus in den dichten Verkehr ein. Als sie um die Kurve bogen, drehte sie sich noch einmal um und sah, wie der Mann im schwarzen Trainingsanzug in der entgegengesetzten Richtung verschwand.

Paddy räusperte sich und beugte sich vor. »Hatten Sie Ärger, weil ich abgehauen bin?«

»Lehnen Sie sich zurück und legen Sie ihren Gurt an.«

Die Autos auf der Straße machten dem Streifenwagen Platz, bremsten ab, um ihn durchzulassen. Sie beobachtete den Fahrer, der wütend wurde, wenn ihn ein anderer nicht vorbeiließ, leise schimpfte er vor sich hin, der habe wohl Tomaten auf den Augen.

»Sie verhaften mich doch nicht, oder?«

Keine Antwort.

»Wie geht's Kevin? Geht's ihm gut? Wo ist er? Ich habe ihn gesucht und keine Spur von ihm gefunden.«

Sie betrachtete die Hinterköpfe der Beamten, die Schultern. Keiner verzog eine Miene, sie enthielten ihr nichts vor: Sie wussten nicht, wie es Kevin ging.

»Das haben sie euch nicht gesagt, was?«

Im Rückspiegel sah sie, dass der Fahrer die Augen zu Schlitzen verengte. »Halten Sie verdammt noch mal die Klappe«, blaffte er sie an.

Und sie gehorchte.

III

Streifenwagen säumten die Straße vor einem bescheidenen Bürogebäude aus rotem Backstein, das in den Dreißigerjahren erbaut worden war, gerade Linien und große Fenster. Aber die massige Tafel über der Tür stammte aus jüngerer Zeit. In souveränen blauen Buchstaben stand dort: Polizeipräsidium Strathclyde. Insgesamt wirkte das Gebäude nicht sehr freundlich, als wollte es darauf hinweisen, dass hier die ganz wichtigen Jungs zu Hause waren.

Der Fahrer fand eine Parklücke, stieg aus und zupfte seine Uniform zurecht, während er um den Wagen herum an ihre Tür trat. Beide Polizisten sahen zu dem Gebäude hinauf und Paddy fand, sie wirkten eingeschüchtert, zwei Constables von der South Side, die ihre Beute bei unsichtbaren Herren ablieferten. Als sie aussteigen wollte, wurden die Beamten erneut handgreiflich, packten sie zu fest am Ellbogen, taten ihr weh wie gemeine kleine Schulhoftyrannen.

»Sie müssen mich nicht so grob anfassen«, sagte sie, als sie die Tür aufstießen und sie zur Anmeldung brachten.

Ein normales Polizeirevier war das nicht, das konnte Paddy sofort sehen. Der Eingangsbereich wirkte eher wie der einer Firma. Es gab keine Zellen und eigentlich auch sonst keinen Grund, weshalb gewöhnliche Vertreter der allgemeinen Öffentlichkeit hier aufkreuzen sollten, weshalb in der holzgetäfelten Empfangshalle einige Ledersessel in einer Reihe nebeneinanderstanden. Eine hübsche Empfangsdame sah aufmerksam hoch, und die Telefone auf ihrem Schreibtisch waren auch nicht angeschraubt, wie in anderen Polizeidienststellen üblich.

»Ich werde schon nicht wieder abhauen«, sagte Paddy zu dem älteren Beamten, als sie sich setzten.

Er warf ihr einen giftigen Blick zu. »Seien Sie still.«

Der jüngere Beamte, der die Anmeldung übernommen hatte, kam zu ihnen herüber und nahm auf ihrer anderen Seite Platz. Sie würde mit Sean sprechen und ihm sagen müssen, dass man sie vor dem Gefängnis gesehen hatte. Für ihn wäre das nicht so schlimm wie für sie, dachte sie. Er war nur Fahrer bei der *News* und außerdem Callums Cousin. Jemanden zu feuern, weil er einen Familienangehörigen nicht verraten hatte, wäre zu maoistisch, sogar für Buntys Verhältnisse.

Sie sah auf die offene Holztreppe hinauf. Wer auch immer ihr die beiden auf den Hals gehetzt hatte, befand sich dort oben, setzte sich wahrscheinlich gerade über Terry, Kevin oder sie ins Bild. Sie würde mit einer Story über Kevin Hatcher zurückkommen, ihrem Befrager irgendetwas entlocken und es Bunty vorsetzen, um ihn wieder friedlich zu stimmen. Egal, woran Merki arbeitete, er hinkte kilometerweit hinterher.

»Ich glaube, ich werde verfolgt«, sagte sie zu dem kinnlosen Beamten neben ihr. »Von einem kleinen Mann im Trainingsanzug. Ich hätte ja auf Polizei getippt, aber er trägt ein Celtic-Trikot und ich weiß, dass ihr alle Protestanten seid.«

Er hörte nicht zu, sondern sah an ihr vorbei zur Treppe hinauf, sprang auf und zog eine Augenbraue hoch.

Paddy drehte sich in die Richtung, in die er starrte, und sah eine altmodische Frau in einem billigen Kostüm auf sie zukommen und den Beamten kurz zunicken. Während sie

Paddy am Oberarm fasste und hochzog, sagte sie: »Miss Meehan, ich bin DI Sharon Garrett. Würden Sie bitte mitkommen.«

Das war keine Frage.

Paddy betrachtete ihr wie durch Wasser gebrochenes Spiegelbild in der Fahrstuhltür. Garrett und der junge Beamte flankierten sie, der ältere stand hinter ihnen und erlaubte sich ein Lächeln. Sie wirkte sehr klein zwischen den anderen, ihre Klamotten zerknittert. Sie roch den Zigarettenrauch an sich.

Der leere Lift kam und sie stiegen ein, Garrett drückte auf den Knopf für den fünften Stock und die Tür schloss sich.

»Wollen Sie mich über Kevin befragen? Geht's um Kevin oder sind Sie an der Sache mit Terry dran? Ich habe ein Foto von dem Mann, von dem ich erzählt habe.«

Niemand sagte etwas.

»Wie geht es Kevin? Haben Sie seine Prellungen untersucht?«

Garrett verlagerte ihr Gewicht auf den anderen Fuß.

»Ich hab mich gefragt, wieso er sich eine Line legt, wenn er das Koks doch geschluckt hat? Und außerdem fehlten Gegenstände in der Wohnung, Kisten mit Negativen. Haben Ihnen die beiden das schon erzählt?«

Die Tür öffnete sich und gab den Blick auf einen langen, menschenleeren Gang frei. Einzelne Büros gingen davon ab und ganz hinten bohnerte ein Mann in einem blauen Overall mit Hilfe einer summenden Maschine den grünen Linoleumboden. In dem Gang war es sehr still.

Als Garrett sie ans andere Ende führte, konnte Paddy sehen, dass sämtliche Büros leer waren. Durch die Fenster zum Gang sah man in düstere Räume hinein und direkt auf die äußere Fensterreihe zur Straße. Sie gingen an der Reinigungskraft vorbei, stiegen über das Netzkabel der Bohnermaschine und betraten ein ungenutztes Büro. Die Regale waren leer, ebenso der Schreibtisch. Irgendwann musste mal jemand hier gearbeitet haben. Blass zeichneten sich rechteckige Flächen an den Wänden ab, wo einst Plakate und Tabellen gehangen hatten. Es roch staubig.

Garrett wies Paddy an, sich zu setzen, stellte sich hinter sie und schloss beide Jalousien zum Gang hin, womit sich das ohnehin schon unheimliche Büro weiter verdüsterte. Dann setzte sie sich an den Schreibtisch ihr gegenüber, ließ die beiden Beamten an der Tür stehen und zuckte alle zehn Sekunden mit den Augen.

Draußen im Flur stieß die Bohnermaschine sanft gegen eine Fußleiste, das Summen wurde einen Takt lang unterbrochen und setzte anschließend seine Reise über den Boden fort.

Paddy war früher schon von der Polizei befragt worden, aber das hier kam ihr nicht wie eine Vernehmung vor. Eher wirkte es wie ein Hinterhalt.

»Verzeihung« – der Holzstuhl knarrte unter ihr, als sie sich vorbeugte – »wer sind Sie nochmal?«

»DI Garrett.«

»Und Sie sind Polizistin?«

»Polizeibeamtin.«

»Aber Polizistin sind Sie doch trotzdem, oder? Tut mir leid. Ich dachte der Rock, wissen Sie …« Garrett blinzelte weiter. »Ihnen ist also ›Beamtin‹ lieber?«

»Das ist die übliche Bezeichnung.«

»Aber welche ist Ihnen lieber?«

»Die übliche.« Keinerlei Gefühlsregung seitens Garrett. Es war, als würde man sich mit einem Kühlschrank unterhalten. In der Personalabteilung käme bestimmt niemand auf die Idee, Garrett bei der Familienfürsorge einzusetzen.

»Hm«, Paddy lehnte sich zurück. »Ein leeres Büro, abseits von allem und dann müssen wir warten. Wir warten doch, oder? Wir warten auf jemanden. Auf jemanden, der mehr zu sagen hat als Sie.«

Garrett war nicht unattraktiv, aber sie hatte sich Mühe gegeben, so wenig wie möglich aus sich zu machen: Ihre Schulterpolster betonten ihre kantige Statur, der Rock passte nicht und die Frisur wirkte wie ein Helm, da konnten die blonden Strähnchen auch nichts mehr retten. Auf Make-up hatte sie gleich ganz verzichtet.

»Miss Meehan, weshalb waren Sie gestern Morgen in der Wohnung von Kevin Hatcher?«

Paddy sagte die Wahrheit, war sich darüber bewusst, dass das stickige Büro vom Rest des Reviers völlig isoliert war; draußen im Gang kam niemand vorbei und auch das Klingeln des Aufzugs war hier hinten nicht mehr zu hören.

Garrett stellte sinnlose Fragen, deren Antworten sie bereits kannte. Sie wollte mehr über den Iren wissen, von dem Paddy behauptete, er sei bei ihr zu Hause aufgetaucht, und sie ließ sich den Mann beschreiben, der gestern vor der Schule ihres Sohnes aufgetaucht war. Sie schien Paddy keine Informationen entlocken, sondern sie ablenken zu wollen.

Dazu aufgefordert wiederholte Paddy alle Einzelheiten über ihren Besuch bei Kevin am Sonntagabend und wie sie ihn später gefunden hatte, wurde aber unterbrochen, sobald sie den Libanon oder die IRA erwähnte. Offenbar wollte Garrett nicht über das fehlende Foto aus der Mappe sprechen, weshalb Paddy zunächst darauf drängte, dann die Fragen aber nur noch beiläufig beantwortete und das Thema auf den Iren lenkte und genau beobachtete, wie Garrett reagierte, als sie seinen Namen erwähnte. McBree. Der Name bewirkte, dass sie mit ihrem Augenzucken vorübergehend aus dem Takt geriet. »Gestern Morgen gingen Sie also davon aus, dass Kevin Hatcher …«

»Würde ein Polizeibeamter ein Celtic-Trikot tragen?«, unterbrach Paddy sie.

»Beantworten Sie einfach nur meine Frage …«

»McBree ist ein wichtiger Mann in der IRA, steht in der Hierarchie sehr weit oben. Er wird international gesucht. Wieso interessieren Sie sich dafür nicht?«

Niemand sagte etwas.

»Ich stamme aus einer irischen Familie und meine Mum glaubt, dass man von der Polizei schon verhaftet wird, wenn man eine Kartoffel im Schrank hat. Wieso kann ich kein Interesse für diesen Mann bei Ihnen wecken? Wenn ich Ihnen erzählen würde, es sei einer von den Guildford Four, würden Sie's denen auch noch anhängen, oder was? Ein hohes Tier der IRA ist in der Stadt und das interessiert Sie nicht? Warum nicht, weil Sie's bereits wissen?«

Bevor Garrett Gelegenheit bekam, die Antwort zu verweigern, öffnete sich die Tür hinter den Beamten und Garrett richtete sich auf. Ihre Miene strahlte plötzlich Wärme aus. »Guten Tag, Sir.«

Knox stand breitschultrig und mit verkniffenem Gesichtsausdruck im Türrahmen, bereit, seine Macht spielen zu lassen. Er wandte sich an die Beamten hinter sich. »Warten Sie im Gang.«

Paddy bekam einen plötzlichen Schweißausbruch und stand auf. »Ich gehe.«

Er lächelte ruhig. »Sie können nicht gehen.«

»Ich bin nicht verhaftet.«

»Ich will mit Ihnen reden.«

Knox schloss langsam die Tür, lauschte auf das sichere Klicken des Schließmechanismus und wandte sich wieder um. Als er zu Garretts Stuhl hinüberschlenderte, machte sie ihm Platz und stellte sich dienstbeflissen daneben. Er setzte sich, sah aus dem Fenster, dann wieder zu ihr, demonstrierte völlig übertrieben Sorglosigkeit.

Paddy nahm eine Zigarette aus der Packung, zündete sie an und blies ihm Rauch ins Gesicht.

»Niemand wird Ihnen glauben«, sagte er kalt.

»Dass Sie mich in diesen verlassenen Gebäudetrakt gebracht haben, um mir zu drohen?«

Seine Augen flatterten Richtung Garrett. »Wegen Hewitt«, sagte er gelassen.

Paddy schlug die Beine übereinander. »Der Mord an Terry.«

»Die Beamten haben mir erzählt, was Sie heute Morgen gesagt haben. Sie irren sich. Die IRA hat die Verantwortung nicht übernommen. Die Tatwaffe wurde gefunden und der Fall mit einem Drogenmord in Easterhouse aus dem vergangenen Jahr in Verbindung gebracht. Wir können beweisen, dass die IRA nichts damit zu tun hat.«

Sie zog noch einmal an ihrer Zigarette, hörte, wie das Summen der Bohnermaschine verhallte. Jemand hatte den Stecker gezogen. Der Aufzug klingelte und hinter der Putzkraft schlossen sich die Türen. Jetzt waren sie alleine in dem Stockwerk.

»Warum bin ich hier?«

Das letzte bisschen Farbe wich aus Knox' Gesicht. Er reckte den Hals nach ihr, seine Haut war derart gespannt, dass sie seinen hämmernden Herzschlag darunter sehen konnte. »Sie sind hier, weil Sie gestern abgehauen sind. Sie hätten der Aufforderung der Beamten Folge leisten und gleich mitkommen sollen. Polizeibeamte werden misstrauisch, wenn jemand flieht, dem sie ein paar Fragen stellen möchten.«

»Wenn das so eine große Sache war, wieso kam dann gestern Abend niemand zu mir nach Hause? Sie wissen doch, wo ich wohne. Samstagabend hat mich die Polizei mühelos gefunden. Und abgesehen davon, wo ist Kevin? Ich habe gestern bei allen vier Notaufnahmekrankenhäusern angerufen, und er ist nirgendwo als Patient gemeldet.«

»Kevin Hatcher ist tot.«

Er beobachtete ihr Gesicht, interessierte sich völlig emotionslos für ihre Reaktion auf die Todesnachricht.

»Wann? Wann ist er gestorben?«

Knox räusperte sich, nickte Garrett zu. Sie trat vor und sprach mit sanfterer Stimme als zuvor. »Kevin war bereits bei seiner Ankunft im Krankenhaus tot. Tote werden bei der Anmeldung anders behandelt, vielleicht konnten Sie ihn deshalb nicht finden.«

»Nein, werden sie nicht. Ich habe sechs Monate lang die Reporterwagenschicht übernommen. Ich habe jede Nacht einmal, manchmal zweimal die Krankenhausrunde gemacht. Tot Eingelieferte werden in demselben Buch registriert wie Unfallopfer.«

Knox' Gesicht blieb regungslos, doch während er sie belustigt betrachtete, wurde sein Blick weicher. So mächtig sind wir, wollte er sagen; wir können einen Mann verschwinden lassen. Ich könnte Sie verschwinden lassen.

Er erwartete, dass sie ihn anschrie und sinnlose Drohungen gegen ihn ausstieß, aber Knox war wie Donaldson abgehärtet und ihre Drohungen würden wirkungslos verhallen. Stattdessen tat sie etwas, mit dem er nicht umzugehen wusste: Sie schlug die Hände vors Gesicht und tat, als würde sie weinen, murmelte leise etwas über den armen Kevin. Sie schauspielerte nur und als ihr Gesicht schön feucht war, sah sie zu Garrett auf, die gleich zweimal hintereinander mit den Augen zuckte, was bei ihr einer echten Gefühlsaufwallung gleichkam.

Knox war das Lächeln wie ins Gesicht getackert. Er rieb mit den Fingerspitzen auf der Tischplatte herum und versuchte einen kleinen Fleck zu entfernen.

Paddy zog zitternd an ihrer Zigarette. »McBree. Er hat beide getötet.«

Knox schüttelte den Kopf. »Nein.«

»Woher wollen Sie das wissen?«

»Es gibt keine Verbindung zwischen den beiden Fällen. Der eine wurde erschossen, der andere erlitt einen Schlaganfall, der eine wurde draußen ermordet, der andere verunglückte in seiner Wohnung. Keiner der beiden Männer war in politische Geschehnisse verwickelt.«

»Weshalb sollte Kevin eine Line Kokain legen, wenn er gerade schon so viel geschluckt hatte, dass es für einen Schlaganfall reichte? Das ist, als würde man ein Glas Whisky neben jemandem finden, der sich gerade mit Wodka zu Tode gesoffen hat, verdammt noch mal.«

Knox stand ruhig auf und ging zur Tür. Das Verhör war beendet, obwohl sie nicht verstand, was es ihm gebracht haben sollte. Auch sie stand auf. »Sie weigern sich also kategorisch, gegen McBree zu ermitteln?«

Er rollte den Kopf in den Nacken und wandte sich noch einmal zu ihr um.

»Den Abend vor Hewitts Tod haben beide zusammen im Casino verbracht. Casinos werden von seltsamen Menschen besucht. Wir haben mehrere der an jenem Abend anwesenden Personen befragt.«

»Aber McBree nicht?«

»Wenn Sie sich festgebissen haben, lassen Sie nicht mehr locker, was?«

Sie wollte spöttisch lachen, aber es klang wie hysterisches Schluchzen. »Haben Sie Angst, ich könnte die IRA in Verruf bringen?«

»Wir fürchten nur, dass Sie unnötig Unruhe verbreiten, Meehan.«

Paddy drückte ihre Zigarette auf dem Tisch aus, nahm ihre Tasche und rauschte an Knox vorbei zur Tür. Als sie diese öffnete, drehten sich die beiden Beamten draußen um, sahen in Erwartung weiterer Anweisungen in den Raum hinein. Offenbar wurde drinnen genickt, denn sie ließen sie gehen. Paddy schob sich unsanft zwischen ihnen hindurch.

Sie hatte keine Lust, auf den Aufzug zu warten, und entdeckte die Tür zum Treppenhaus, rannte drei Stockwerke, ohne Luft zu holen, herunter. Als sie sicher war, dass sie nicht hinter ihr her kamen, blieb sie stehen, lehnte sich an die Wand und erlaubte sich, richtig zu weinen.

Ihre Gefühle für Terry waren kompliziert. Er hatte ihr

Angst gemacht, ihr nachgestellt und tief im Innern wusste sie, dass ihr Leben ohne ihn einfacher sein würde. Aber Kevin Hatcher? Kevin war einfach nur ein netter Mann gewesen.

22

Die Mappe des Texaners

I

Blythswood Square war eine kurze, steile Straße, die vom Polizeipräsidium wegführte, und Paddy machte sich in dieser Richtung auf, überlegte sich, unter welchem Vorwand sie Fitzpatrick in seinem Büro aufsuchen und einen Streit mit ihm vom Zaun brechen könnte. Sie stampfte die Ansteigung hinauf, ihr Gesicht noch immer aufgequollen und rot, weil sie geweint hatte. Oben kam sie wieder zu Atem und ihr wurde klar, dass sie einfach nur einen Schwächeren zum Streiten suchte. Sie konnte nicht in die Redaktion zurück, Bunty würde sie dazu verdonnern, den Artikel über Callum zu schreiben. Sie fand eine Bank auf dem Platz und sah den Hügel hinunter auf die hintereinandergeparkten Streifenwagen.

Sie konnte einen Artikel über Kevins Tod schreiben und ihn per Telefon durchgeben. Wenn sie über etwas schrieb, gelang es ihr meist, Distanz und Ruhe zu gewinnen. Aber die Redakteure würden den Artikel nicht annehmen, wenn sie keine knallharten Fakten zu bieten hätte: Sie wusste nicht, bei welchem Krankenhaus sie sich seinen Tod bestätigen lassen konnte, und noch nicht mal, woran er gestorben war.

Kevin war tot, Terry war tot und die Strathclyde Police Force interessierte sich nicht die Bohne dafür, dass McBree offensichtlich in beide Fälle verwickelt war.

Sie nahm eine Zigarette heraus und zündete sie an, ihre Kehle schnürte sich vor Ekel zu, als sie einzuatmen versuchte. Sie biss die Zähne zusammen. Das Nikotin gab ihr ein Gefühl von Distanz, Ruhe und Zufriedenheit. Sie lehnte sich auf der Holzbank zurück, die Wärme der Latten drang ihr in den Rücken, während sie daran dachte, dass Pater Andrew in letzter Zeit großen Wert darauf gelegt hatte, ihr sonntags nach dem Gottesdienst die Hand zu schütteln, und Mary Ann am Küchentisch geweint hatte.

Angewidert warf sie die Zigarette in den Rinnstein.

II

Die unscheinbare Empfangsdame wickelte ihren Finger um ihre Halskette und hätte sich fast mit den Perlen erdrosselt, als sich Paddy über ihren Schreibtisch beugte und die ordentlich neben dem Telefon aufgereihten Bleistifte durcheinanderbrachte.

»Er ist nun mal sehr beschäftigt, müssen Sie wissen.« Sie warf einen Blick auf Fitzpatricks Bürotür.

»Hören Sie gut zu«, sagte Paddy. »Ich möchte, dass Sie da reingehen und ihm sagen, dass ich ihn bei der Anwaltskammer anzeigen werde, wenn er mich nicht sofort empfängt.«

III

Eigentlich war sie längst zu alt, um noch in öffentlichen Gebäuden auf Treppenstufen zu sitzen, aber Fragen der Schicklichkeit waren ihr heute egal. Die Bürotüren zum Treppenhaus standen offen, damit die Luft besser zirkulieren konnte. Das gedämpfte Klappern der elektrischen Schreibmaschinen und entferntes Geplauder drangen zu ihr hinauf und die weiche braune Mappe lag auf ihren Knien. In seiner Handschrift, groß und deutlich, stand ihr Name in sorgfältig gezeichneten Großbuchstaben darauf, sodass ihn jeder Fremde hätte lesen können.

Sie strich darüber. Auf dem Deckblatt hatte sich in einer der unteren Ecken ein Fettfleck ausgebreitet. Fitzpatrick hatte erklärt, Terry habe ihm die Mappe zur Verwahrung gegeben, als er vor einem Jahr aus Glasgow zurückgekommen und anschließend nach New York weitergereist war. Bevor das alles passierte und wahrscheinlich sogar noch bevor er sich überhaupt wieder mit Kevin angefreundet hatte.

Sie schlug die Mappe auf.

Terry hatte seinen Begleitbrief in Steno geschrieben. Sie seufzte. Alle fingen mit denselben Kürzeln aus dem Lehrbuch an, aber im Laufe des Lebens entwickelten sich die Zeichen zur Geheimsprache, die kein anderer entziffern konnte. Paddy konnte ihre eigenen Stenozeichen kaum noch deuten. Sie sah sich das Blatt genauer an. Es war einwandfrei lesbar: Terry musste extra im Lehrbuch nachgeschlagen haben, bevor er den Brief geschrieben hatte.

P,

hier sind ein paar Aufzeichnungen für dich. Material,
das einen deiner ganz speziellen Freunde betrifft. War
nicht einfach zu bekommen, hat mich einige Stangen
Marlboro und mehrere Flaschen Wodka gekostet.
Jetzt kannst du endlich Gerechtigkeit walten lassen.

Sie dachte zuerst, er habe mit »Texaner« unterschrieben, aber auf den zweiten Blick sah sie, dass es sich bei dem Zeichen hinter dem T nicht um Kurzschrift, sondern um ein Kreuz handelte, das für ein Küsschen stand.

In einem ordentlichen Stapel darunter lag eine Rechnung über zwei Flugtickets nach Berlin Tempelhof aus dem Jahr 1965. Auf einem grauen maschinengeschriebenen Blatt dahinter fand sich ein Beleg der britischen Botschaft in Westberlin aus demselben Jahr, der die Ankunft des Gefangenen 2108 bestätigte. Ein fotokopierter Bericht über ein Treffen zwischen dem für die Ermittlungen im Fall Meehan zuständigen Detective Chief Inspector und einem Informanten namens Hamish, dessen Name stets in Anführungszeichen gesetzt war, steckte zwischen vergilbten Zeitungsartikeln über Meehans Gerichtsverhandlung. Der Bericht war vage gehalten, nahm Bezug auf bereits abgeschlossene und noch laufende Maßnahmen im Fall PM, Gefahren für die nationale Sicherheit, Einzelheiten über die Moskauer Einrichtungen, in denen PM festgehalten wurde, und enthielt von PM selbst verfasste Aussagen. Sie verstand jede Abkürzung, erkannte jedes Datum und jeden Ort. Sie wusste, was das alles zu bedeuten hatte.

Terry musste Jahre gebraucht haben, um das Beweismaterial für sie zu sammeln, und Gott allein wusste, welche zwielichtigen Figuren er dafür hatte bestechen müssen. Patrick Meehan hatte fast drei Jahrzehnte lang beharrlich behauptet, Opfer einer Verschwörung der Geheimdienste zu sein, auf deren Geheiß hin die Strathclyde Police Beweise fingiert hatte, um ihn des Mordes zu überführen. Ihr war nie auch nur der Hauch eines Beweises untergekommen. Jetzt hatte sie, was sie brauchte.

Sie hatte Terry erzählt, was ihr die Geschichte bedeutete, und dass sie Meehans Marsch durch die Instanzen seit ihrem achten Lebensjahr verfolgt hatte, von einem Zeitpunkt an, zu dem sie noch gar nicht wusste, was ein Gericht war. Wegen ihm hatte sie Journalistin werden wollen, denn ein Journalist hatte die Kampagne zu seiner Freilassung angeführt und hatte letztlich Erfolg damit gehabt. Immer wieder hatte sie Parallelen zwischen ihm und sich gesehen.

Noch nie hatte jemand etwas so Aufwändiges und Durchdachtes für sie getan.

Paddy klappte die Mappe zu, legte die flache Hand darauf und glaubte zu spüren, wie das dicke poröse Papier die Feuchtigkeit aufsaugte.

Mit Tränen in den Augen hob sie sie an ihr Gesicht und drückte einen Kuss darauf.

IV

Als sie auf der obersten Treppenstufe stand und in den grellen Tag blinzelte, tauchte auf dem Bürgersteig vor ihr plötzlich eine kleine Gestalt auf. Merki.

»Oh«, grinste er dreist, »an dich habe ich gerade gedacht.«

»Was machst du hier?«

Er trug ein braunes Hemd mit passender Krawatte, der obere Hemdknopf war wegen der Hitze geöffnet und der dicke Krawattenknoten hing schief. Er steckte den Finger darunter und lockerte ihn. »Füße vertreten, was sonst? Die Bullen haben dich also freigelassen?«

Sie nickten einander zu.

»Nochmal wegen der Tatwaffe, Merki: Wer ist dein Informant?«

»Ein guter Journalist schützt seine Quellen.«

Sie verschränkte die Arme. »Die Strathclyde Police hat mich gerade verwarnt, weil ich behauptet habe, die IRA sei es gewesen.«

Merki dachte einen Augenblick nach. »Das bedeutet aber noch lange nicht, dass es die IRA war, oder? Vielleicht machen die sich Sorgen. So eine Story kann Unruhe auslösen.«

Genau das hatte Knox gesagt, wortwörtlich.

»Du bist ein Idiot. Lässt dich benutzen wie ein Idiot. Wenn du kein Idiot wärst, dann hättest du nicht deinen Namen daruntergesetzt.«

Er blaffte drauflos: »Was zum Teufel weißt du schon, Meehan? Du bist Kolumnistin. ›Ich sehe gerne fern‹, das ist die Scheiße, die du schreibst. Du würdest nicht wissen, was eine Nachrichtenmeldung ist, wenn du eine vor der Nase hättest.«

»Es war Knox, stimmt's?« Aber er sprang nicht auf den Namen an. »Garrett?« Er zuckte zusammen, wich einen Schritt zurück und schüttelte den Kopf.

»Was hast du heute Morgen getippt, Merki?«

»Ach, das?« Er grinste die leere Straße hinunter. »Das

war ein Fanbrief. Für dich. Ich finde dich nämlich wahnsinnig brillant.«

»Und ich finde, dass du unheimlich gut aussiehst«, konterte sie zynisch.

Vor Überraschung und Betroffenheit blieb ihm der Mund offen stehen. Er war ein kleiner schielender Mann, sein Schädel war seltsam geformt, sein Körper stämmig und seine Beinchen klapperdürr. Dafür konnte er aber nichts. Sie war zu weit gegangen. Sie ging immer zu weit. Sie murmelte: »Tut mir leid« und schüttelte den Kopf. »War ein anstrengender Vormittag.«

Er sah sie von der Seite an. »Du bist fett«, sagte er gereizt.

»Stimmt. Ich bin fett, Merki, tut mir leid.«

Immer noch stinksauer nickte er zustimmend, als hätte ihr Eingeständnis für eine Pattsituation gesorgt. »So ein Pech, was?«

Sie hätte ihm erklären können, dass sie nur deshalb dick war, weil sie zu viel aß, während er bereits als hässlicher Gnom auf die Welt gekommen war, aber sie bezweifelte, dass ihr das helfen würde. »Hast du einen Termin bei dem Wunderkind da oben?«, fragte sie.

»War schon da. Hab mir nur noch ein Sandwich geholt, aber mein Wagen steht hier.« Er klopfte auf das Notizbuch in seiner Tasche. »Hab tolle Infos bekommen.«

Sie konkurrierten bei dieser Geschichte. Egal, was er ihr über das Gespräch mit Fitzpatrick erzählen würde, das Gegenteil entspräche der Wahrheit und das wussten beide. Hätte er sich länger vorbereiten können, wäre er noch mal ins Büro gefahren und hätte dort verlauten lassen, dass er dem Anwalt nichts hatte entlocken können, nur um effektvoller zu bluffen.

»Gut gemacht«, sagte sie und sie lächelten einander an.

Er drehte sich um und ging auf einen kleinen blauen Nissan mit eingedellter Fahrertür und verkratzter Motorhaube zu. »Hast du das Haus schon gesehen, das er dir vermacht hat?«

»Spinner.«

»Willst du mitkommen?«

Ins Büro konnte sie nicht, Pete war in der Schule und wenn sie sich eine Weile an Merki hängte, bekäme sie vielleicht heraus, was er am Vormittag geschrieben hatte. »Darf ich in deinem Wagen rauchen?«

»Klar.«

Sie zuckte mit den Schultern. »Na gut.«

23

Das Haus

Die Fahrt dauerte nicht lange, aber sie war schrecklich. An mehreren Straßenbiegungen lagen welke Blumensträuße, die Unfallorte markierten, an denen Menschen gestorben waren. Merki ließ sich Zeit und tuckerte mit sechzig die Straße entlang, nur auf geraden Abschnitten beschleunigte er auf achtzig. Hinter ihm staute sich der Verkehr. Fahrer, die die Strecke kannten, bildeten wütend eine Kolonne hinter ihnen. Sie versuchten, Merki zu zwingen, schneller zu fahren. Er blieb ruhig, beobachtete sie im Spiegel und fuhr so weit wie möglich seitlich an den Rand, damit sie überholen konnten. Ihre aggressiven Gesten erwiderte er mit beschwichtigend erhobener Hand und der Ermahnung: »Reg dich ab, Alter.«

Sie bogen um eine besonders scharfe Kurve und plötzlich lagen die sanften Hügel Ayrshires vor ihnen, bedeckt von saftig grünem Gras. Wohlgenährte Kühe sprenkelten die Hügel in der Ferne. Die Straße wurde zweispurig und so konnten sie unbehelligt auf der langsamen Spur bleiben, während die gereizten Einheimischen vorbeirasten, ihnen wahlweise einen einzelnen Finger entgegenstreckten oder gestisch die Vermutung äußerten, sie hätten eine Schraube locker. Merki lächelte unbeeindruckt und winkte zurück.

Was den Artikel über Terry betraf, so rückte Merki mit

nichts heraus. Sie fragte ihn, wie er von Eriskay House erfahren habe, und er erwiderte, die Sekretärin habe ihm davon erzählt, ebenso wie von der Mappe und Wendy Hewitt, aber sie wusste, dass er nicht die Wahrheit sagte, dafür war er viel zu sehr Profi. Wahrscheinlich hatte Fitzpatrick es ihm erzählt. Vielleicht war es ja ein großes, elegantes Haus, meinte er, um ihretwillen hoffnungsfroh. Klang ja fast so, oder? »Eriskay House« hatte etwas Hochherrschaftliches.

Einen Augenblick lang stellte sie sich vor, es sei ein säulengeschmücktes Landgut, doch die einzigen Häuser dieser Art, die sie sich auszumalen vermochte, waren die aus *Vom Winde verweht* und eine weiße Plantagenvilla schien ihr selbst im reichen, ländlichen Ayrshire unwahrscheinlich. Doch egal, was es war, sie wollte sich an den Gedanken, ein eigenes Haus zu besitzen, nicht zu sehr gewöhnen. Eigentlich hatte sie keinen Anspruch auf das Haus der Familie, wenn noch ein Familienmitglied lebte. Terry hätte es seiner Cousine hinterlassen müssen. Die Mappe war genug. Ihre Hand stahl sich zu ihrer Tasche und strich über den Rand. Terry hatte sie besser gekannt als die allermeisten. Er hatte sie schon gekannt, als sie noch nicht lügen gelernt und einen Schutzwall um sich herum errichtet hatte.

Die beiden Spuren verengten sich erneut zu einer einzigen und die Straße schlängelte sich nun gefährlich zwischen zwei Hügeln hindurch.

Plötzlich rief Merki »Da!«, riss abrupt das Lenkrad nach links und bog von der Landstraße in eine Schotterstraße ein, die an den Seiten von hüfthohem Gras und Büschen überwuchert wurde. Nach einigen Metern kamen sie an eine kleine Schneise und hielten. Merki schaltete den Motor aus. Das Gras sei zu dicht, um weiterzufahren, behauptete er; sie wollten schließlich nicht stecken bleiben.

Scarlett O'Hara hätte nicht mal von einem Sklaven verlangt, hier zu leben. Das Haus war ein kleines Highland Cottage, einstöckig mit tiefen, kleinen Fenstern und einer niedrigen Eingangstür unter einem schweren Türsturz. Gestrüpp und Gras waren an den Wänden so hoch gewachsen, dass es aussah, als wollten sie das Gebäude stützen. Das Dach war auf einer Seite eingefallen und vorne hing eine Regenrinne herunter. Vor allem aber fiel der riesengroße Riss ins Auge, der sich von der Ecke der Haustür bis zum Dach hinzog, als könnte das Gebäude jeden Moment wie ein Osterei zerbrechen.

Sie stiegen aus. Paddy blieb angesichts des Zustands des Hauses fassungslos am Wagen stehen, während Merki vorsichtig durch das lange Gras stapfte und durch die Fenster sah.

»Da steht ein Klavier drin«, sagte er und drehte sich zu ihr um. »Komm und sieh es dir an.«

Sie wünschte, sie wäre nicht mitgekommen. Es war zu deprimierend. Das Haus der Familie war völlig verfallen, weil sich zehn Jahre lang niemand darum gekümmert hatte. Dabei musste es früher wunderhübsch gewesen sein und so weit außerhalb lag es gar nicht. Terry hatte immer einen Wagen besessen, er hätte ebenso gut auch hier wohnen können. Es ergab keinen Sinn, dass er schmutzige, möblierte Zimmer vorgezogen hatte, obwohl ihm keine fünfzehn Minuten entfernt dieses Haus gehörte.

»Komm und sieh's dir an.«

Merki wollte wissen, wie sie reagierte. Als sie durch die Fensterscheibe spähte, beobachtete er sie so genau, dass sie sich fragte, ob er wohl vorhatte, darüber zu schreiben. »Verzieh dich«, sagte sie, woraufhin er sich diskret abwandte, so als stünden sie nebeneinander an der Pissrinne im Männerklo.

Das Fensterbrett war mindestens fünfzehn Zentimeter breit. Sie wischte die dicke Staubschicht von der Scheibe und sah hinein. Die Fensterläden waren offen und das Zimmer war niedrig und klein. Ein Klavier stand leicht schief an der gegenüberliegenden Wand, der Boden sank in die Erde darunter ein. Alte Cottages hatten kein Fundament – sie waren direkt auf den Grund gebaut, das Gewicht der Wände hielt sie aufrecht –, aber das bedeutete, dass sich die Feuchtigkeit überall ausbreitete, wenn nicht geheizt wurde, und dieses Haus war lange kalt geblieben. Der Teppichboden wirkte verzogen und auf der Wand gegenüber war in Kopfhöhe eine Gezeitenmarke zu sehen. Die Tapete war verblichen und schälte sich in den Ecken von den Wänden. Rosa Blumenmuster.

Merki stand neben ihr. »Was hältst du davon?«

Sie trat einen Schritt zurück und sah ihn an. »Willst du darüber schreiben?«

»Vielleicht.« Wäre es wahr gewesen, hätte er es abgestritten.

Sie sah ihn nachdenklich an. »Merki, wieso sind wir hier?«

Er zuckte mit den Schultern, sah weg und zuckte noch einmal. »Weiß nicht. Hintergrundrecherche?«

Er hatte etwas vor. Auf jeden Fall. Er markierte den Unschuldigen, aber er hatte unterwegs ständig auf die Uhr gesehen und nun machte sich ein selbstzufriedenes Grinsen in seinen Mundwinkeln bemerkbar. Er wusste nichts von Kevin, sonst hätte er ihn erwähnt. Die Archiv-Artikel über McBree und Donaldson in ihrer Tasche fielen ihr wieder ein, und dass diese seit Monaten niemand mehr angesehen hatte, wie die Stempel darauf verrieten. Merki wusste also auch nichts von McBree. Andererseits wusste sie selbst kaum etwas über ihn.

»Komm, wir sehen uns mal um«, sagte sie.

Hintereinander stapften sie durch das feuchte Gras. Hinten befand sich ein lang gestreckter Garten, der nach zehn Jahren ohne Pflege im Unkraut erstickte. Die angrenzende Straße lag hinter hohen Bäumen verborgen, doch man hörte die vorbeifahrenden Wagen und Laster. Am entferntesten Ende befand sich der Obstgarten, unter dem sich seine Eltern hatten fotografieren lassen. Winzige Äpfelchen wuchsen daran, so groß wie Kirschen, und dichtes dunkelgrünes Efeu überwucherte die Stämme und auch einige der Äste. Sie konnte nicht erkennen, unter welchem Baum sie genau gestanden hatten, aber sie war sicher, dass es hier gewesen war. Ein Einzelkind musste sich an diesem Ort ziemlich einsam gefühlt haben.

Die Küche war karg und einfach, Staub und Mäusedreck bedeckten den Tisch. Ein Pappkarton stand auf einer Kommode, vergammelte in der Feuchtigkeit. Mäuse hatten ihn durchlöchert und sich ein Zuhause darin gebaut. Einen Herd schien es nicht zu geben. Das Haus lag draußen auf dem Land und war keine Sozialwohnung, aber es war sehr bescheiden. Sie hatte immer angenommen, Terry käme aus einer reichen Familie, aber das unterstellte sie jedem, weil sie selbst aus armen Verhältnissen stammte.

Sie trat zurück und sah, dass Merki durch einen weiteren

Riss im Mauerwerk blickte, der über dem Küchenfenster begann.

»Komm, wir fahren wieder.«

Aber Merki zögerte. Er trat an die Hintertür und wischte den Schmutz vom Schlüsselloch. »Das krieg ich auf. Willst du rein?«

»Nein.«

»Schon gut, musst ja nicht«, sagte er und zog einen Ring mit Dietrichen aus der Tasche.

»Merki, das bringt's nicht, außer Mäusen gibt's da drin nichts zu sehen.«

Er hielt inne, sah auf die Uhr, rechnete im Kopf etwas aus und nickte. »Ja, na gut.«

Mit gesenktem Kopf ging er ihr voraus zum Wagen zurück.

Als sie drinsaßen, zündete sie sich eine Zigarette an und hielt ihm ebenfalls eine hin, doch er lehnte ab. »Wieso siehst du andauernd auf die Uhr?«

Er zuckte mit den Schultern und warf anschließend einen Arm über die Sitzlehne, um rückwärts aus der Ausfahrt herauszufahren. Er versuchte in derselben Spur herauszufahren, die er ins Gras gewalzt hatte.

»Wartest du auf was? Hätten wir hier jemanden treffen sollen?«

Er hielt an, spähte auf die vorbeirasenden Fahrzeuge auf der Straße hinaus. Nur einen Meter vor ihnen fuhren die Autos so schnell vorbei, dass sie die Gesichter der Fahrer nicht erkennen konnten. Ein Laster raste aus Glasgow kommend in die nicht einsehbare, scharfe Kurve und polterte auf sie zu. In letzter Sekunde korrigierte er die Richtung und verfehlte Merkis Motorhaube dadurch nur knapp.

»Ich würde ja gerne wieder zurück, aber die lassen uns nicht …« Er fuhr noch ein paar Zentimeter dichter an den Asphalt heran. »Man muss einfach fahren … denke ich.«

Es war beängstigend: Merki schoss blitzartig vorwärts, genau in dem Moment, in dem ein Range Rover mit achtzig um die Kurve raste. Merkis Nissan hatte keine Kraft und es gelang ihm nicht, genug Gas zu geben, um nicht die Fahrbahn zu blockieren. Der Range Rover hing direkt hinter ihnen, Bremsen quietschten und Fernlicht blitzte im Rückspiegel auf.

Das war der Moment, in dem Paddy von blankem Entsetzen ergriffen kapierte, weshalb Terry Hewitt hier nicht hatte leben wollen: Seine Eltern waren bei einem Autounfall gestorben, als er siebzehn Jahre alt war, und es war irgendwo auf dieser Straße passiert, an einer der Kurven mit den vertrockneten Blumen. Er hatte ihr vor vielen Jahren davon erzählt, so wie sie ihm von Patrick Meehan erzählt hatte. Er hatte ihr zugehört, aber sie hatte nicht begriffen, was er ihr hatte sagen wollen. In ihrer Familie besaß niemand einen Wagen, und der Unfall war ihr damals irgendwie glamourös vorgekommen. So etwas passierte sonst nur Leuten wie Jayne Mansfield. Und sie hatte ihn um seine Freiheit beneidet.

Merki hob die Hand, um den Fahrer des Range Rover zu besänftigen, und fuhr weiter, beschleunigte langsam auf fünfundfünfzig. Ihre Zigarette war zu Boden gefallen, aber sie hatte zu viel Angst, um den Türgriff loszulassen und nach unten zu greifen. Sie erreichten einen geraden Streckenabschnitt und der Geländewagen rauschte, eine Lücke im entgegenkommenden Verkehr ausnutzend, an ihnen vorbei. Der Fahrer hupte wütend während des Überholvorgangs. Merki winkte zurück. »Danke«, sagte er. »Scheiße, wir fahren in die falsche Richtung.«

»Versuch bloß nicht, auf dieser Straße zu wenden.«

»Ich fahr einfach bis zum nächsten Kreisverkehr«, sagte er unbekümmert.

Sie hob die Zigarette vom schmutzigen Boden auf und nahm einen tiefen, langersehnten Zug. Hinter ihnen stauten sich schon wieder die Wagen, andere überholten und rauschten an ihnen vorbei, nur um etwas weiter vorne, vor dem nächsten Kreisverkehr abbremsen zu müssen. An einer Tankstelle jenseits des Kreisverkehrs standen schwere Laster.

»Die Straße ist ein Albtraum«, sagte sie.

Merki sah wieder auf die Uhr.

»Was hast du bloß mit deiner Uhr, Merki?« Er lächelte, und sie verpasste ihm einen Klaps auf den Arm. »Und wieso lächelst du andauernd?«

»Meine Cousine kriegt gerade ein Baby«, rief er und wirkte aus unerfindlichem Grund genervt. Er rieb sich den Arm an der Stelle, an der sie ihn berührt hatte. »Hab gehört, Bunty hat dich heute Morgen rundgemacht.«

»Ach ja, er hat mir die Polizei auf den Hals gehetzt. Hast du das auch schon gehört?«

Er lächelte. »Hat er dich verhaften lassen, ja? Weil du Callum Ogilvy besucht hast, oder warum? Mich hat er neulich auch verhaften lassen. Hab getrunken, obwohl ich ganz alleine die Verantwortung für seinen Tacker hatte.«

Sie waren Journalisten und hätten sich mühelos stundenlang anlügen können, aber sie wollte es wirklich wissen. »Komm schon, wieso sind wir hier? Wieso guckst du auf die Uhr?«

Er sah noch mal hin, lächelte die Windschutzscheibe an und ging vom Gas, da sie sich dem Kreisverkehr näherten. »Okay.« Er blies seufzend Luft durch die Nasenlöcher. »Ogilvy ist draußen.«

»Aus dem Gefängnis raus?«, fragte sie gespielt überrascht.

»Ja. Entlassen. Hinz und Kunz werden bei Fahrer Sean vor dem Haus sitzen und ich habe mir gedacht, na ja, dass ich da lieber nicht hingehe. Die sollen jemand anderen schicken. Wenn da eine Story zu holen ist, dann nicht, indem man sich mit dem Mann vom *Standard* und dem von *Records* die Beine in den Bauch steht. Du hast ihn neulich besucht, oder? Deshalb hat dich Bunty angeschrien, stimmt's? Stimmt's?« Er lächelte sie an und sah dabei weg von der Straße.

»Fahr mal an die Tankstelle. Ich muss telefonieren.«

»Wenn du in der Redaktion anrufst, sag denen nicht, dass du bei mir bist, ja?«

»Ich ruf nicht in der Redaktion an«, sagte sie, kurbelte das Fenster herunter und warf die Zigarette raus, beobachtete im Seitenspiegel, wie sie über die Straße geweht wurde und unter dem Fahrgestell eines Reisebusses verschwand.

Die Telefonzelle befand sich direkt neben den Toiletten, trotzdem stank sie nach Urin. Sie tippte schnell die Nummer der Ogilvys in die Tasten, als könnte sie einer bakteriellen Infektion nur durch erhöhte Geschwindigkeit entgehen.

Niemand ging ans Telefon, und Paddy wunderte sich nicht darüber. Als der Anrufbeantworter ansprang, sprach sie extra laut, denn sie wusste, dass die Kinder im Hintergrund herumschreien würden. Sie machten ständig Krach.

»Sean, hier ist Paddy, heb ab, ich muss mit dir ...«

Das Telefon knackte und Elaine seufzte in den Hörer, wandte sich ab, um einem der Kinder zu sagen, dass es still sein sollte.

»Elaine, die Zeitungen wissen, dass Callum draußen ist.«

Elaine seufzte erneut, diesmal schwerer und auf eine Weise, die vermuten ließ, dass sie das bereits wusste. Sie übergab Sean den Hörer.

»Dann wisst ihr es wohl schon?«

»Die Meute steht vor der Tür. Sie haben die Kinder fotografiert, die Fenster, die Straße, einfach alles.«

»Kann er eine Weile im Haus bleiben? Ich kaufe für euch ein, wenn ihr was braucht.«

»Er ist nicht hier, Paddy, er ist abgehauen.«

»Wohin abgehauen?«

»Keine Ahnung. Als Erstes kam der Wagen von *Scottish TV* hier vorgefahren, er hat ihn gesehen, ist zur Hintertür raus, und seitdem haben wir ihn nicht mehr gesehen. Das war vor einer halben Stunde. Kannst du ein bisschen herumfahren und nach ihm Ausschau halten? Er kann nicht weit sein.«

Das war das Letzte, wozu sie Lust hatte. *Mein Auto steht auf dem Parkplatz vor der Redaktion, Bunty sucht mich, die Polizei hat mich abgeholt und ... verdammte Scheiße, Hatcher ist tot.* Aber Sean Ogilvy war wie ein Vater für Pete gewesen, als er noch sehr klein war. Er und Elaine hatten auf ihn aufgepasst, damit Paddy arbeiten konnte, hatten ihn getröstet, als er die ersten Zähne bekam, und sie schlafen lassen. Nur wenn sie selbst tot gewesen wäre, hätte das als Ausrede gelten können. Sean sagte nichts, aber sie hörte es trotzdem.

»Okay. Okay, okay.«

Als sie die Wagentür öffnete, hatte Merki das Radio eingeschaltet und sang gut gelaunt *Daydream Believer* mit.

»Bring mich verdammt noch mal nach Glasgow zurück, Merki.«

24

Ballon an der Strippe

Die hellen, nach Putzmittel riechenden Gänge wurden von Bildern und Collagen der verschiedenen Jahrgangsstufen gesäumt. Es waren Belege dafür, dass gearbeitet und die Zeit sinnvoll verbracht worden war.

Hohe Singstimmen drangen vom Ende des Flurs herüber, doch die Kinder hinter der Tür, in Petes Klassenzimmer, waren sehr still. Paddy und die stellvertretende Schulleiterin blickten gemeinsam durch das Fenster in der Tür. Vier Reihen kleiner Pulte waren auf Miss MacDonald ausgerichtet und sie las eine Geschichte vor. Pete saß in der allerersten Reihe, und Paddy beobachtete ihn einen Augenblick lang. Er drehte sich immer wieder zu seiner Nachbarin um, einem kleinen Mädchen mit rosa Brille, ein Glas war abgeklebt. Dann sah er wieder zur Lehrerin, weil ihm einfiel, dass er nicht reden durfte.

»Vielleicht sollten wir ihn da rausholen, bevor er Ärger bekommt«, sagte Miss McGlaughlin lächelnd, die stellvertretende Direktorin, eine stattliche Frau mit Schmetterlingsspange im grauen Haar.

Sie klopfte einmal an und öffnete die Tür. Als die Kinder sahen, dass sie es war, standen sie auf.

»Danke, Kinder«, sagte Miss McGlaughlin. »Guten Morgen.«

»Guten Morgen, Miss McGlaughlin«, sangen die Kinder im Chor. Dann sprach die stellvertretende Schulleiterin leise mit Miss MacDonald und tischte ihr Paddys Lügengeschichte auf, Petes Oma sei schrecklich krank, und er müsse jetzt sofort mit seiner Mutter zu ihr fahren. Miss MacDonald blickte skeptisch und flüsterte: »Handelt es sich um Ihre Mutter oder die von Mr. Burns?«

Paddy hätte ihr am liebsten eine runtergehauen. »Meine Mutter.«

»Verstehe.« Miss McGlaughlin warf Miss MacDonald einen tadelnden Blick zu, weil sie eine Mutter trotz eines eventuell bevorstehenden Trauerfalls in der Familie ausfragte, woraufhin sich Letztere verteidigte: »Ich wundere mich nur, weil Miss Meehan meinte, Petes Vater wolle ihn heute vielleicht abholen.« Sie sah wieder zu Paddy und konnte sich gerade noch verkneifen, sie als Lügnerin zu beschimpfen. »Was soll ich ihm sagen, wenn er kommt?«

Auch Miss McGlaughlin sah sie jetzt in Erwartung einer Antwort an.

Paddy signalisierte Pete, dass er zu ihr kommen solle. Er stand auf und ging verlegen zu ihr, blickte von einer Erwachsenen zur nächsten, als hätte er etwas ausgefressen. »Petes Daddy bringt ihn morgen zur Schule, wenn's recht ist. Wo ist deine Jacke, Schatz?«

»Fahren wir zu Dad?«

»Wo ist deine Jacke?«

Er spürte, dass sie sich den Lehrerinnen widersetzte, und seine Augen funkelten vor Freude. »Hängt am Haken.«

»Komm.« Sie nahm seine Hand, erinnerte sich an ihre Manieren und wandte sich noch einmal an die Lehrerin. »Danke, Miss MacDonald.«

Bevor die Lehrerinnen sie zurückhalten konnten, stand sie schon im Gang, Pete kicherte an ihrer Seite.

Über den Gang in den offenen Klassenraum hinein schrie er: »Tschüss!«

II

Der riesige schwarze Mercedes war typisch für seinen extravaganten Stil: Er ließ den Neubau, den er mit Sandra, der zweiten, höchstwahrscheinlich aber nicht letzten, Mrs. George H. Burns bewohnte, noch kleiner wirken, als er ohnehin schon war.

Die Neubausiedlung war auf einem ehemaligen Schulsportgelände entstanden. Das nicht sehr große Gelände war intelligent genutzt, kleine Straßen schlängelten sich in kurze Sackgassen hinein, was einerseits der Verkehrsberuhigung diente und andererseits den Eindruck vermittelte, die Siedlung sei gar nicht so winzig. Keines der aus gelbem Backstein erbauten Häuser glich exakt dem anderen, aber die Unterschiede waren minimal und beschränkten sich auf kosmetische Kleinigkeiten, mal befand sich die Garage links statt rechts oder es war ein kleines Fenster in das Treppenhaus oder das Dach eingelassen. Es gab gerade genug Unterschiede, um den Eindruck von Individualität zu vermitteln, ohne dass sich der Architekt etwas wirklich Originelles hatte ausdenken müssen. Angesichts solch brutaler Ausdruckslosigkeit sehnte sich Paddy nach ihrem Ghetto zurück.

Pete freute sich, weil sie ihn aus dem Unterricht geholt hatte. Er ging zwar gerne zur Schule, aber unerwartete Ereignisse machten ihm großen Spaß: Überraschungsausflüge, in letzter Minute geänderte Urlaubspläne, plötzlich entstandene freie Zeit, weil lästige Vorhaben ausgefallen waren. Er hielt seinen Rucksack fest und sah aus dem Taxifenster, als wäre er zum ersten Mal in der Gegend.

»Bleibe ich hier? Wie lange?«

»Ich weiß nicht, Kleiner, nur wenn dein Vater nichts dagegen hat und dann auch nur ein, zwei Tage.«

»Mein *Ghost Train*-Video ist hier. Bei Dad darf ich immer Video gucken. Besuchen wir trotzdem Oma Trisha am Samstag? Darf ich trotzdem mit BC spielen?«

Das Taxi fuhr vor dem Haus vor. »Bis dahin ist es noch lange hin.«

»Aber darf ich am Samstag zu BC?« Er war ganz aufgeregt, lächelte mit großen glänzenden Augen. »Darf ich?«

»Ja, du darfst.«

Er grinste breit, und sie schlang die Arme um ihn, küsste ihn überall im Gesicht, bis er es langweilig fand und sie wegschob.

Sie bezahlten den Fahrer und stiegen aus, gingen an dem kurzen Rasenstück vorbei und über die gelben Steinplatten zur Haustür. Kam man aus einer Altbauwohnung hierher, wirkte alles ein bisschen zu klein geraten: Die Türen waren schmal, die Decken niedrig, sogar die Fenster wirkten wie Spielzeugattrappen.

Sie klingelten an der Tür und starrten die Oberfläche an. Pete fuhr mit dem Finger über die künstliche Holzmaserung, die sich auf dem Panel daneben exakt wiederholte. »Ist das Brett vom selben Baum?«

»Ich glaube, das ist Plastik mit Holzmuster.«

Er kniff die Augen zusammen. »Plastik soll aussehen wie Plastik.«

»Das finde ich auch.«

Man hörte Schritte im Flur, dann öffnete Burns die Tür, ließ plötzlich die Schultern hängen, riss sich aber rasch wieder zusammen. Er schenkte Pete sein schönstes Showbiz-Lächeln.

»Na, hallo, kleiner Mann«, sagte er, als Pete die Arme um Burns' Bein schlang. Burns hob seinen Sohn hoch und drückte ihn herzlich. »Wieso bist du denn nicht in der Schule?«

Pete hing am Hals seines Vaters und ließ sich zu Boden gleiten, indem er langsam den Griff löste. »Mum ist gekommen und hat mich deholt.«

»Geholt«, korrigierte ihn Paddy.

Er rannte in den Flur, um nachzusehen, was in der Küche los war.

»Also?« Burns musterte sie von oben bis unten. »Wieso hat sie das wohl getan?«

Sie sah scheiße aus, das wusste sie. Ihr schwarzer Rock war verknittert, an ihrer schwarzen Seidenbluse fehlte unten ein Knopf und sie trug bescheuerte orangefarbene Turnschuhe. Burns hatte in den letzten Jahren abgenommen; er war fernsehtauglich dünn geworden, so dünn, dass sein Kopf unverhältnismäßig groß wirkte. Dub meinte, er sähe aus wie ein Ballon an der Strippe. Heute hatte ihm Sandra ein weißes T-Shirt und weiße Jeans rausgelegt, die so steif gebügelt waren, dass sie aussahen, als hätte er sie direkt aus der Plastikverpackung gerissen. Außerdem war er braun gebrannt; sie leisteten sich eine Sonnenbank. Paddy stellte sich das Haus in der Abenddämmerung vor, alles war dunkel, abgesehen von einem winzigen Schlafzimmerfenster, das neonblau erstrahlte.

In der Küche schob Pete eine Videokassette in den Rekorder und die Anfangsmelodie von *Ghost Train* erklang.

Paddy legte ganz plötzlich die Hand auf den Mund, presste ihre Finger in ihre Wangen und vergrub die Fingernägel im Fleisch, weil ihr Tränen in die Augen schossen. Sie wandte sich zur Straße, um ihr Gesicht zu verbergen.

Burns sah sie eine Weile an, seine Hand ruhte auf seiner Hüfte. Dann packte er sie fest am Handgelenk, zog sie ins Haus, wo sie die Nachbarn nicht sehen konnten.

Im Wohnzimmer standen zwei weiße Ledersofas und ein gläserner Beistelltisch. Vor dem kleinen Panoramafenster hatte Sandra gelbe Tulpen in einer hässlichen Kristallvase arrangiert. Burns schob Paddy auf eines der Sofas und setzte sich selbst auf das andere, sah ruhig zu, wie sie weinte, und streichelte ihr einmal sogar zärtlich übers Knie.

Sie nahm eine Zigarette aus ihrer Handtasche und sah ihn um Erlaubnis bittend an. Er nickte, und sie zündete sie zitternd an, ihre Lungen sträubten sich gegen die tiefen Züge.

»Was ist los?«, fragte Burns.

»Terry Hewitt wurde ermordet, wahrscheinlich hast du davon gehört.«

»Hab ich, ja.«

»Er hatte mich als nächste Angehörige eingetragen. Samstagnacht musste ich die Leiche identifizieren.«

Burns dachte an Sonntag zurück. »Davon hast du gar nichts erzählt.«

Sie nickte in Richtung Küche und Pete. »Na ja, so oder so, vielleicht bin ich ein bisschen durchgedreht und ich weiß, dass ich übertrieben ängstlich bin, aber Callum Ogilvy wurde aus dem Gefängnis entlassen und jetzt ist er verschwunden. Ich möchte Pete einfach nicht zu Hause oder in der Schule haben. Das kommt mir nicht sicher vor.«

»Wie ist das mit Terry passiert?«

»Kopfschuss.« Sie führte ihre Zigarette zum Mund, brachte es aber nicht über sich, daran zu ziehen, und ließ die Hand wieder sinken. »Erinnerst du dich an Kevin Hatcher?«

»Nein.«

»Ein Fotograf. Er hat mit Terry an einem Buch gearbeitet.« Sie schüttelte fassungslos den Kopf. »Ein bescheuertes Buch, ein Bildband. Hübsche Bilder, sonst nichts. Egal, ich habe durch seinen Briefschlitz gespäht ...«

»Das sieht dir ähnlich.«

Sie schloss die brennenden Augen. »George, bitte.«

»War nur Spaß. Wollte dich nur ärgern.« Er berührte sie wieder am Knie und bedeutete ihr fortzufahren.

»Kevin lag am Boden. Er hatte sehr viel Kokain geschluckt und einen Schlaganfall erlitten, dabei würde er so was niemals machen. Jetzt ist er tot und spurlos verschwunden, er ist in keinem der Krankenhäuser der Stadt registriert, die Polizei hat mich verwarnt und das Material für das Buch ist nicht mehr vollständig.«

Er unterbrach sie. »Jetzt redest du wirres Zeug.«

Sie versuchte ihre Gedanken zu sortieren, gab es aber auf. »Früher konnte mir so was nichts anhaben, ich hatte keine Angst. Weißt du noch, Kate Burnett? Weißt du noch, Callum Ogilvy? Damals hab ich mich vielleicht mal gefürchtet, aber nicht so, hab nie gezittert, mir in die Hosen gemacht oder ständig rumgeflennt.« Sie nahm einen Zug von der Zigarette und sah zu Boden. Ein weißer Teppich. Wie bescheuert musste man sein, um sich in einem

Haushalt mit Kind einen weißen Teppich anzuschaffen? Sie sah sich nach einem Aschenbecher um, doch in dem Raum war nichts außer dem leeren Beistelltisch. »Seit es Pete gibt, ist es nicht mehr egal, ob ich lebe oder sterbe, weißt du?«

»Hast du deshalb wieder angefangen zu rauchen?«

Ihr gelang ein unsicheres Lächeln. Sie starrte die Kippe an. »Gibt es überhaupt irgendwas Widerlicheres als diese Regal-Zigaretten?« Nach drei Zügen waren sie aufgeraucht. Vorzugsweise Frauen beim Bingoabend und aufsässige Teenager kauften sie, weil sie billig waren. Sie tastete in ihrer Handtasche und fand ein altes Papiertaschentuch. Burns sah zu, wie sie aus dem zerknüllten Zellstoff eine Kuhle formte, hineinspuckte und die Glut ihrer Zigarette hineinstupste, die nun zischend verging.

»Wenn ich sehe, wie du in ein schmutziges Papiertaschentuch spuckst, ist das so sexy, dass es mir echt schwerfällt, nicht über dich herzufallen.«

»Fick dich, Burns.«

Er lächelte. »So kenne ich mein Mädchen. Ich würde dir ja einen Aschenbecher holen, aber dann mache ich mich mitschuldig und kriege alles ab, wenn Sandy den Qualm riecht.«

»Ich möchte bezweifeln, dass du irgendwas abkriegst, George.«

Langsam schüttelte er den Kopf. »Du hast keine Ahnung, was hier los ist, Pad. Sieh dir diesen Raum an, diesen weißen, kargen Raum. Hier könnte man Operationen durchführen.« Er ließ einen Bühnenseufzer vom Stapel, wie sie ihn schon oft gehört hatte. »Sie hat … *Probleme.*«

Sie nickte und versuchte nicht zu lächeln. Seitdem sie

sich kennengelernt hatten, belästigte George Burns sie mit seinen Beziehungsproblemen und seither hatte er sieben verschiedene Frauen gehabt. Es war eine bittere Lektion gewesen, sie war oft genug darauf hereingefallen, aber über die Jahre hatte sie begriffen, dass George gar kein tröstendes Gespräch suchte, oder sich über seine Gefühle klarwerden wollte; oft ging es ihm nicht einmal um besinnungslosen Sex mit ihr. George Burns lechzte vielmehr danach, widerspenstige Frauen für sich zu gewinnen. Hauptsache es war eine vorübergehende Affäre. Im ganzen Universum gab es keine einzige Frau, die ihm genug gewesen wäre. Obwohl sie sich über ihn lustig machten, und er ein untreues Arschloch war, wirkte sein feiger Wunsch, von allen gemocht zu werden, irgendwie charmant. Sie hoffte nur, dass es nicht genetisch war.

Sie knäulte das Taschentuch wieder zusammen und steckte es in die Handtasche, roch bereits den abgestandenen Gestank und dachte an McBrees scheußlichen Atem.

»Kann ich Pete bei dir lassen, George? Bis sie Callum wiedergefunden haben, ich möchte nicht, dass Pete irgendwo ist, wo er ihn finden kann.«

»Na ja, ich weiß nicht, was Sandy dazu sagt, aber … Ich schätze mal, ich kann ihn mit zur Arbeit nehmen.«

»Könntest du das machen?«

»Ich bitte eine der Produktionsassistentinnen auf ihn aufzupassen.«

Sandra arbeitete nicht und Paddy wusste, dass dreimal die Woche eine Putzfrau kam. Sie gestattete sich den Luxus einer schnippischen Randbemerkung, schließlich stand sie ja unter Schock. »Was macht Sandra eigentlich den ganzen Tag?«

Er sah aus dem Panoramafenster. »Sie geht Klamotten kaufen. Tauscht sie um. Kauft noch mehr.«

Ihr schlechtes Gewissen machte sich bereits in Form eines üblen Nachgeschmacks in ihrem Mund bemerkbar. »Gut«, sagte sie und beendete damit die Unterhaltung.

Er rutschte auf dem Sofa näher an sie heran und sprach mit sanfter Stimme, neigte ihr den Kopf zu. »Denkst du manchmal an uns?«

Eigentlich hätte sie jetzt das Gefühl haben sollen, etwas ganz Besonderes zu sein, aber sie kannte ihn zu gut, um zu glauben, dass er noch Gefühle für sie hatte. Er würde sich jeder anderen Frau, mit der er alleine war, in derselben Weise nähern.

Sie sah genervt auf.

»George, lass mich verdammt noch mal in Frieden. Ich will mich nicht streiten.«

Er lehnte sich beleidigt auf dem Sofa zurück. »Du und Dub, seid ihr zusammen?«

»Sei nicht albern.«

Burns war so misstrauisch, wie es nur untreue Männer sein können. Er begriff nicht, dass die meisten Menschen Freundschaften schlossen und befreundet blieben, Geliebte kennenlernten und bei ihnen blieben. Seine Welt befand sich permanent im Umbruch und er konnte nicht glauben, dass es bei allen anderen nicht genau so war.

»So viel zu den drei Musketieren«, sagte er bissig.

Sie hatte keine Energie, um wütend zu werden. »Niemand außer dir hat uns je die drei Musketiere genannt und du hast uns beide im Stich gelassen. Ich musste zu diesem Weibsstück Lorraine ziehen, und als dir Dub gesagt hat, dass du das Fernsehangebot ablehnen sollst, hast du dir einen neuen Manager gesucht. Dabei hat er recht gehabt, oder etwa nicht?«

Schulterzuckend kaute er einen Augenblick auf seiner Zunge herum. »Wahrscheinlich schon. Wen managt er jetzt?«

»Jede Menge Leute«, log sie. »Hat sich rumgesprochen, dass er dir abgeraten hat, und seitdem steht das Telefon nicht mehr still.«

»Dieser Neue – hat vorgeschlagen, aus der Fernsehsendung Kapital zu schlagen und durch die Arbeitervereine zu ziehen.«

»Mach's nicht.«

»Mach ich auch nicht«, sagte er kleinlaut. »Aber es wäre gut bezahlt.«

Die Vereine waren ein Friedhof. Er würde nie wieder in den angesagten Clubs und Theatern Fuß fassen können, und genau dort suchten die Radio- und Fernsehverantwortlichen Talente für neue Sendungen.

»Mach das nicht«, sagte Paddy. »Das ist eine Sackgasse.«

»Würde sich Dub noch mal mit mir zu einem Gespräch treffen, was meinst du?«

»Willst du ihn wieder als Manager haben?«

»Möglicherweise.«

»Ich weiß es nicht. So wie du ihn behandelt hast, ist er jetzt ziemlich verletzt. Wenn du dich von ihm getrennt und dir einen neuen Manager gesucht hättest, wäre das vielleicht noch okay gewesen, aber du hast es hinter seinem Rücken getan.«

George senkte das Kinn und sah wie ein reumütiges Hündchen zu ihr auf, bat sie, alles wieder in Ordnung zu bringen. Paddy wusste, dass Dub von der Stütze lebte und die Kohle vorne und hinten nicht reichte. Er vertrat eine Reihe von Comedians, aber keiner von ihnen hatte auch nur halb so viel Talent wie George. Auf der Bühne war Burns der Mann, mit dem jede Frau zusammen sein und jeder Mann einen trinken gehen wollte, aber abseits davon schlug seine schwierige Persönlichkeit durch. Er war nicht nur unbeliebt, weil seine Fernsehshow scheiße war: Er schlief mit jedermanns Ehefrau, nur weil er es konnte, und verfiel regelmäßig mitten in einer Unterhaltung in seine Bühnenrolle, sodass seinem Gegenüber nichts übrigblieb, als die passive Publikumsrolle zu übernehmen und zu lachen.

»Sprich doch einfach mit Dub und hör dir an, was er dazu sagt«, schlug sie Burns vor.

»Ich sehe ihn doch nie.«

»Dann ruf ihn an.«

»Er ist nie zu Hause.«

Es war ein Machtspiel: Dub war ständig zu Hause, aber Burns wollte, dass Dub zu ihm kam.

»Findest du's eigentlich gar nicht seltsam, dass dein Sohn und ich vor tödlichen Gefahren fliehen und zu dir eilen, und wir jetzt hier sitzen und die Zukunft deiner Karriere besprechen?«

Er lachte über sich selbst, das war seine liebenswerteste Seite, und Paddy beugte sich vor. »Ich verabschiede mich von Pete.«

Aber Burns sah, dass sie immer noch sehr mitgenommen wirkte. »Bleib noch eine Minute sitzen, Pad.«

Er legte ihr die Hand aufs Knie, ließ sie dort liegen, und sie freute sich über die Wärme.

Paddy konnte sich sehr gut vorstellen, wie viel Pete in

den nächsten Tagen von seinem Vater zu sehen bekommen würde, wenn sich dieser auf die Aufzeichnung seiner Sendung am Donnerstagabend vorbereitete. An die wütende Produktionsassistentin, die sich beim Sender hochgearbeitet hatte und von der nun verlangt wurde, dass sie ihren eigentlichen Job vernachlässigte und spontan als Kindermädchen für George H. Burns' verwöhntes Balg einsprang, mochte sie gar nicht denken. Aber im Moment war ihr das scheißegal.

Er drückte ihr die Hand. »Ich bin stolz auf den Kleinen. Du machst das ganz toll.«

In einem Anflug von Schwäche drückte sie ihm ein Küsschen auf die Finger, und das weiße Ledersofa knirschte unangenehm unter ihrem Hintern.

25

Lieber eine Knarre besorgen

I

Das Taxi warf sie an der Straße raus, vom Redaktionsgebäude aus gesehen auf der gegenüberliegenden Seite des Parkplatzes, sodass sie ihren Wagen erreichte, ohne gesehen zu werden.

Der Parkplatz war ein schmutziges Gelände, nicht einmal flachgewalzt. Näher zum Gebäude hin war er asphaltiert, aber hier an den äußersten Rändern war der Boden voller Schlaglöcher und sandig. Vor langer Zeit war hier ein Wohnblock abgerissen worden, entweder weil ihn eine deutsche Bombe getroffen hatte, oder weil er baufällig war, sie wusste es nicht. Nur der Gehweg war geblieben. Vor dem Redaktionsgebäude standen die Wagen dicht gedrängt, heute mehr als früher. Ein Taxistand befand sich an einer Seite zur Straße Richtung Innenstadt, denn das Budget der Zeitung war dramatisch gekürzt worden und zuallererst hatte man an den vielen Wagen und den fest angestellten Fahrern gespart, die früher vor dem Haupteingang gewartet hatten.

Sie ging vorsichtig in normalem Schritttempo und hoffte, dass niemand sie sah. Oben war immer noch die Frühschicht dran. Sicher wurden gerade die letzten Seiten gesetzt und fertiggestellt. Bunty oder sein Schoßäffchen müssten nur zufällig aus dem Fenster sehen, dann würden sie sie entdecken, nach oben zerren und zwingen, einen Artikel über einen frei erfundenen Besuch bei Callum zu schreiben. Sie wollten unbedingt einen Bericht über ihn haben. Allein seine Schuhgröße wäre ihnen schon einen Aufmacher wert.

Auf der Höhe ihres Wagens verließ sie den Gehweg und überquerte den schmutzigen Platz. Sie hatte an derselben Stelle geparkt wie am Abend zuvor, als sie Mary Ann rauchend im Auto hatte sitzen lassen. Mary Ann, die wegen eines Liebhabers geheult hatte. Das war unglaublich, nicht nur, weil Mary Ann Nonne war, sondern weil sie in ihrer aller Augen noch ein Kind war. Nicht nur ein Kind der Kirche, sondern ein Kind aller Meehans und das nicht um ihrer selbst, sondern der anderen willen. Sie verkörperte die Kindheit von ihnen allen, erinnerte sie daran, wie sie selbst als Kinder waren.

Die Türen der Press Bar standen offen, um die sommerliche Abendluft hereinzulassen, und ein Gemisch aus Gesprächsfetzen und Gläsergeklirr drang warm und freundlich nach draußen. Paddy wäre furchtbar gerne sorglos hineingegangen, hätte getratscht und mit ihresgleichen gelacht.

Sie lächelte bei dem Gedanken daran und wirbelte mit der Schuhspitze Staub auf. Doch ihr Lächeln gefror abrupt, als sie ihren Wagen erreichte. Der Kofferraum war aufgebrochen, das gesamte Schloss war herausgebohrt und zurückgeblieben war nur ein klaffendes schwarzes Loch so dick wie ein Männerdaumen.

Sie streckte die Hand aus, steckte einen Finger in das

Loch und öffnete den Kofferraum, der leicht federnd hochklappte. Darin lag eine Plastiktüte mit Kleidern für die Reinigung, die sie noch nicht abgegeben hatte, einer von Petes Fußbällen, seine Turnschuhe und eine kaputte Apfelkiste, in der sie Tiefkühlware eingekauft, transportiert und ihrer Mutter gebracht hatte. Terrys Mappe war verschwunden. Seine Fotos waren weg; sein Notizbuch, das er sorgfältig in die Hülle gesteckt hatte, war auch weg.

Ein Windstoß fegte über den grobkörnigen Sandboden um ihre blanken Fußknöchel. Sie starrte in den unaufgeräumten Kofferraum. Auf die Fotos hatten sie es also abgesehen. Egal, was Knox oder Aoife sagten, sie wusste genau, dass es McBree gewesen war. Sie kramte in ihrer Handtasche. Die Fotokopien waren noch da. Sie waren nicht sehr gut, sie hatte jetzt kein richtiges Foto mehr von der Frau, aber sie hatte ein Foto von McBree, wie er an der Wagentür stand und den dicken Mann im blauen Anzug ansah. Das konnte eine große Geschichte werden.

Sie schloss den Kofferraum und ging auf das Gebäude der *News* zu, zog die Notausgangstür auf und rannte entschlossen die Treppe hinauf.

II

Ihr Auftauchen in der Redaktion entlockte denjenigen, die das Theater am Vormittag mitbekommen hatten, verhaltene Jubelrufe, doch Paddys Gesichtsausdruck erstickte jegliche Freude bereits im Keim. In Buntys Büro brannte Licht.

Sie klopfte einmal und öffnete die Tür, Bunty und sein

Schoßäffchen entspannten sich am hinteren Ende des Tisches, aßen Lachsbrötchen und tranken jeder ein kleines Bier aus der Press Bar. Als er sie sah, nahm Bunty die Füße vom Konferenztisch und bemühte sich, die Miene eines entrüsteten Vorgesetzten aufzusetzen.

Sie hob eine Hand und holte tief Luft. »Ich habe gelogen. Ich habe Ogilvy nicht besucht, ich bin ihm gar nicht begegnet. Ich habe im Wagen gewartet und nach Journalisten Ausschau gehalten, Sean war alleine drin.«

Sie wartete einen Augenblick und machte sich darauf gefasst, angeschrien zu werden, aber nichts geschah. Sie fuhr fort: »Aber da ist eine sehr, sehr viel größere Geschichte im Gang. Eine Wahnsinnsgeschichte und ich komme zu Ihnen damit, weil ich keine verdammte Scheißahnung habe, was ich machen soll.«

Interessiert schnippte Bunty mit den Fingern, winkte sie zu sich und signalisierte seinem Schoßäffchen nickend, dass er einen Moment lang mit ihr allein gelassen werden wollte. Schoßäffchen nahm sein Sandwich und sein Bier und trollte sich.

Paddy setzte sich zu Bunty, fühlte sich erschöpft, ihr Magen schmerzte. Sie erzählte ihm von Kevin, von den Prellungen an seinem Arm und seinem Kinn und was Aoife über die Einnahme von Kokain gesagt hatte. »Sie können jeden fragen wegen Kevins Sauferei. Er war kein Mann, der heimlich Drogen nahm und dem dann ein Missgeschick widerfuhr.« Sie erzählte ihm von Kevins Verschwinden im Krankenwagen, von dem an sich unverfänglichen Bildband, von McBree und der Mappe und dem aufgebrochenen Kofferraum.

»Jeder existierende Abzug dieses Fotos wurde gestohlen.

Ich habe nur noch ein paar schlechte Fotokopien davon.«
Sie zog sie aus ihrer Tasche und breitete sie auf dem Tisch
aus.

Bunty sah sie durch, kaute weiter sein Lachsbrötchen
und nickte dann wieder Paddy zu, damit sie fortfuhr.

»Also«, sagte sie nervös, »das Interessanteste daran ist
Knox.«

Bunty blickte skeptisch. Sie hatte das Thema Knox bereits bei anderen Gelegenheiten zur Sprache gebracht, und
er hielt nichts von ihrem Vorhaben, Nachforschungen über
ihn anzustellen.

»Da ist aber was dran, hören Sie. Knox hat mich heute
Morgen zu einem Verhör abholen lassen. Erst musste ich
warten und dann kam Knox reinspaziert, um mir zu sagen,
dass ich mich von McBree fernhalten soll; Kevin sei nicht
ermordet worden, die IRA habe nichts damit zu tun und
ich solle die Finger von der Sache lassen und nach Hause
gehen.«

Bunty schluckte einen Bissen herunter, trank von seinem
Bier und sah sie an. »Vielleicht wäre das ja das Klügste.«

Sie war schockiert. Er war ein guter Chefredakteur, ein
guter Journalist und jeder Volltrottel musste merken, dass
eine Geschichte dahintersteckte. »Ich kann kaum glauben,
dass Sie das gesagt haben.«

Bunty biss erneut in sein Brötchen, schob sich die Krümel mit den Fingern aus dem Mundwinkel in den Mund.
Er lehnte sich zurück, legte die Füße wieder auf den Tisch
und ließ sie warten, bis er fertig gekaut hatte. Er schluckte,
griff nach seinem Glas und trank noch etwas Bier. Dann
leckte er sich mit der Zunge über die Zähne, oben und unten.

»Machen Sie schon, verdammt«, sagte sie.

»Haben Sie sich noch nie gefragt«, sagte er ruhig, »weshalb Knox unantastbar ist?«

Sie antwortete nicht. Diese Frage hatte sie sich tatsächlich nie gestellt. Sie hatte sich oft gefragt, weshalb sie ihn nicht dranbekam und wie er es anstellte, dass so viele Leute ängstlich den Mund hielten und ihn deckten, aber ihr war bislang nicht bewusst gewesen, dass er tabu war.

»Ist er denn unantastbar?«

Bunty verschränkte die Hände auf dem Hinterkopf und schaukelte seinen Schädel, lutschte sich einen Speiserest aus den Schneidezähnen und nickte noch einmal.

»Wer sagt das? Der britische Geheimdienst?«

Bunty zog eine Augenbraue hoch.

Paddy schüttelte den Kopf: Jetzt war alles klar. Ein Redakteur nach dem anderen hatte die Knox-Geschichte abgelehnt. Außerhalb der Polizei wusste niemand etwas über seine Aktivitäten, und sie hatte keinen einzigen Polizisten gefunden, der ein schlechtes Wort über ihn verloren hätte, und normalerweise redeten Polizisten über jedermann schlecht. Es war ein sicheres Zeichen dafür, dass er geschützt wurde. Und dann Kevins Einlieferung ins Krankenhaus, die aus sämtlichen Akten gestrichen worden war, das verlassene Büro und Knox' arrogante falsche Behauptungen.

Sie hatte Patrick Meehan oft zu seinen Begegnungen mit dem britischen Geheimdienst befragt und jedes Mal war ihr aufgefallen, wie alltäglich alles klang. Ein abgeschiedener Raum in einem Polizeirevier, Männer mit vornehmem Oxbridge-Akzent, versteinerten Mienen und anständigen Mänteln von anständigen Schneidern, einfallslos und abwehrend, schamlos in ihrer Vorgehensweise. Spione hatte man sie genannt, aber in Wirklichkeit wirkten sie eher wie gereizte Bankangestellte. Knox sah genauso gewöhnlich aus. Sie erinnerte sich, wie er bei Babbity's gesessen hatte, erinnerte sich, wie er auf Hunderten von Presseempfängen herumgeschlichen war.

»Wenn«, Bunty legte eine effektvolle Pause ein, »wenn Sie etwas gegen ihn in der Hand haben, was ich bezweifeln möchte, dann bin ich dabei.«

»Sie würden es drucken?«

Er verzog den Mund zur Schnute und hatte offenbar Spaß an der Unterhaltung. »Ja.«

Wenn ein Chefredakteur einen Artikel absegnete, der die nationale Sicherheit gefährdete, konnte er jederzeit vom Herausgeber der Zeitung gefeuert werden, oder Schlimmeres.

»Bunty, das kann Sie den Kopf kosten.«

»Den Kopf kostet es mich sowieso. Vielleicht sitze ich morgen schon auf der Straße, weil wir nicht genug Anzeigen verkaufen.«

Sie beugte sich vor. »Was denken Sie? Wieso hält der Geheimdienst die Hand über McBree?«

Er dachte einen Augenblick lang nach und wischte sich träge Brotkrumen vom Hemd. »Entweder ist McBree seinem Anliegen treu geblieben und arbeitet mit ihnen zusammen. Er könnte eine Art Brückenkopf bilden und die Verhandlungen in Nordirland unterstützen. Oder, und falls es sich so verhält, sollten Sie sich lieber eine Knarre besorgen: Die da oben haben etwas gegen ihn in der Hand, und McBree ist ein Doppelagent.«

Er sah ihr in die Augen und beide holten tief Luft.

»Verfluchte Scheiße.«

Bunty nickte langsam. »Ganz genau: verfluchte Scheiße.«

Auf dem Weg nach unten dachte sie darüber nach, ob McBree für den britischen Geheimdienst arbeitete. Er würde nicht einfach nur spionieren und ausplaudern, was bei den Republikanern in Nordirland los war. Er wäre viel zu wertvoll, um so leichtfertig verbraten zu werden. Wenn McBree für die Regierung arbeitete, würde er seinen Einfluss geltend machen, damit Entscheidungen in seinem Sinne getroffen wurden. Und wenn er für die Regierung arbeitete, dann wäre er wohl bereit dafür zu töten, damit niemand dahinterkam. Dazu wäre er gezwungen. Denn wenn seine eigenen Leute Wind davon bekämen, wäre er ein toter Mann.

Sie ging zum Wagen und sah noch einmal zur hell erleuchteten Tür der Bar zurück, sie sah McGrade gutmütig lächelnd Bier zapfen und hörte das Geplapper und das Gelächter eines Betrunkenen. Sie sah einen Mann und dachte einen Augenblick lang, es sei jemand, den sie vor langer Zeit gekannt hatte, ein Gewerkschaftsfunktionär, der seine Kündigung bekommen hatte, am Abend bevor ihr erster Chef Farquarson gefeuert wurde. Aber das war sehr lange her und eine ganz andere Geschichte.

III

Noch bevor sie die Tür erreichte, wusste sie, dass etwas Schlimmes passiert war. Das Licht war falsch, im Hausflur war es viel zu grell und von oben drang warme Luft aus ihrer Wohnung, aus der offenen Tür heraus. Das Holz um das Schloss war nach einem heftigen Tritt gesplittert, und die Tür hing schief.

Die letzten Stufen nahm sie im Laufschritt und sah das Durcheinander im Flur. Dubs Plattenkisten waren umgestoßen, auf einigen hatte jemand herumgetrampelt und die Splitter über den Boden getreten. Terrys Truhe war aufgebrochen und der Inhalt ausgekippt worden, die Mülltüten mit seinen Papieren ausgeleert. Im Wohnzimmer herrschte noch größeres Chaos, die Bücherregale waren durchwühlt, Sessel- und Sofapolster aufgeschlitzt und der Fernsehbildschirm eingetreten.

»Hey, da bist du ja.« Dub kam aus der Küche. »Ich hab schon den ganzen Tag versucht, dich zu erreichen.«

Paddy warf die Hände in die Luft, war zu schockiert, um zu sprechen.

»Ich weiß. Die Polizei war hier und hat sich umgesehen, die haben alles aufgenommen, aber ich konnte nicht genau sagen, was fehlt. Geklaut wurde nichts, nur alles Mögliche kaputt gemacht. Die Platten sind noch da, das Radio, die haben nicht mal den Fernseher mitgehen lassen – ihn nur eingetreten. Meine Uhr lag im Badezimmer, nicht mal die haben sie genommen.«

Sie schob sich an ihm vorbei ins Schlafzimmer. Überall lag ihre Unterwäsche verstreut, ihr Bettzeug auf dem Boden, und auf ihrer Matratze prangte ein dunkler, feuchter Fleck.

»Pisse«, sagte Dub. »Die meinten, wir können noch von Glück sprechen, manche kacken auch. Die Aufregung bringt ihren Stuhlgang auf Trab.«

Sie lehnte im Türrahmen und starrte auf die Unordnung.

»Willst du gar nichts sagen?« Sie wollte nicht, und Dub

streichelte ihr verlegen übers Haar. Sie waren selten zärtlich zueinander, wenn das Licht noch nicht ausgeschaltet war. Seine Hand fand einen Rhythmus, eine Mischung aus der Intimität eines Geliebten und der Zuneigung eines hilfsbereiten Freundes.

Sie sah zu ihm auf. »Was haben sie gesagt?«

»Die Polizei? Rowdies. Sie haben die Nachbarn befragt und einer hat einen kleinen Mann in einem Trainingsanzug auf der Treppe gesehen.«

»War der Trainingsanzug schwarz?«

Er war überrascht, dass sie das wusste. »Ja, war er.«

Sie nahm seinen Arm. »Du musst mitkommen. Hier sind wir nicht sicher.«

»Ich hab keine Angst vor Vandalen.«

»Es geht um mehr. Viel mehr. Nimm deine Jacke.«

Sie zogen die Tür zu, damit es so aussah, als sei sie verschlossen, drückten das gesplitterte Holz wieder an das nun funktionslose Schloss.

Dub betrachtete ihr Werk. »Paddy, damit kannst du niemanden, der was klauen will, hinters Licht führen.«

»Die wollen nichts klauen«, sagte sie. »Die wollen mir Angst machen.«

IV

Seit ihrem letzten Besuch war ein Eimer weiße Farbe über die Fenster des Shammy gekippt worden, wahrscheinlich das Werk eines Loyalisten. Halbherzig hatte man versucht, die Farbe abzuschrubben, sie dabei aber nur über die gesamte Front verteilt und mit dem Dreck vermischt, der sich auf der Scheibe angesammelt hatte. In den oberen Fenstern hingen irische Flaggen.

Sie stellte den Motor ab und Dub sah sie an. »Du willst doch nicht etwa da rein?«

»Warte hier«, sagte sie und stieg aus dem Wagen.

Er stand neben ihr auf dem Bürgersteig. »Geh nicht rein. Die sind alle irre da drin.«

Aber sie schüttelte seine Hand ab. »Ich war schon drin.«

Sie ließ ihn am Wagen stehen. Er sah ihr hinterher und rang mit sich, hatte Angst, sie alleine hineingehen zu lassen, sorgte sich andererseits in einer so gefährlichen Gegend auch um den Wagen.

Sie drückte die schwarz gestrichene Tür auf und prallte gegen eine Mauer aus Zigarettenqualm und Gesprächen. Frauen waren kaum welche da, aber schlimmer als in den guten alten Zeiten in der Press Bar sah es auch nicht aus. Die Klamotten waren billiger, die Gespräche weniger inhaltsschwer, hier lallten sich Betrunkene gegenseitig an. Im Hintergrund spielte Musik, eine hohe, blecherne irische Melodie auf einem Dudelsack, ein altes Lied über das Grün der Heimat und Briten, die auf Kinder schießen.

Sie betrachtete die Reihe an der Bar, jede einzelne Lederjacke, aber Donaldson war nicht dabei. Der Barmann erinnerte sich an sie und beobachtete sie aus dem Augenwinkel, während er den Tresen mit einem schmutzigen Tuch abwischte.

Sie sah sich an den Tischen in der Nähe der Tür um. Rotgesichtige Männer, die sich um einen Aschenbecher gruppiert hatten, blickten zu ihr auf. Zwei von ihnen hatten ihre Jacken ausgezogen und trugen Celtic-Trikots. Sie erkannte keines der Gesichter.

Sie spürte Blicke in ihrem Rücken und schob sich durch die Menge zu den spärlich beleuchteten Tischen. Hinter ihr amüsierte sich jemand über ihren grimmigen Blick und rief: »Da ist heute Abend aber einer fällig.«

Sechs füllige Männer saßen eingezwängt an einem Tisch, aber er stand nur dabei, ein Mitläufer, sonst nichts, ein Anhängsel. Die Hände steckten in den Taschen, vor Aufregung bei ihnen sein zu dürfen, hatte er die Ellbogen eng angelegt.

Er sah sie und zuckte zusammen. Einige hohe Tiere hatten sich hier versammelt und dichter Rauch stand über ihren Köpfen. Ihre Schnaps- und Biergläser waren schmutzig; alte Männer hatten oft die Angewohnheit, den ganzen Abend aus demselben Glas zu trinken.

Der Anführer sah zu ihr auf, versuchte die mollige, wütende Frau einzuordnen, die an seinen Tisch gekommen war. Er hatte ein rotes Gesicht, versoffene Augen, seine Faust war so groß, dass sie sein kleines Bierglas verdeckte. Die anderen Männer sahen ihn an, warteten, dass er etwas sagte und den Ton vorgab.

»Was?« Reden schien ihm zu anstrengend zu sein.

Paddy zeigte auf den Trainingsanzug. »Wer ist das Arschloch?«

Die Männer sahen den Jungen erstaunt an, als wäre er eben erst aufgetaucht und als hätten sie ihn nie zuvor gesehen. Wieder blickten sie zu ihrem Anführer.

»Was?«

»Dieser Blödmann da, arbeitet der für euch?«

»Der da?«

Die Männer sahen den Trainingsanzug an, der nervös zurücklächelte, sich auf die Zehenspitzen stellte und hoffte, dass sich jemand zu ihm bekannte. Niemand tat es.

Die Männer sahen wieder zu ihrem Anführer, und er schüttelte langsam den Kopf, bedeutete den anderen, dass er nicht mit ihr sprechen wollte. Am Tischende erhob sich ein großer Mann, verstellte ihr den Weg. Sie versuchte ihm auszuweichen, aber er packte sie am Arm und hielt sie auf. »Nein.«

»Euer Junge verfolgt mich seit zwei Tagen. Er hat meine Wohnung verwüstet. Er hat mich beschattet, als ich meinen Sohn in die Schule gebracht habe.« Der Gedanke an Pete machte sie so wütend, dass es ihr gelang, sich loszureißen. »Mein *Sohn*.« Sie sah ihm ins Gesicht und spuckte ihn an. *»Was fällt euch ein!«*

Spucke traf ihn an der Wange, aber er zuckte nicht einmal. Der Mann war nicht dick. Er sah aus, als hätte er gerade ein Hochsicherheitsgefängnis verlassen – indem er direkt durch die Wand marschiert war. Aus einem Abstand von wenigen Zentimetern betrachtet, wirkte sein Brustkorb so breit wie ihr Bett. Er blickte wieder zu dem Chefsäufer, der eine Handbewegung Richtung Tür machte.

Der Berg machte einen Schritt auf sie zu, packte sie an beiden Armen und wollte sie aus der Bar zerren. Er hatte erwartet, dass sich Paddy wehren würde, aber sie machte sich einfach nur schwer, also musste er nachfassen und gab ihr damit die Gelegenheit, sich loszureißen und an ihm vorbei über den Tisch zu schreien: »Er hat meinen Sohn bedroht!«

Der Berg packte sie an der Hüfte und zog sie vom Tisch weg, gerade als der Trainingsanzug vortrat und ihr in den Magen boxte. Es war kein geübter Schlag. Er rammte ihr nicht die Fingerknöchel geradeaus in den Bauch, sondern verpasste ihr einen Stoß ins Zwerchfell, nahm ihr die Luft zum Atmen und quetschte ihr die Lungen, sodass sie über seinem Arm zusammenklappte.

Betretene Stille senkte sich über die Bar. Blecherne Musik dudelte im Hintergrund, eine schnelle irische Tanzmelodie. Als der Berg sie herumdrehte, öffnete sie die Augen. Alle an der Bar beobachteten sie und wichen angewidert zurück.

Der Berg zerrte sie zur Hintertür.

»Was sollte das?«, fragte eine schottische Stimme.

Eine Sekunde lang hob sie den Kopf und sah, wie der Trainingsanzug mit den Schultern zuckte.

Der Berg schob sie durch den hinteren Notausgang, eine schwarz gestrichene Tür mit Querbügel, die in die Dunkelheit hinaus zu den stinkenden Mülltonnen führte. Er hob sie hoch, als wollte er sie werfen, hielt sie aber fest. Hinter einer Mauer tummelten sich Ratten und Paddy begriff, dass sie ausgespielt hatte.

Hinter ihnen schlug die Tür zu. Die Musik war jetzt nur noch gedämpft zu hören. Sie waren allein. Der Berg presste ihre Wangen zwischen Daumen und Mittelfinger zusammen, ihre Zähne schnitten ihr ins Fleisch und er hielt sie fest, damit sie ihn ansah. Er wirkte ganz ruhig.

»Du …«

Die Tür hinter ihm öffnete sich noch einmal und Paddy schloss die Augen, erwartete den Trainingsanzug mit seiner eisernen Faust.

»Schluss. Rein. Beeilung.«

Sie öffnete die Augen. Donaldson.

Der Berg stellte sie wieder auf die Füße und drehte sich um. »Oh«, sagte er höflich, »tut mir schrecklich leid.« Er sah auf sie herunter. »Tut mir schrecklich leid. Geht's Ihnen gut?«

Sie nickte entschieden, hoffte, dass er verschwinden würde. Donaldson zeigte mit dem Daumen Richtung Notausgang. Der Berg verzog sich wieder hinein an die Bar und ließ die Tür hinter sich zuschlagen.

Donaldson streckte die Hand aus und streifte ihre Schulter, sie richtete sich ruckartig auf und wich vor ihm zurück.

Er ließ die Hand sinken und trat zurück, ließ ihr etwas mehr Raum. Als sie tief einatmete, schoss ihr ein brennender Schmerz in den Magen, sodass sie glaubte, kotzen zu müssen.

Donaldson stand ruhig daneben, die Hände in den Taschen. Er erlaubte ihr, sich kurz zu sammeln, bevor er sich wieder zur Tür wandte. »Das war …« Er wirkte perplex. »Na ja, das war … das, was es war.«

Die Tonnen hinter ihm waren vollgestopft, quollen über vor aufgerissenen schwarzen Müllsäcken und Flaschen, Zeitungen und Gestank. Paddy rieb sich den Bauch. »Arbeitet der kleine Drecksack im Trainingsanzug für Sie?«

Donaldson ließ den Kopf sinken und kniff sich in die Nase, seine Schultern bebten.

»Ich verstehe nicht, was daran so lustig ist.« Sie klang wütend, dabei hatte er sie doch gerade gerettet. Aber so sicher war das nicht. Vielleicht würde er sich wieder verziehen und den Großen noch mal rausschicken.

»Ah.« Er streckte ihr die Hand entgegen. »Kommen Sie.«

»Kommen Sie was?«

»Kommen Sie, geben Sie mir die Hand. Sie sind mir vielleicht eine.«

»Mein Haus ist gerade verwüstet worden, er hat mir aufs Bett gepisst, mein Freund ist tot, und ich werde herausfinden, was geschehen ist. Passiert so was mit Leuten, die euch Fragen stellen? Ich dachte, ihr Wahnsinnigen wollt Wahrheit und Gerechtigkeit, verdammte Scheiße.«

Er sah sie verschmitzt an. »Na ja, Mädchen, das klingt aber ganz anders als beim letzten Mal. Neulich haben Sie noch vor mir gesessen und behauptet, wir seien eine Bande von Hooligans.«

»Und darüber haben Sie sich so geärgert, dass Sie mir das Dreckschwein auf den Hals gehetzt haben?«

»Das Dreckschwein ist tatsächlich ein – wie Sie sagen würden – Schläger.« Er freute sich über seine rhetorische Raffinesse und setzte eine ernste Miene auf. »Er hängt in der Bar rum, versucht sich einer Bewegung anzuschließen, die er gar nicht versteht. Er hat keinerlei Überzeugungen und keine Ahnung von Geschichte. Er ist einfach nur wütend. Von den anderen wird er bestenfalls geduldet.«

»Und Sie kennen sich aus mit Geschichte, oder was?«

»Hab meinen Abschluss mit 2,1 am Trinity College gemacht.«

Sie sah zu ihm auf, war nicht sicher, ob er die Wahrheit sagte, aber offenbar war es ihm ernst und er war stolz auf sich, so wie Uni-Absolventen meistens stolz auf sich waren. »Und deshalb können Sie sich überhaupt nicht irren, oder was?«

Er lächelte pflichtschuldig. »Der Junge sympathisiert mit einem Kampf, den er nicht versteht. Er denkt, weil er bei der Kommunion war, ist er automatisch Republikaner. Nie hat er sich an die Anweisungen gehalten; wir haben ihn nicht mal Zigaretten holen geschickt. Er war hier an dem Tag, an dem Sie angerufen haben. Er muss den Barmann gefragt haben, wer angerufen hat, und Sie dann gesucht haben. Er wollte bei den Jungs Eindruck schinden. Ein Mitläufer, sonst nichts.«

»Das Celtic-Trikot war keine clevere Tarnung.«

Donaldson kniff sich wieder in die Nase und lachte, schüttelte den Kopf, um aufzuhören. »Tut mir sehr leid. Wir sagen ihm, dass er sich zurückhalten soll. Ich hatte keine Ahnung.«

Sie rieb sich theatralisch den Bauch.

»Sie haben doch noch das Foto, oder?«

Sie antwortete nicht.

Er schaukelte auf den Absätzen, sah in den dunklen Hof, hielt nach verborgenen Zuschauern Ausschau. »Wenn ich Ihnen einen Tipp zu Ihrer eigenen Sicherheit geben darf: Lassen Sie das Bild verschwinden.«

»Ja, klar«, sagte sie verächtlich. Sie ärgerte sich, dass er sich nicht nach ihrem Magen erkundigt hatte. »Das Foto von McBree gefällt keinem. Das hab ich schon kapiert.«

Er trat näher an sie heran, schob sich ganz dicht zu ihr hin. »Meehan, Paddy, wenn ich Sie so nennen darf.« Er kam ihr so nahe und seine Stimme war so leise, dass sie einen Augenblick lang glaubte, er wolle sie küssen. »Das Bild …« Er schüttelte den Kopf und hielt inne, starrte die Mülltonnen an. Er trat zurück und hob eine Hand. »Das hier ist mein Büro, wissen Sie. Diese Bar, dieser dreckige Hinterhof. Hier mache ich meine Geschäfte. Ich fand's ziemlich aufregend, als Sie mich neulich hier besucht haben. Ich weiß nicht, wer Ihnen erzählt hat, ich sei der richtige Mann, aber wer immer es war, er hat sich geirrt.« Sein Gesicht lachte, doch seine Augen taten es nicht. »Das war ich mal, aber jetzt …«

Sie merkte, dass Donaldson ein bisschen betrunken war.

Dadurch wirkte er lebhafter als neulich, lockerer und es stand ihm gut.

»Was machen Sie in Schottland?«

»Ach, ich bin draußen. Die haben mich weggeschickt. Früher war ich der König der Sweetie Bottle Bar. Hab mit allen gesoffen, Befehle erteilt. Wenn sich eine Frau Sorgen um ihren Jungen machte, kam sie zu mir und bat mich um Hilfe …« Er hielt inne, sah sie wieder an, starrte ihr auf die Brüste, wie das jeder Mann, der sich einer Frau gegenübersieht, alle sieben Sekunden tut.

Sie rieb sich kreisförmig mit der Hand über den Bauch, merkte, dass es ihr guttat.

»Die Sweetie Bottle Bar?«

Mit der Erinnerung an bessere Zeiten, in denen er noch etwas zu sagen hatte, wurde sein Gesichtsausdruck freundlicher. »Sie kennen die Sweetie Bottle Bar?«

»Nein, nur … Ist ein guter Name. Ich habe im Archiv Artikel über Ihren Sohn gelesen. Tut mir leid.«

»Ja.« Er ließ sich nichts anmerken. Er musste es schon hundertmal gehört haben.

Sie starrten einander in der Düsternis des Abends an, beide dick und unförmig, beide verzweifelt wegen ihrer Söhne.

»Was soll ich mit dem Bild machen?«

Er antwortete rasch. »Verbrennen.«

»Sonst bringt mich einer von euch um?«

Er schüttelte langsam den Kopf. »Wir nicht.«

»McBree kam zu mir nach Hause. Er hat mich bedroht. Ich hatte Glück. Mein Sohn war nicht zu Hause und ich war nicht allein, sonst weiß ich nicht, was er getan hätte.«

»Wir töten keine Journalisten.«

»Vor einem Monat habt ihr die Börse in die Luft gejagt.«

»Eine halbe Stunde vor der Explosion wurden vierzehn verschiedene codierte Warnungen herausgegeben.«

»Wollen Sie sagen, McBree arbeitet alleine?«

Er zuckte mit den Schultern.

»Warum lässt ihn die Polizei in Ruhe?«

Er wirkte überrascht, als er das hörte, sah sie skeptisch an und wandte sich zur Tür. »Tut sie das?«

»Jedenfalls hat mich ein Detective Chief Inspector verwarnt.«

Donaldson sah zur Tür, blickte zu ihr, auf den Boden und setzte die Teile dann im Kopf zusammen, was ihn offensichtlich wütend machte. Was auch immer es war, er schüttelte den Kopf, sah erneut zur Tür und wieder zu ihr. Er hatte feuchte Augen. »Die hören nicht auf mich.«

»Wer?«

Aber er schüttelte nur noch einmal den Kopf. Seine Stimme klang angespannt, als er weitersprach. »Wissen Sie, Miss Meehan, wenn ich eine Journalistin mit ausgeprägter Todessehnsucht wäre, dann würde ich auch fragen, wer der andere Mann auf dem Foto ist.« Er nickte zur Tür. »McBree wird erfahren, dass Sie hier waren. Er wird es als Provokation betrachten und wissen wollen, was Sie mir erzählt haben. Vielleicht ruft ihn jetzt gerade jemand an. Er hört alles.«

Er wandte sich ab, atmete tief durch, blinzelte die Traurigkeit aus den Augen und stieß die Tür auf. Er ging zurück ins Licht und in den Lärm. Die Tür schlug hinter ihm zu.

Sie stand alleine in dem dunklen, widerlichen Hinterhof und hörte, wie auf der anderen Seite der Mauer ein Bus rumpelnd vorbeifuhr. Irgendwo bellte ein Hund und sie dachte einen Augenblick darüber nach, was er gesagt hatte. McBree handelte im Alleingang, weil er etwas zu verbergen hatte, und was auch immer sein Geheimnis war, Kevin hatte es auf seinem Foto abgelichtet. Der dicke Mann im Anzug.

Ihre Lunge schmerzte noch immer, aber sie verspürte frische Energie, als sie den Hof nach einem Hinterausgang absuchte. Doch die Mauer, die den Hof umgab, war solide und das Tor verschlossen.

Sie musste an die Notausgangstür klopfen und warten, bis der Berg sie hineinließ. Der Trainingsanzug war verschwunden und Donaldson stand wieder an der Bar, beachtete sie nicht, als sie der Berg zur Vordertür führte und sich immer und immer wieder entschuldigte, was jedoch bei dem Pfeifkonzert der anderen Männer kaum zu verstehen war.

26

Weg da, Mutley

I

Dub wartete im Wagen, hörte sich geduldig eine Comedy-Sendung im Radio an und behauptete, es mache ihm nichts aus.

Paddy sah noch einmal in ihren Notizen nach, las die Hausnummern auf den Türen gegenüber und war sicher, dass dies Nummer acht war. Dub hatte immer behauptet, Wohnungsneid sei ein sicheres Zeichen vorzeitigen Alterns. Allein bei dem Anblick des Hauses lief ihr das Wasser im Mund zusammen.

Genau so hätte sie sich Eriskay House gewünscht: Mitten in der Stadt, wunderbar in Schuss und absolut riesig. Ein Spalierbogen an der Straße war mit Rosen bewachsen, deren bereits verblühte Blätter den Bürgersteig und den Weg zum Haus sprenkelten.

Überall an der asymmetrischen Fassade, an jeder Kreuzblume und jedem Türgriff fanden sich Verzierungen im Stil des Arts and Crafts Movement, kleine perfekte Details, die auf Klasse und Geschmack schließen ließen, Eichenblätter und Eicheln waren in Unterbalken geschnitzt, Gesichter aus Stein herausgearbeitet, und eine vorüberhuschende Eidechse zierte den Türrahmen. Rechts neben dem Gebäude befand sich ein gläsernes Gewächshaus, Blätter üppiger Pflanzen pressten sich von innen an die ergrünenden Fenster. Sie machte halt, um durch die Scheibe zu sehen, und entdeckte Träger mit Setzlingen und blühende Topfpflanzen auf einer Bank.

Die Türglocke war aus Keramik und ließ einen altmodischen Gongschlag im Hausflur ertönen. Sie wartete, sah noch einmal zur Straße hin und zu Dub, der alleine lachend im Wagen saß.

Ein junges Mädchen, dessen blondes Haar zu einem Pferdeschwanz gebunden war, öffnete die Tür mit frischer, herzlicher Miene und gab Paddy damit das Gefühl, schäbig, dick und alt zu sein.

»Paddy Meehan?«

»Hi.«

»Kommen Sie rein, kommen Sie rein.« Sie kicherte fast vor Freude, als Paddy hereinstapfte. »Mum arbeitet noch, ob Sie's glauben oder nicht.«

Im Flur befand sich der Treppenaufgang aus warmem rotem Holz, so reich verziert, dass die Details einer gotischen Kirchenbank alle Ehre gemacht hätten, Mäntel hingen ehrfurchtslos über zarten Kreuzblumen. Ein altes, klobiges schwarzes Telefon stand auf einer zierlichen Blumenbank. Auf dem Steinboden lagen Gummistiefel, Sandalen, zerkaute Tennisbälle und eine Leine. Es roch nach Hund.

Das Mädchen führte sie links der Tür durch einen schmalen Dienstbotengang, der die Zimmer miteinander verband, in ein mit Papieren und postergroßen Buchtiteln übersätes Büro. Französische Fenster ließen auf einen Garten und einen Labrador blicken, der draußen in der Vorabendsonne vor sich hin döste und verträumt den Schwanz auf den Boden schlug.

Joan Forsyth stand auf, um sie zu begrüßen. Sie war die burschikose Version eines hübschen Mädchens, bereits Mitte vierzig, aber noch immer strotzend vor Kraft. Sie trug ein weißes, tailliert geschnittenes Hemd, dessen Kragen sie, wie Rugbyspieler es zu tun pflegen, hochgestellt hatte. Ihr Haar war gepflegt zerzaust, dicht und blond, nur wenige weiße Spuren an den Schläfen. Sie trug eine teuer wirkende grüne Stoffhose mit zartgelbem Karomuster.

»Hallo.« Sie stützte sich mit einer Hand auf den Schreibtisch, ergriff Paddys Hand mit der anderen, schüttelte sie einmal fest und ließ sie wieder los. »Setzen Sie sich, bitte.«

Sie wartete, bis Paddy saß, warf ihr ein weiteres Lächeln zu und bot ihr Tee an.

»Oh, das wäre wunderbar, danke«, sagte Paddy.

»Darjeeling?«

»Ja, gerne.«

»Tippy.« Sie sprach ihre Tochter an. »Eine Kanne Darjeeling und zwei Tassen, bitte.«

Tippy nickte Paddy gespielt beleidigt zu. »Sie benutzt Sie als Vorwand, um mich herumzukommandieren.«

Paddy tat, als wäre ihr das scheißegal, und entgegnete ironisch: »Tut mir leid.«

»Macht nichts«, sagte Tippy liebenswürdig, drehte sich auf dem Absatz um und verschwand in dem dunklen Flur.

»Sie sind also Paddy Meehan?«

Der Labrador war wach, schnüffelte an der Tür, aber Joan Forsyth beachtete ihn nicht.

»Ja, das bin ich. Ich hoffe, es macht Ihnen nichts aus, dass ich Sie hier überfalle, aber ich wollte mit Ihnen über Terry Hewitts Buch sprechen.«

»Gut«, nickte sie und wartete, dass Paddy fortfuhr.

»Kannten Sie Terry persönlich?«

»Ich kannte Amy, seine Mutter. Wir waren zusammen in Perthshire auf der Schule. Er kam mit einem Vorschlag für ein Buch zu mir und ich fand, dass es gut klang, die Bilder waren toll, deshalb habe ich zugesagt.« Sie wirkte ein wenig defensiv.

»Obwohl Sie Terry eigentlich gar nicht kannten?«

»Nein.« Sie klang sehr bestimmt. »Ich kannte seine Mutter.«

Paddy wartete, horchte auf das Winseln des Hundes an der Tür, der geräuschvoll die Schwelle beschnüffelte.

»*Geh weg da, Mutley.*«

Der Hund jaulte auf und verzog sich. Paddy hatte fast ein bisschen Angst, ebenfalls angeschrien zu werden, wenn sie weitersprach. »Verstehe«, sagte sie ruhig. »Ich war gerade draußen in Eriskay House, wissen Sie? Wo die Familie gewohnt hat.«

»In Ayrshire?«

»Ja, Ayrshire. Die Straße ist sehr gefährlich. Sind seine Eltern dort verunglückt?«

»Ja. Unten an der Ausfahrt. Ein Laster kam mit neunzig um die Kurve und der Fahrer verlor die Kontrolle. Zum Glück war Terry nicht im Wagen. Eigentlich hätte er auch dabei sein sollen. Er war im Haus geblieben und als Erster am Unfallort.«

Paddy sah ihn mit seinem rasierten Schädel und den Narben auf der Kopfhaut vor sich, wie er da im dichten Gras stand und mit großen Augen zur Ausfahrt hinstarrte. Er hatte ihr nie erzählt, dass er dort gewesen war, hatte nicht mal eine Andeutung gemacht. Er war gerade erst siebzehn Jahre alt geworden.

»Der Ärmste«, sagte Forsyth geistesabwesend. »Er war ein toller Junge. Sie hat ihn über alles geliebt.«

Paddy räusperte sich. »Terry und ich waren zusammen, wenig später, als er in die Stadt gezogen war.«

»Verstehe«, ihr Ton wurde sanfter. »Sie kannten Terry?«

»Ja, ich kannte ihn sehr gut. Er hat mir sein Haus hinterlassen.«

»Ah.« Sie lehnte sich auf ihrem Stuhl zurück. »Ich dachte, Sie wollten einen Artikel über ihn schreiben.«

»Na ja, das möchte ich auch.«

»Aber doch nicht diese schreckliche Kolumne? Sie haben mit Ihrem Geschmiere eine sehr gute Freundin von mir beleidigt – Margaret Hamilton, die Nachrichtensprecherin. Sie haben behauptet, ihre Frisur sehe aus wie aus Holz geschnitzt.«

Bevor sich Paddy entschuldigen konnte, kam Tippy mit klapperndem Teegeschirr und einem Teller Keksen auf einem Holztablett herein. Paddy bedankte sich bei ihr, während sie die Sachen auf dem Schreibtisch abstellte, und versuchte, sich einen neuen Gesprächseinstieg einfallen zu lassen. Aber sie war zu müde für Feinsinniges. Sie bat um Milch, statt Zitrone, für ihren Tee, biss von ihrem Keks ab und wartete, bis Tippy verschwunden war, bevor sie auspackte.

»Sehen Sie, es tut mir leid wegen Ihrer Freundin. Misty kann ziemlich gemein sein, aber das hier ist wichtig. Der Fotograf, Kevin, wurde ebenfalls ermordet.« Forsyth blieb der Mund offen stehen. »Zu den Bildern, die für das Buch vorgesehen waren, gehörte auch ein Foto, auf dem ein hohes Tier der IRA im Hintergrund zu sehen war. Der Mann hält sich derzeit in Glasgow auf. Das kann kein Zufall sein. Wenn es um das Bild ging, wenn jemand dessen Erscheinen verhindern wollte, dann muss ich wissen, wer es vor seiner Veröffentlichung gesehen haben könnte. Haben Sie es jemandem gezeigt?«

»Nein!« Joan dachte mit vor Entsetzen weit aufgerissenen Augen angestrengt nach. »Nein! Kevin ist auch tot?«

»Kannten Sie Kevin?«

Forsyth sah verstört auf die Wände ihres Arbeitszimmers. »Gott, wie entsetzlich. Wie grauenhaft – Gott!«

»Wer von Ihnen hat die Bilder gesehen?«

»Ich habe sie niemandem gezeigt, aber wer im Buch vertreten ist, hat einen Abzug von seinem Bild bekommen. Kevin war Nachrichtenjournalist, er wusste nicht allzu viel über Bildrechte. Wir mussten allen einen Abzug mit einer Einverständniserklärung zuschicken, um die Bilder verwenden zu dürfen.«

»Jeder hat einen Abzug vom eigenen Bild bekommen?«

»Ja, sicher.«

»Aber nur von dem Bild, auf dem derjenige oder diejenige selbst zu sehen ist?«

»Ja. Gott …«

»Wer hat den Leuten die Bilder geschickt?«

»Ich war das.«

Joan schien nicht in der Lage, den nächsten logischen Schritt zu vollziehen, weshalb Paddy deutlicher werden musste. »Vielleicht können wir die Person aufspüren, die das Foto erhalten hat. Haben Sie die Namen und Adressen noch?«

»Äh, ja – aber ich weiß nicht, wer welches Foto bekommen hat. Wir haben eine Einverständniserklärung in jeden Umschlag gesteckt, sie adressiert und dann kam Terry mit kleinen zehn mal fünfzehn Zentimeter großen Abzügen und hat jeweils das richtige Bild in den Umschlag gesteckt.«

Aber sie hatte noch die Adressenliste, ein kleiner linierter Zettel mit Terrys handschriftlicher Liste, vierunddreißig Namen und Adressen. Über die Hälfte davon waren Männernamen. Die schwarze Frau zu finden, konnte kaum schwierig werden.

Paddy lächelte wegen der zackigen Kinderschrift. Terry war es ebenso ergangen wie ihr, an die Schnelligkeit der Kurzschrift gewöhnt, ließ er seine normalen Buchstaben unordentlich übereinanderpurzeln. Sie erinnerte sich an eine Notiz, die sie einmal in der Redaktion ans schwarze Brett geheftet hatte, als sie ihren alten Wagen verkaufen wollte. Jemand hatte eine Sprechblase über den letzten Buchstaben gezeichnet und hineingeschrieben: »Ihr da hinten, hört auf zu drängeln!« Bei Interviews machten sich Journalisten oft Notizen, ohne überhaupt auf die Seite zu gucken, weil sie den Blickkontakt zu ihrem Gesprächspartner nicht unterbrechen wollten. Terry hatte ebenfalls beim Abschreiben der Adressen ein paar mal vergessen, auf das Blatt zu gucken, und seine Schrift wich von den Linien ab, schwebte hoch darüber hinaus.

Sie faltete das Blatt zusammen und steckte es in die Tasche. »Dürfte ich wohl mal bei Ihnen telefonieren, nur ganz kurz, bitte?«

Forsyth war noch immer sprachlos wegen Kevins Tod. Sie winkte flüchtig in Richtung des Telefons, das auf ihrem Schreibtisch stand, aber Paddy erhob sich. »Ich nehme den

Apparat draußen im Flur. Ich will Sie nicht länger von der Arbeit abhalten.«

»Ja, sicher, sicher.« Joan stand auf, um Paddy noch einmal die Hand zu schütteln. »Wenn Sie mal eine Idee für ein Buch haben, kommen Sie zu mir.« Sie musterte sie von oben bis unten. »Sie sind ausgezeichnet vermarktbar.«

Paddy war nicht ganz sicher, ob das ein Kompliment sein sollte. »Richten Sie bitte Ihrer Freundin aus, es tut mir leid, dass ich mich über Ihre Frisur lustig gemacht habe.«

»Ach was.« Sie machte eine wegwerfende Handbewegung. »Wegen Ihnen hat sie sich eine neue Frisur machen lassen und das war nicht die schlechteste Idee.«

»Und es tut mir leid, dass das Buch jetzt nicht erscheint.«

»Machen Sie Witze?« Forsyth rang sich ein müdes Lächeln ab. »Mit so einer Geschichte dahinter kommt es auf jeden Fall raus.«

Paddy erinnerte sich, wie Kevin an einem ruhigen Sonntagabend in seinem Wohnzimmer gesessen, ihr stolz seine Mappe gezeigt und gemeint hatte, Terry müsse jemandem im Libanon auf den Schlips getreten sein und ihm selbst würde nichts zustoßen.

»Joan, an Ihrer Stelle würde ich das vorläufig für mich behalten.«

II

Tippy hörte irgendwo oben Musik und Paddy stand alleine im Flur. Sie rief Burns an.

Sandra hob ab und hauchte mit ihrer Telefonstimme »Apparat der Familie Burns« in den Hörer. Paddy fragte leise nach Pete. Sandra hielt den Hörer von sich weg und rief »Peter ... Peter« in die Küche. Im Hintergrund hörte Paddy die Melodie von *Ghost Train*.

»Alles klar, mein Sohn? Was machst du gerade?«

Der Klang seiner Stimme beruhigte sie, sie legte ihre Stirn an die kühle Wand über dem Telefontisch. Er war einsilbig, sah zur Küche hin, wo das Video lief, aber er klang glücklich und sagte, er sei auf einer Party bei einem Nachbarskind gewesen und habe jede Menge Cola getrunken und Chips gegessen. Sein Dad habe gesagt, er müsse heute Abend nicht baden und zum Abendbrot hatte es Toast gegeben.

»Kein Gemüse?«

»Chips werden doch aus Kartoffeln gemacht«, sagte er und zitierte BC, der nicht nur dick, sondern auch noch ein kleiner Klugscheißer war.

»Freust du dich, dass du heute Abend bei Dad bleiben darfst? Hast du ein sauberes Hemd für die Schule morgen?«

»Ja und ja«, sagte er kurz und knapp, weil er nicht mehr weitertelefonieren wollte. »Das Video ...«

Er musste ihr versprechen, sie zu Hause anzurufen und ihr Gute Nacht zu sagen, bevor sie ihn gehen ließ. Sie legte auf und trat hinaus in den kühlen Abend.

27

Rutschpartie übers Eis

I

Draußen war es dunkel. Paddy und Dub waren überall gewesen, oben in Springburn, wo Callum herkam, für den Fall, dass er es geschafft hatte, mit Zug und Bus dorthin zu fahren; sie hatten Rutherglen und die umliegenden Felder abgesucht, waren den Busrouten von der nahe gelegenen Hauptstraße bis zu einem noch spät geöffneten Supermarkt gefolgt, hatten in hell erleuchteten Cafés und in einer Kneipe nachgesehen, die sich mit einem roten Neonschild im Fenster, das warmes Essen versprach, fröhlich von der Dunkelheit abzeichnete. Aber wie Dub vermutet hatte, war Callum nicht auf der Suche nach Unterhaltung und Spaß, er wollte sich verstecken. Er hatte sich bestimmt irgendwo in ein dunkles Loch geflüchtet und mied die allzu naheliegenden Zufluchtsorte. Eins wusste Paddy mit Sicherheit: Sie wollte nicht diejenige sein, die ihn fand. Er war schon bei Tageslicht angsteinflößend genug.

Sie erzählte Dub von ihrer Unterhaltung mit Burns und dass er Pete nichts Anständiges zu essen gab.

»Ist doch nur ein einziger Abend, man sollte meinen, dass er ihm wenigstens *einmal* etwas Ordentliches kochen könnte.«

»Ja«, sagte Dub. »Vielleicht rufe ich ihn an.«

»Der soll *dich* anrufen.«

Sie fuhren an Seans Straße vorbei, hielten an und sahen die Horden, die vor seinem Haus parkten. Gruppen von Fotografen standen dort mit Taschen zu ihren Füßen, fingerten an ihren Kameras herum und wirkten gelangweilt. Die Journalisten hielten sich leicht abseits von ihnen. Sie kannte die Gruppierungsmethoden mehr als genug: Die Geselligen standen beieinander und erzählten sich gegenseitig Lügenmärchen über ihre Honorare, Spesenkonten und Coups, die sie fast gelandet hätten, die Einzelgänger lungerten am Rande herum, tischten sich selbst Lügenmärchen auf und heckten Kniffe aus, wie sie die anderen um eine Geschichte bringen könnten. Ein großer Übertragungswagen parkte auf Seans Straßenseite, eine riesige Antenne ragte oben heraus. Sie wusste jetzt schon, dass sich die Journalisten von der Presse beklagen würden, der Transporter hätte ihnen die Sicht versperrt und die Bilder verdorben. Aber genau deshalb stand er dort, damit das Logo auf allen Bildern erschien, die zu dem Fall veröffentlicht wurden und jedermann sehen konnte, dass das schottische Fernsehen ebenfalls vor Ort gewesen war.

Dub schlug vor, Fish 'n' Chips zu holen und zum Essen irgendwo zu parken, und sie merkte, wie hungrig sie war. Sie hatte nichts zu Mittag gegessen, nur einen Keks bei der Verlegerin. Kein Wunder, dass sie sich elend fühlte.

Rutherglen war ihr altes Revier. Sie war früher oft mit Sean zum Burnside Café gegangen und hatte für seine Mum und seine Brüder Fish 'n' Chips geholt. Gegenüber war ein dunkler, hügeliger Park mit alten Bäumen und sie hatten immer ihre Bestellung abgegeben und waren dann zehn Minuten auf der anderen Straßenseite hinter einem Baum zum Knutschen verschwunden, während der Mann im Imbiss ihr Essen zubereitete.

Sie parkte und Dub meinte, er würde das Essen holen, wenn sie im Wagen blieb. Sie bestellte frittierten Haggis mit Pommes und viel Essig, dazu eine Limo. Er verzog das Gesicht zu einer traurigen Fratze. »Kein Gemüse?«

»Frittierteig wird aus Gemüse gemacht.«

Das Café war leer. Paddy beobachtete durch das Autofenster, wie der gelangweilte Imbissbetreiber Fritten in weiße Plastikschälchen schaufelte, sie geübt in weißes und braunes Papier einwickelte und aus einer Glasvitrine über den Fritteusen den Haggis holte. Das bedeutete, er war schon früher am Abend frittiert worden, was wiederum bedeutete, dass er trocken sein würde. Sie fluchte und dachte an die gummiartige Hülle ums Fleisch, als sie zum Park hinübersah, wo sich etwas hinter einem Baum bewegte. Ein Kopf, ein großer Kopf, etwa Callums Größe.

Paddy blickte zu Dub, ein langer, cool aussehender Schlaks, der ihr am Ende eines schweren Tages voller Kummer und Unbill leckere Fritten kaufte, um sie gemeinsam mit ihr zu verzehren. Sie biss sich fest auf die Zunge und sah wieder zum Park. Es würde bald kalt werden. Die Hitze des Tages wich und die Wolkendecke war verschwunden. Scheiß auf ihn, dachte sie, scheiß auf ihn. Er ist ein unheimlicher Drecksack, und ich hatte einen harten Tag, aber ihre Hand fasste nach dem Türgriff und plötzlich stand sie auf der Straße in der Hoffnung, er würde sie sehen und die Beine in die Hand nehmen. Sie trat aus dem Lichtkegel der Straßenlaterne in den Schatten der Bäume und räusperte sich.

»Bist du das?«

Wer auch immer es war, glitt hinter einen Baum.

»Falls du das bist: Sean macht sich große Sorgen und wir suchen dich.« Sie sah zu Dub zurück, der gerade einen Fünf-Pfund-Schein über den Tresen schob. An seinem Handgelenk baumelten Päckchen in einer hauchdünnen blauen Plastiktüte.

»Wir haben gerade Fritten geholt.«

Das Herz rutschte ihr in die Hose, als Callum scheu um den Baumstamm herum linste. Er musste hungrig sein. Sean zuliebe winkte sie ihn zu sich. »Komm schon.«

»Ich kann nicht zurück. Die sind überall.«

»Okay, steig in den Wagen, wir essen und überlegen uns was.«

Dub staunte, als er sah, dass Paddy mit einem stämmigen, jungen Typen, den er noch nie gesehen hatte, in den Wagen stieg, zügelte aber seine Neugierde, bis sie alle zusammen drinnen saßen. Paddy sah, dass Callum geweint hatte. Irgendwie hatte er es geschafft, sich das gesamte Gesicht voller Dreck zu schmieren, und die Tränen hatten saubere Spuren darin hinterlassen, die er teilweise bei dem Versuch, sie wegzuwischen, verschmiert hatte. Sie betrachtete ihn im Dunkeln und erinnerte sich an den verängstigten kleinen Jungen im Krankenhaus vor zehn Jahren.

Sie stellte ihm Dub vor und sie rissen die Frittenpäckchen auf. Der Haggis wäre ihr sowieso zu viel gewesen, deshalb teilte sie ihn sich mit ihm und Dub steuerte ein Drittel seines Fischs bei und gab Callum seine Dose Irn-Bru. Callum bedankte sich mit dem Mund voller Haggis, stopfte immer mehr Fritten nach, erklärte, er habe nur ein

Käsesandwich am morgen gehabt und sei am Verhungern. Die Fritten schmeckten süß und waren perfekt gesalzen. Sie überließen sich der freundlichen Atmosphäre unter hungrigen Menschen, die gemeinsam ein gutes Mahl vertilgten.

Dub war als Erster fertig, seufzte zufrieden, wischte sich das Fett mit einer Papierserviette vom Mund und sah Callum an, der auf dem Rücksitz saß und noch aß.

»Was machen wir mit dir, mein Freund?«

»Zu uns können wir ihn nicht mitnehmen«, sagte Paddy schnell.

»Wieso nicht?« Callum saß in ihrem warmen Wagen, hatte den Mund voll Essen, das sie gekauft hatte, und trotzdem klang er, als hätte sie ihm ein entsetzliches Unrecht angetan.

»Weil bei mir schon Journalisten nach dir gesucht haben, bevor du überhaupt entlassen wurdest, und heute jemand die Tür eingetreten und auf unsere Betten gepisst hat. Willst du da vielleicht schlafen?«

Callum war nicht ganz sicher, ob er ihr das glauben sollte, aber er sah Dub an und er bestätigte ihre Aussage mit krausgezogener Nase. »Wir hatten aber Glück. Es hat keiner drauf gekackt.« So wie er es sagte, klang es so bescheuert, dass Paddy zu lachen anfing und nicht mehr aufhören konnte: Es klang, als hätte ihnen der Kerl die Wahl gelassen. Sie lachte und sah Callum an, der stirnrunzelnd zu Dub schaute, bis er schließlich Paddys Blick begegnete und auch lachen musste. Wie ein trauriges Kind, das aus der Übung war, öffnete er den Mund ganz weit und pumpte Gelächter aus seinem Gesicht heraus. Dub war es gewohnt, ausgelacht zu werden. Er war lange Zeit Comedian gewesen, bevor er Manager wurde, und verstand es als Kompliment. Er lächelte, nickte ihnen zu und sagte immer wieder: »Stimmt aber doch.« Er erinnerte Paddy an ihren Vater. Zu Cons liebenswertesten Eigenschaften hatte gehört, dass es ihm nichts ausmachte, Zielscheibe des Spotts zu sein. Wenn er etwas Blödes getan hatte, ließ er die Kinder über sich lachen, und er lächelte fröhlich, wenn sich andere Männer über ihn lustig machten.

Als die Heiterkeit verebbte, wandte sich Dub Callum zu und beäugte ihn, als wollte er für einen neuen Anzug Maß nehmen. »Wo können wir den Mann also sicher unterbringen?«

Paddy sah Callum an. Er wirkte bereits netter, weicher und ihr gegenüber weniger misstrauisch. »Puh, ich weiß es nicht. Zu den Ogilvys kann er nicht und zu uns auch nicht.«

»Wie wär's mit meinen Eltern?«

Dub verdiente sein Geld als Manager von Comedians. Nie hatte er es mit etwas Gefährlicherem zu tun gehabt als mit einem angekratzten Künstlerego. Seine Eltern waren gutmütig, aber Paddy glaubte nicht, dass sie es besonders schätzen würden, wenn ihr Sohn mit einem berühmten Mörder bei ihnen auftauchte und ein Bett für die Nacht verlangte. Und sie hatten auch nur zwei Schlafzimmer, was bedeutete, dass Paddy und Dub ihn absetzen und wieder fahren müssten. Aber Callum gefiel der Vorschlag, vielleicht weil er dadurch vertrauenswürdig erschien.

»Die sind ziemlich alt«, sagte Paddy zögerlich, »ein bisschen festgefahren in ihren Ansichten, Callum. Ich weiß nicht, ob es dir da gefallen würde.«

»Ich mag Familien«, sagte er voller Hoffnung.

Sein Gesicht wirkte jetzt ruhiger, da er keinen Hunger mehr hatte und Überbleibsel des Lachens waren noch immer in seinen Augenwinkeln zu sehen. Als er sich vorbeugte, um etwas zu sagen, hielt er sich an den Schienbeinen fest und beugte sich vor wie ein Kind, das über seine Weihnachtsgeschenke sprach.

»Na ja, und sie haben auch nur ein Zimmer. Ich finde, wir sollten zusammenbleiben. Wie sieht's aus mit einem Hotel?«

»Nein.« Dub klang sehr überzeugt. »Die Zeitungen haben überall das Empfangspersonal geschmiert, damit sie Tipps bekommen, wenn jemand Interessantes bei ihnen absteigt.«

Er hatte recht.

»Und zu einem meiner Künstler können wir auch nicht, weil das publicitygeile Wichser sind, die es sofort ausposaunen würden.«

»›Ausposaunen‹«, äffte Paddy ihn nach und sie und Callum lachten wieder, weniger weil es so lustig war, sondern weil ihnen das Lachen beim ersten Mal so viel Spaß gemacht hatte.

»Okay.« Sie ließ den Motor an. »Wir fahren zu mir, holen ein paar Sachen und fahren dann woandershin, ich weiß schon wo. Wir holen die Schlafsäcke, es sei denn, es stellt sich heraus, dass doch jemand reingekackt hat.«

Sie fuhren über die Kingston Bridge, ein hoher Betonbogen, der über den Fluss führte. Die Stadt lag ausgebreitet unter ihnen, hell erleuchtet und aufregend. Callum saß ehrfürchtig mit dem Gesicht an der Scheibe da und bestaunte die Lichter.

Ein hoch stehender weißer Mond hing über der Stadt

und Paddy hatte das Gefühl, als würde sie ihrem Verderben entgegenschlittern und nur kurz innehalten, um die Rutschpartie übers Eis anschließend richtig zu genießen.

II

Sie machte kein Licht im Flur, legte die hölzernen Trümmerteile der Wohnungstür auf den Boden und ging in die dunkle Küche, um Sean anzurufen. Der Anrufbeantworter sprang an, und sie hinterließ die Nachricht, dass sie das fragliche Paket gemeinsam mit Dub vor dem Frittenladen gefunden hatte und vorläufig behalten würde. Bis morgen in der Kirche.

Sie schlich sich in Petes Zimmer. Er würde saubere Hemden für die Schule brauchen, frische Unterwäsche; bei seinem Dad hatte er nicht so viel. Er blieb normalerweise nie länger als eine Nacht dort.

Mit dem sauber gefalteten Kleiderstapel in den Händen sah sie sich in Petes Zimmer um. Dub machte jeden Morgen Petes Bett, schüttelte die Kissen auf und legte die Daunendecke glatt über das Bett, sodass sie wie ein Marshmallow aussah. Das Bett war immer noch gemacht; das Mobile mit den Walen, das von der Decke hing, drehte sich langsam in der aufgewirbelten Luft; Petes Spielsachen waren alle ordentlich aufgeräumt. Hier drinnen war nichts verändert worden, der Rowdy im Trainingsanzug war nicht hier gewesen. Offenbar war er davor zurückgeschreckt, das Zimmer eines Kindes zu verwüsten. Das machte ihr Hoffnung. Sie ging in ihr eigenes Zimmer und ihr Blick fiel auf den Fleck auf der Matratze. Sie roch den beißenden Pissegestank und erinnerte sich, dass der Kerl vor Petes Schule gestanden hatte. Nein, er kannte keine Grenzen.

Noch immer aufgewühlt bei dem Gedanken, suchte sie für sich und Dub schwarze Kleidung heraus, zog zwei fest zusammengerollte Schlafsäcke oben aus dem Kleiderschrank und erinnerte sich, wie sie diese mit Pete im Pfadfinderladen gekauft hatte, als er und BC beschlossen hatten, anlässlich von BCs Geburtstag bei Trisha im Garten zu zelten. Nach einer Stunde waren die beiden wieder hereingekommen, weil ihnen kalt war.

Sie zog Dubs Beerdigungsmantel aus dem Schrank. Ihr eigener Mantel war noch in der Plastikfolie, in der er aus der Reinigung gekommen war, und sie legte ihn sich über den Arm, um ihn am folgenden Tag bei Terrys Trauerfeier tragen zu können. Aus der Kommode im Flur nahm sie eine Taschenlampe und die runde Metallschale eines alten Grills aus billigem Blech.

Vollbeladen stand sie schließlich im Flur und sah noch einmal auf die Platten, die über den Boden verstreut lagen, auf Terrys umgestürzte silberne Truhe und die Unordnung, die der Eindringling in ihrer perfekten, kleinen Wohnung angerichtet hatte, und sie spürte, wie wütend derjenige gewesen sein musste, der das getan hatte – wütend und verängstigt.

III

Die Straße war jetzt weniger stark befahren als tagsüber, trotzdem rasten noch einige Fahrer um die Kurven, als gelte es eine Wette zu gewinnen. Auf den geraden Strecken tauchten stecknadelgroße Lichter weit hinter ihnen auf der dunklen Straße auf, ließen nur wenige Augenblicke später die gesamte Heckscheibe auflodern, blendeten sie, bis sie zur Seite auswich und die Wagen vorbeifahren ließ.

Dub stellte einen Popsender im Radio ein und Callum wirkte wie in Trance, sah aus dem Fenster auf die mondbeschienene Landschaft, ohne sie wahrzunehmen, er starrte den ganzen Song über hinaus. Ihr fiel auf, dass er nur etwas sagte, wenn er angesprochen wurde, und er tat ihr leid. Eines Tages würden sie vielleicht miteinander reden können, irgendwann weit in der Zukunft und dann könnte er ihr erzählen, was im Gefängnis mit ihm geschehen war.

Sie erinnerte sich nicht mehr genau, wo die Abzweigung zum Haus war, und fuhr langsamer, als die vertrauten Hügel in Sichtweite kamen, was den Fahrer eines kleinen Wagens hinter ihr auf der Straße in Rage brachte. Der Fahrer hupte, damit sie sich beeilte, und Callum drehte sich um. Er sagte, es sei ein sehr alter Mann, der kaum übers Lenkrad sehen konnte, und Dub und er lachten sie aus, weil sie übervorsichtig war.

Ein Stückchen weiter entdeckte sie die Abzweigung, blinkte umsichtig und bog ab, der ungeduldige Rentner hupte ihr ein »Tschüss-lahme-Ente« hinterher, worüber sie alle lachen mussten. Als seine Scheinwerfer verschwunden waren, sahen sie nur noch das, was ihre eigenen Scheinwerfer beleuchteten. Das Gras in der Einfahrt war noch von Merkis Wagen plattgewalzt, wirkte aber in der Dunkelheit höher und undurchdringlicher als noch am Nachmittag.

Sie fuhr, so schnell sie sich traute, merkte beim Aussteigen aber, dass sie viel weiter gefahren war als Merki. Im kalten Mondlicht wirkte das Cottage noch verlorener und baufälliger. Fast konnten sie schon von draußen die Feuchtigkeit riechen.

Dub und Callum waren wenig begeistert gewesen, aber sie hatte an einer Tankstelle haltgemacht, Brot und Butter, sowie ein paar Dosen Limo, Feueranzünder und rauchfreie Kohle gekauft und ihnen ein Feuer versprochen. Zu Hause hatte sie die Idee gehabt, den alten Grill als Kaminrost zu verwenden, aber das kam ihr jetzt bescheuert vor.

Sie trug das ganze Zeug nach hinten und Dub versuchte die Küchentür zu öffnen. Sie war abgeschlossen, weshalb er mit einem Taschenmesser um das Schlüsselloch herumstocherte und das Holz bröselte mühelos herunter. Indem er drumherum schnitzte, gelang es ihm, das Schloss freizulegen und es aus der Halterung zu reißen. Er zog die Tür auf.

Süßlich saurer Modergeruch hing in der Luft und aufgeregtes Trappeln begleitete eine fliehende Mäusekolonie ins andere Zimmer. Callum schien es nicht zu stören, aber Dub betrachtete angewidert den gewellten Linoleumboden und die Mäuseköttel auf der Arbeitsfläche. Zu Hause war er ziemlich pingelig, benutzte das Badezimmer nur, wenn es geputzt war, und warf ständig Lebensmittel aus dem Kühlschrank weg, die das Mindesthaltbarkeitsdatum überschritten hatten.

In dem Raum befand sich keinerlei persönliche Habe, ansonsten aber wirkte er, als wäre er gerade erst verlassen worden. Der graue Staub von zehn Jahren lag auf dem schmiedeeisernen viktorianischen Herd in der Kaminecke, die Ofentüren waren alle fest verschlossen, die Kochplatten allesamt mit Deckeln versehen. Das schwarze Ofenrohr dahinter war abgebrochen und hing nun schräg am Schornstein. Die Kieferkommode hatte sie schon am Nachmittag durchs Fenster gesehen, nicht aber, dass die Feuchtigkeit die Schrankbeine hatte aufquellen und vergammeln lassen. Ein Resopaltisch stand an einer Wand, ein dazu passender Stuhl jeweils auf einer Seite mit der Lehne an der Wand. Die Spüle unter dem Fenster war einfach, eine weiße Keramikschüssel, dazu ein Regalbrett auf der rechten Seite zum Abtropfen. Die vorangegangene Familiengeneration hatte offenbar sämtliche Ersparnisse in das Cottage gesteckt, und dies waren nun die kläglichen, von der Natur überwucherten Reste.

Dub stand steif in der Tür, seine Augen sprangen durch den Raum, er wollte sich über tausend Dinge beschweren, sagte aber nichts. Callum bat um Erlaubnis, sich im Wohnzimmer umsehen zu dürfen, was beide seltsam fanden, aber keiner von beiden sagte es.

»Sicher«, erwiderte Dub und Callum trat durch die Tür, bewegte sich vorsichtig über den unebenen Boden. Er rief ihnen zu, dass es dort drüben dunkler sei, die Mäuse versteckten sich hinter der Fußleiste. Dub schauderte.

Sie stellte den Grill auf dem Herd ab, legte vier Anzündersteinchen hinein, schüttete Kohle darüber und hielt ein Feuerzeug an das fettig Weiße, das zwischen den Kohlen hervorlugte. Orangefarbenes Licht erfüllte den Raum, beleuchtete all seine Unzulänglichkeiten und Dub machte ein erschrockenes Gesicht.

Paddy lächelte ihn an. »Wenn du nicht damit klarkommst, schlafen wir im Wagen.«

»Nö, ist schon okay. Mir geht's gut.«

Wieder wollte sie ihn berühren. Callum war im anderen

Raum, deshalb rutschte sie an ihn heran. »Wir haben nur zwei Schlafsäcke. Wir müssen uns einen teilen. Ist das in Ordnung?«

Er sah sich auf dem Boden um. »Aber wo?«

Nirgends auf dem Fußboden gab es eine Stelle, die einigermaßen sauber war. Sie schlug vor, einen Besen zu suchen, und das gefiel ihm.

Sie fanden Callum im Wohnzimmer, wo er gerade das schiefe Piano aufklappte. Er probierte es mit einer Taste, die aber tot war, versuchte es mit der nächsten, der nächsten und wieder der nächsten, bis er dem Bauch des Klaviers endlich einen stumpfen Klang entlockte.

Von innen betrachtet war das Zimmer nicht klein. Es gab keinen Kamin, aber in einer Ecke stand ein dicker bauchiger Ofen. Einer seiner dünnen Beinchen war in den Teppich eingesunken, hatte ein Loch hineingedrückt und das Schornsteinrohr aus seiner Halterung in der Wand gerissen.

Dub zögerte an der Küchentür. »Hier riecht's ja widerlich.«

Paddy wollte ihm erklären, dass es aber trotzdem ganz hübsch war, die Fenster waren schön, aber dann fragte sie sich, weshalb sie es ihm schmackhaft machen wollte. Eigentlich spielte es keine Rolle, ob es ihm gefiel oder nicht. Sie würden nur eine Nacht hierbleiben.

Die anderen Zimmer befanden sich in keinem besseren Zustand. Ein sehr schlichtes Badezimmer mit einer blauen Plastiktoilette, deren Schüssel schrecklich fleckig war. Das Fenster war kaputt und auf dem Boden und in der Wanne hatten sich Blätter gesammelt, die schon seit Jahren kompostierten. Dicke Spinnweben bedeckten den Sprung in der Scheibe.

Außerdem gab es noch zwei kleine Zimmer, eines davon mit Kamin und einem toten Vogel auf dem Rost. Einen Besen gab es nicht.

Erleichtert kehrten sie in die etwas zivilisiertere Küche zurück, wo die Wärme des Grillfeuers den Geruch von Feuchtigkeit verdrängte.

Dub sagte, er glaube kaum, hier überhaupt schlafen zu können, weil es so schmutzig war. Callum holte eine Kiste vom Schrank, schüttelte sie, um sicher zu sein, dass sich nichts Lebendiges darin versteckte, trat sie platt und fegte mit der Kante den Boden.

Paddy beobachtete ihn, wie er sich im flackernden Licht bückte, über den Boden kratzte, um für jemanden Platz zu schaffen, den er kaum kannte. Er hatte Freude an den widrigen Umständen, fügte sich ganz ohne Bitterkeit in sein neues Leben, und sie erwischte sich bei dem Gedanken, dass sie, wenn Pete hätte erleben müssen, was Callum durchgemacht hatte und er anschließend so daraus hervorgegangen wäre, ziemlich stolz auf ihn gewesen wäre.

Dub bedankte sich bei ihm.

Callum entrollte die Schlafsäcke und setzte sich in seinen, zog den Reißverschluss bis zum Hals, rollte gekonnt seinen Pullover zu einem Kissen zusammen. Er legte sich hin, die Hände hinter dem Kopf, schloss die Augen und blieb sofort völlig bewegungslos.

Dub und Paddy saßen noch ein wenig zusammen, ließen Callum schlafen und tranken schweigend eine der Dosen, reichten sie sich abwechselnd. Paddy zündete eine Zigarette an und Dub sah sie mit einem Blick an, der ihr bedeuten sollte, dass sie den Gestank in der Küche damit noch verschlimmerte.

»Ich mag Kippen«, flüsterte sie.

Callums Bein rührte sich in der Dunkelheit. Er schlief nicht. Sie sah zu ihm hinüber und entdeckte, dass er lächelte. Er hatte sie falsch verstanden. Er hatte gedacht, sie habe gesagt: »Ich mag Callum.« Und sie war froh darüber.

Vollständig bekleidet standen sie auf und versuchten sich zu zweit in einem Schlafsack zu arrangieren. Sie öffneten den Reißverschluss und breiteten den Schlafsack auf dem Boden aus, die Öffnung dort, wo Callum den Boden für sie gesäubert hatte. Paddy legte sich hin, Dub schob sich neben sie und sie mussten sich fest aneinanderschmiegen, um den Reißverschluss zuzuziehen.

Sie blickte auf das warme orangefarbene Licht, das über die Decke flackerte, spürte Dubs rasendes Herz unter ihrer Hand und schlief lächelnd ein.

28

Die Dunkelheit der Vorstadt

Martin McBree sah noch einmal zu den dunklen Fenstern von Paddys Wohnung in Lansdowne Crescent hinauf. Die Tür aufzubrechen, war kein Problem gewesen, sie war nur angelehnt und als er drinnen war, begriff er warum: Die Wohnung war völlig verwüstet, die Betten bepisst. Heute würde niemand mehr herkommen. Sie war ihm entwischt.

Wieder im Wagen, zündete er eine Zigarette an und startete den Motor. Blieb nur noch Plan B. Der fiese Plan. Er hatte selbst einen Enkel in dem Alter.

Er bog in die breite Great Western Road ab. Es war drei Uhr morgens und sehr still. Taxis und der ein oder andere Nachtbus fuhren über die Straße, nutzten die gerade freie Strecke aus, um zu beschleunigen.

Er parkte vorsichtig auf der Straße, scherte rückwärts in eine Lücke zwischen zwei Wagen, stieß vorsichtig vorne und hinten an, bis er jeweils im gleichen Abstand zwischen beiden parkte. Regel Nummer eins für einen Überraschungsangriff: niemals Aufmerksamkeit erregen.

Er öffnete die Wagentür und warf seinen Zigarettenstummel auf die Straße, trat darauf, zermalmte die rote Glut mit der Schuhspitze auf dem Asphalt. Ein Doppeldecker-Nachtbus segelte an ihm vorbei, raste den Abhang hinunter. Im kalten weißen Licht wirkte das bleiche Gesicht des einzigen Passagiers blutleer und kränklich, er starrte mit leerem Blick in die Dunkelheit und sah in der Scheibe nichts außer seinem eigenen Spiegelbild.

McBree hasste Glasgow. Er hasste die dicken Frauen mit ihrem schnarrenden Dialekt, dem aggressiven Unterton, den die Männer in den Bars draufhatten, die geschwätzigen Ladenbetreiber, die einem ständig persönliche Fragen stellten. New York war anders. In New York erzählte jeder von sich selbst, die Frauen sahen gut aus, die Akzente waren exotisch und charmant. Er lächelte bei dem Gedanken an New York, erinnerte sich an warme Abende und den Geruch von Autoabgasen, der sich mit dem der Straßenimbisse mischte, und daran, dass man in den Bars trinken konnte, ohne dass einen alle mit Politik vollquatschten.

In New York hatte er seinen Kleidungsstil verändert. Val hatte ihn darum gebeten, als er wieder nach Hause zurückgekehrt war, denn sie war der Ansicht, er sehe billig aus in seinen bedruckten Hemden und den Mokassins. Sie hasste Veränderungen. Wenn es nach ihr ginge, würden sie die Kinder nehmen und ins Gemeindehaus zu den knorrigen alten Priestern ziehen, aber Martin hatte ein anderes Leben da draußen gesehen, eines, das nicht von Kirche oder Kampf bestimmt war und in dem er ganz er selbst sein konnte.

Er lächelte, als er auf den Bürgersteig trat. New York. Damals hatte alles freundlicher ausgesehen, dabei war es noch gar nicht so lange her. Über die Kuppe der Anhöhe kam ein alter Mann in Sherlock-Holmes-Mütze und Mantel, der mitten in der Nacht einen ältlichen King-Charles-Spaniel Gassi führte. Entweder war der Hund inkontinent oder der Mann litt an Schlaflosigkeit. Martin schob die Hände in die Taschen, hielt den Kopf gesenkt, tat, als suche er seine Hausschlüssel, als er an dem alten Mann vorbeiging.

»Komm«, raunte der alte Mann seinem vierbeinigen Schützling fürsorglich zu. Er blickte kurz zu McBree auf, hätte gerne mit der einzigen anderen Menschenseele, die um die Uhrzeit auf der Straße war, ein Gespräch begonnen, doch McBree hielt weiterhin den Kopf gesenkt, runzelte die Stirn und gab sich einen beschäftigten Anschein, ein Mann auf dem Weg nach Hause. Er ging auf den Eingang des Wohnhauses zu.

Wie er es gelernt hatte, blickte er auf die Straße vor sich, sah sich nicht um. Menschen, die dort sind, wo sie hingehören, verrenkten nicht die Köpfe wie verirrte Touristen. In vertrauter Umgebung sieht sich niemand um. Die Menschen gehen blindlings, gedankenverloren; die meisten verziehen sogar mürrisch das Gesicht.

Der Straßenbelag war am Beginn der Siedlung ein anderer, der geflickte Asphalt der alten Hauptstraße wurde von gelben Pflastersteinen abgelöst, die im Hahnentrittmuster passend zu den Gehwegen ausgelegt und durch orangefarbene Bordsteine getrennt waren. Es war eine neue Siedlung. Die Steine hatten noch keine Zeit gehabt, sich in den Boden zu senken und Unregelmäßigkeiten zu bilden, keine Ecken standen heraus, an denen ein Zeh hätte hängen bleiben können, und es gab auch keine wackligen Platten, unter denen sich Pfützen verbargen, deren Wasser einem ans Schienbein spritzte. Alles war tadellos.

Zur Orientierung gestattete er sich hochzusehen. Die kurzen Straßen waren recht übersichtlich angeordnet, aber es bestand immer die Gefahr, einem Gehweg bis zur falschen Ecke zu folgen, zumal alles gleich aussah. Die Häuser waren klein und gleichmäßig, durchaus teuer, weil sie sich in einer vornehmen Wohngegend befanden, aber dennoch nichts Besonderes. Die Wagen, die in den Einfahrten parkten, verrieten, wie viel jeder wirklich verdiente: Große ausländische Wagen, ein Sportwagen, sie alle standen neben frisch angelegten Rasenflächen, die ihren ersten Sommer erlebten. Das kommende Jahr würde verraten, welche Besitzer sich fürsorglich gezeigt hatten. Dann würden die Rasenflächen nicht mehr überall gleich aussehen; einige würden gedeihen, andere von Löwenzahn und kahlen Stellen überwuchert werden.

Die Straßen waren hell erleuchtet. Gelbe Straßenlaternen säumten den Gehweg in regelmäßigen Abständen und die Laternen waren so angeordnet, dass die Lichtkegel einander jeweils überlappten. In den Eingangsbereichen der Häuser blieben Lampen eingeschaltet, auch wenn längst alle Lichter im Haus erloschen waren. Es war drei Uhr morgens und taghell.

Das Problem an Neubausiedlungen war, und damit hatte er auch schon in Poleglass zu kämpfen gehabt, dass es hier keine dunklen Hinterhofgassen gab, durch die man sich anschleichen und in denen man warten konnte. Hier hatten die Häuser kleine Gärten hinter den Häusern, die an andere kleine Gärten anschlossen, dazwischen befand sich nichts außer einem Holzzaun.

Er näherte sich dem Haus und sah den glänzenden schwarzen Mercedes in der Einfahrt, der im Licht der Laterne im Hauseingang funkelte. Alle Fenster waren dunkel.

Ohne den Kopf zu heben oder seinen Schritt zu verlangsamen, suchte McBree das Haus mit den Augen ab. Keine warnend blinkende Alarmanlage. Die Haustür war aus

Plastik, großes Fenster zum Wohnzimmer, Garage auf der anderen Seite. Erster Stock, kleines Fenster Badezimmer oder Kinderzimmer, großes Fenster Elternschlafzimmer. Bauunternehmer integrierten gerne winzig kleine Badezimmer in solchen Räumen, nur damit es im Schaufenster des Immobilienmaklers besser aussah, das Elternschlafzimmer würde also einen Großteil des zweiten Stocks einnehmen. Aber es gab noch ein zweites Zimmer, das wusste er. Der Typ würde sich keinen Mercedes in die Einfahrt stellen und sein Kind auf dem Boden schlafen lassen, wenn es ihn besuchte.

Ein Fernseh-Comedian. McBree hatte die Sendung in der vergangenen Woche gesehen, um sich mit dem Gesicht vertraut zu machen, ein Gefühl für den Mann zu bekommen. Witzig war er nicht, dafür wirkte der Mann aber wütend und war ziemlich groß, vielleicht eins fünfundachtzig, es sei denn, alle anderen waren sehr klein. Schwer zu sagen. Ehemaliger Polizist. Es würde ein Vergnügen werden.

Unverändert zügigen Schrittes bog er in die Einfahrt ein und nahm die Abkürzung über den Rasen zur Seite des Hauses, um die Ecke herum, dorthin, wo die leeren Mülltonnen standen. Er machte halt. Eine tiefe samtene Schwärze umgab ihn. Er entspannte sein Gesicht und zog die Latexhandschuhe über. Er sah zur Seitenwand des Hauses nebenan. Keine Lichter und jeweils nur ein kleines Fenster in jedem Haus, weit oben, das der Nachbarn mit gitterverstärkter Scheibe, das Ziel war klar erkennbar, wenn auch dunkel. Er trat an den Trennzaun zurück und sah genauer hin. Selbst in der Dunkelheit konnte er deutlich die Umrisse von Flaschen erkennen, die ordentlich aufgereiht nebeneinander drinnen auf dem Fensterbrett standen. Das Badezimmer. Das kleine Fenster vorne gehörte also zum Kinderzimmer.

Ein hoher Lattenzaun trennte die beiden Grundstücke und ein Gartentor mit altmodischem schwarzen Riegelschloss führte nach hinten. Er befingerte es und lächelte. Es taugte nicht mal, um Hühner einzusperren.

Er griff in seine Tasche und tastete nach seinem alten Dietrich. Er lag kalt und schwer in seiner Hand. Er hatte ihn lange nicht benutzt. Die meisten Schlösser waren heutzutage komplizierter. Er spuckte darauf, verrieb den Speichel über den Zacken, um den Dietrich geräuschlos ins Schloss stecken zu können, und drehte. Das Schloss sprang mit einem lauten, ungewohnten Knirschen auf. McBree stand einen Augenblick lang vollkommen still, horchte, ob sich irgendetwas bewegte. Nichts. Leise spuckte er sich auf die Fingerspitzen und rieb über die freiliegenden Scharniere, versuchte es erst einmal vorsichtig, bis er sicher war, dass es nur ganze sachte quietschen würde. Schnell streifte er sich seine Skimütze über, zog den Sehschlitz über die Augen und glitt durch das Tor in den Garten.

Eine Rasenfläche, von einem hohen Zaun umgeben, ein kleiner Wintergarten, nicht groß, der in die Küche führte. Ein Fernseher auf Stand-by-Betrieb stand auf dem Tisch, das einsame rote Auge beleuchtete den Boden davor. Der Raum wirkte aufgeräumt, keine Kleidung und keine Zeitungen lagen auf dem Boden oder auf dem Tisch, was gut war: Es war unwahrscheinlich, dass irgendwo Zeug herumlag, über das er stolpern könnte. Nicht wie bei dem Fotografen zu Hause. Der hatte seinen Scheiß überall in der Wohnung verteilt. Val hätte Zustände bekommen, wenn sie das gesehen hätte. Sie mochte es perfekt aufgeräumt. Das war ihr Herrschaftsbereich. Ihre Mutter war genauso gewesen.

Die Hintertür war aus Plastik ebenso wie die Haustür, verfügte aber über ein Fenster, eine lange, gesprenkelte Milchglasscheibe im PVC-Rahmen. Er betrachtete das Schloss genauer, stellte sich sehr dicht davor, sodass sein Schatten, falls jemand hinsah, in den Umrissen des Hauses verschwand. Es war kompliziert, ein Riegel und ein Yale-Schloss, viel Arbeit.

Er wandte sich zum Wintergarten. Wenn er ein Stück aus einer der unteren Scheiben schnitt und aus dem Rahmen hob, würde er seitlich hindurchpassen, das dürfte nicht allzu schwierig werden. Er hielt inne, horchte auf Geräusche von drinnen und draußen, genoss aber vor allem den Moment. Diese ruhigen Minuten, in denen er sich voll und ganz auf ein anstehendes Problem konzentrierte. Wenn sein heißer Atem feuchte Tröpfchen unter seiner Maske bildete, dann war er zufrieden.

Er wollte eine Zigarette. Er wollte immer eine Zigarette. Manchmal gierte er sogar beim Rauchen nach einer Zigarette.

Er nahm ein Taschenmesser aus der Tasche, prüfte die Klinge vorsichtig mit dem Finger und spuckte aufs Glas. Er hatte auch früher schon Spucke an einem Tatort hinterlassen, aber er hatte die häufigste Blutgruppe und die Polizei würde nicht auf ihn kommen, selbst wenn sie die Spuckespuren sicherten. Die Klinge scharrte leise über die Scheibe und er drückte mit den Fingerspitzen dagegen, erschrak, als das Glas an der Schnittkante brach und das dumpfe Krachen über den Rasen hallte. Keine Bewegung.

Von der Kante aus zog er den ersten Abschnitt heraus,

dann den nächsten und den letzten. Gerade breit genug. Er schob sich mit den Schultern durch das Loch, wand sich hindurch, landete auf dem kalten Boden wie eine Schlange nach der Häutung.

Er stand auf, sah sich um, tapste leise durch die Küche in den Flur – Teppichboden, sehr gut. Er entriegelte die Schlösser der Haustür, ließ die Tür angelehnt, um später schneller verschwinden zu können, und beobachtete die Tür, vergewisserte sich, dass sie nicht aufschlagen würde. Gut.

Oben tappte er über die steilen, ebenfalls mit moosgrünem Teppich ausgelegten Treppenstufen nach oben. Halt. Atmen hinter einer Tür, das Elternschlafzimmer, ein Mann schnarchte pfeifend, leise und regelmäßig. Das Badezimmer, die Tür zum Kinderzimmer geradeaus.

Halt.

Ihn überfiel Übelkeit. Ein Durcheinander an Bildern. Sein eigener Enkel, der an Silvester bei ihnen übernachtet, sich auf dem Sofa an Val geschmiegt hatte, die Wange auf ihrem Oberschenkel, und McBree, der durch das dunkle Haus schlich, um ihm etwas anzutun.

Blödsinn.

Er ging weiter, seine Sohlen glitten über die Teppichfasern. Als er die Finger vom Geländer am Treppenabsatz löste, erzeugten seine Gummihandschuhe einen Widerstand. Dann stand er vor der Zimmertür des Jungen, spürte die Präsenz eines lebendigen Wesens auf der anderen Seite.

In Gedanken ging er kurz den Ablauf durch: die Tür öffnen, eintreten, den Körper finden, Messer in die linke Seite, direkt ins Herz. Es ging um eine klare Aussage. Jeder Tropfen Blut, jede Aktion, sei sie auch noch so abstoßend – war notwendig. Doch McBrees Herz wog steinschwer in seiner

Brust. Die Rechtfertigungen funktionierten heute Abend nicht. Ein Kind. Ein gesundes Kind. Es schlief, vertraute darauf, behütet zu sein in dieser Welt.

Er erinnerte sich an seinen Schul-Shakespeare. Macbeth. Er hatte mindestens die Hälfte längst wieder vergessen. »Ich bin einmal so tief in Blut gestiegen, dass Rückkehr so schwierig wär', als durchzugehen.« Irgendwie so ähnlich. Los, mach einfach weiter.

Seine rechte Hand umfasste den Messergriff. Seine linke griff nach der Türklinke, mit einer seltsamen Bewegung aus dem Handgelenk heraus drückte er sie herunter, das Schloss öffnete sich.

»Was machen Sie hier?«

McBree drehte sich auf dem Absatz um. Er hatte keine Schritte gehört, keine Tür, keine tapsenden Füße und keine Hand, die sich an der Wand abstützte. Eine Frau, gut aussehend mit blonden, vom Kissen zerdrückten Haaren und schläfrigen Augen, stand in einem langen weißen Nachthemd in der Tür zum Elternschlafzimmer, oben war es nicht zugebunden und gab den Blick auf die Rundung ihrer Brüste frei. Er holte mit dem Messer aus, doch sie wich rückwärts in den Raum zurück und er schnitt ihr nur in die Haut, ritzte einen Halbmond auf ihre linke Brust. Sie fiel zu Boden, krabbelte rückwärts auf allen vieren wie eine Spinne, Blut strömte aus der Wunde, sie keuchte und winselte gleichzeitig.

Der im Bett schnarchende Mann setzte sich abrupt auf, warf die Daunendecke von sich und sprang auf die Beine, er taumelte zur Seite, wandte sich in die falsche Richtung. Er war eins siebenundachtzig, vielleicht sogar eins neunzig und sehr breit, sehr viel größer als McBree.

McBrees kampferprobter Verstand ließ ihm zwei Möglichkeiten: alle umbringen und einen Einbruch vortäuschen oder abhauen.

Der Mann torkelte rückwärts, als die Frau den Kopf in den Nacken warf und einen ohrenbetäubend schrillen Schrei ausstieß.

McBree stürzte die Treppe hinunter, riss die Tür auf und verschwand.

29

Ganz nach Terrys Geschmack

I

Es kam ihr vor wie der erste Schultag. Alle trugen schwarz, wirkten ordentlich und frisch gewaschen. Männer, die sie seit Jahren nicht mehr so sauber gesehen hatte, standen förmlich gekleidet und mit feucht gekämmten Haaren in Grüppchen plaudernd auf dem Vorplatz der Kathedrale herum.

Da waren Merki und Keck sowie Bunty und sein Schoß-äffchen. Alle vom *Standard* waren da, dabei hatte keiner von ihnen Terry mehr als nur vom Sehen gekannt. McGrade war da, der Geschäftsführer der Press Bar, außerdem sein kleiner bärtiger Kumpan, was bedeutete, dass die Bar erstmals seit Menschengedenken geschlossen sein musste. Sean stand bei den Fahrern, zwinkerte ihr zu und wandte sich ab.

McVie hatte jeden aus der Branche angerufen und sie waren alle gekommen, weil es um mehr ging als nur um Terry Hewitt: Sie feierten sich selbst. Terry hätte das sehr gefallen.

Paddys Augen brannten. Sie legte den Kopf in den Nacken, damit ihre Wimperntusche nicht noch mehr verschmierte, sah hoch zu den gotischen Turmspitzen der Kathedrale und dem grünen Friedhofshügel mit seinen von Efeu überwucherten viktorianischen Grabdenkmälern dahinter. Wenn sie an Pete dachte, verspürte sie etwas, das sich wie Entzugserscheinungen anfühlte, ein krampfartiges Gefühl im Magen, weil sie vor der Schule nicht mehr mit ihm gesprochen hatte, nicht wusste, was er gegessen und ob er überhaupt geschlafen hatte. Nach der Zeremonie würde sie Burns anrufen und fragen, was er gegessen hatte. Wenigstens wusste Sandra, wie man Brot toastet.

Die Kathedrale von Glasgow ging größtenteils auf das späte dreizehnte Jahrhundert zurück. Während der Reformation hatte sich eine Gruppe von Händlern aus der Stadt bewaffnet, einen Mob von Plünderern in einer erbitterten Schlacht in die Flucht geschlagen und die Kathedrale damit vor der sicheren Zerstörung bewahrt. Das gedrungene Gebäude war seit der industriellen Revolution rußgeschwärzt und thronte wie eine fette Kröte in einem Trauerschleier oben an der Highstreet.

McVie wirkte wie ein Oberkellner, als er die Trauergäste begrüßte und sich durch die Menge arbeitete, wobei er sicher war, dass er in den Berichten der *Mail on Sunday* erwähnt werden würde. Er sah Paddy mit Dub auf sich zukommen, unterzog ihre Aufmachung einer kurzen Prüfung und befand, dass sie elegant gekleidet war.

»Du fängst an«, sagte er. »Gibst den Ton vor.«

»Aber ich habe nichts vorbereitet.«

Er sah die Panik in ihrem Blick. »Dann mach was aus dem Stegreif. Seit wann hast du Probleme, frei zu sprechen? Hast du Merkis Exklusivbericht schon gesehen?«

»Wo hat er den denn her?«

Die Frage war rhetorisch, aber McVie wirkte gereizt.

»Woher zum Teufel soll ich das wissen?« Er wandte sich ab, um sich mit anderen zu unterhalten.

Eine Hand landete schwer auf Paddys Schulter und sie drehte sich zu Billy um, ihrem ersten Fahrer überhaupt, der nun breit grinsend hinter ihr stand. Billy hatte es in den Jahren seither zu bescheidenem Wohlstand gebracht. Nach einem Brandanschlag auf ihren Wagen hatte er bei der *News* aufgehört und sich von der Abfindung einen Imbisswagen gekauft, um weiterhin nachts arbeiten zu können. Seine Hände waren entsetzlich vernarbt; nachdem er die transplantierte Haut wieder abgestoßen hatte, musste ihm der kleine Finger einer Hand abgenommen werden. Damals hatte er eine lange Mähne gehabt, aber jetzt waren seine Haare kurz rasiert, wie bei Terry, als sie ihn kennengelernt hatte. Seine Frau Agnes stand an seiner Seite, kalt wie ein Kühlschrank. Sie sah weg, als sie sich mit Küsschen und Schulterklopfen begrüßten.

»Und ist das der Mann deines Herzens?«, fragte Billy mit Blick auf Dub.

»Ach nein, das ist Dub McKenzie. Erinnerst du dich nicht mehr an Dub?«

Billy sagte: »Leider nein«, weshalb sie ihm erzählte, dass auch Dub eine Zeit lang als Aushilfe bei der *News* gearbeitet hatte, und die Kurzfassung zweier Geschichten über ihn zum Besten gab: Einmal hatte sich Dub in einem Café versteckt, als er eigentlich einer Frau die Nachricht vom Tod ihres Mannes hatte überbringen sollen, und ein anderes Mal hatte er dem Chefredakteur Krabben an die Unterseite seines Schreibtisches getackert. Billy konnte sich immer noch nicht erinnern, tat aber recht überzeugend, als fiele es ihm wieder ein.

Paddy und Dub gingen weiter.

»Warum ist das mit uns geheim?«, fragte Paddy leise.

»Kann mich nicht erinnern«, sagte Dub und tat, als habe er nicht gesehen, dass Keck ihm zuwinkte. »Lass uns erst mal diesem Vollidioten aus dem Weg gehen. Ob's Callum gutgeht, so allein da draußen, was meinst du?«

Sie hatten ihn mit drei Dosen Limonade und einem ganzen Brot im Cottage gelassen und versprochen, später wiederzukommen oder Sean zu schicken. Er war froh, dort bleiben zu dürfen, er sei noch nie auf dem Land gewesen und wolle herausfinden, was es dort für Bäume gab.

»Na, ihr seid doch nicht etwa am Tratschen? Ganz schön dreist!« Es war Farquarson, Paddys erster Chef, der letzte Chefredakteur, der sich gegenüber den Herausgebern für die Belegschaft eingesetzt hatte. Paddy hatte Farquarson wie einen Helden verehrt, und er hatte sich für sie interessiert und ihr Artikel zugeschanzt, obwohl sie eigentlich gar nicht an der Reihe gewesen wäre. Er war stark gealtert, seitdem sie ihn das letzte Mal gesehen hatte. Trotz des Trilbys sah sie, dass sein Haar stark ausgedünnt war. Seine Ohrläppchen hingen lang herunter, die Haut war schlaff und sein Gesicht von Altersflecken übersät, seine Wangen grau und müde.

Er zeigte auf Paddy, konnte sich erst nicht an ihren Namen erinnern, doch dann fiel der Groschen. »Monihan!«

Paddy grinste ihn an. »Meehan, Sie verrückter alter Sack.«

McVie bat alle herein und stupste sie am Ellbogen, murmelte. »Du sitzt vorne, neben mir.« Dann wandte er sich um und begrüßte Farquarson. »Du siehst aus wie hundert.«

McVie mochte Farquarson nicht. Er war unter seiner

Führung für die Nachtschicht eingeteilt worden und wäre dort versauert, wäre es ihm nicht gelungen, eine trauernde Mutter zu überreden, ihn den Tod ihres Sohnes dokumentieren zu lassen, der an einer Überdosis Heroin gestorben war.

Sie hatte schon Sorge, dass McVie einen schwachen alten Mann piesacken würde, doch Farquarson antwortete: »Und ich habe gehört, Sie sind jetzt unter die Schwuchteln gegangen.«

Beleidigungen flogen hin und her und hoben sich gegenseitig wieder auf, bis sich schließlich alle zu Paaren und Grüppchen zusammengefunden hatten und auf den Eingang der Kirche zubewegten.

Plötzlich fuhr ein großer Wagen mit Chauffeur vor. Der Fahrer sprang heraus, rannte um den Wagen und öffnete die Tür. Random Damage stieg aus, der kleine, herrische Chefredakteur, der aus der seriösen und angesehenen *News* ein erfolgreiches Boulevardblatt gemacht hatte. Er trug einen wunderbar geschnittenen grauen Anzug und ein kleines schwarzes Köfferchen. Paddy erkannte, dass es sich um ein tragbares Telefon handelte. Wozu Damage bei einer Trauerfeier ein Telefon brauchte, war allen klar, außer ihm selbst: Er war besessen von seinem Image und wollte der Welt einfach nur mitteilen, dass er ein tragbares Telefon besaß. Als Zweites stieg seine gertenschlanke, ein Meter achtzig große Frau aus dem Wagen, die sich den schwarzen Samtmantel glattstrich und an Damages Seite stehen blieb. Paddy hatte gehört, er habe sich vom Journalismus verabschiedet und leite nun eine Luxushotelkette, die seiner Frau gehörte.

»Ist das ein Walkie-Talkie?«, fragte Farquarson.

Damage hielt es hoch. »Ein tragbares Telefon.«

McVie zog ein mürrisches Gesicht. »So richtig tragbar ist es aber nicht, oder?«

»Kann man damit nur andere tragbare Telefone erreichen?«, fragte Paddy.

Damage lachte sie aus. »Nein. Sie können damit jedes andere Telefon anrufen. Bald wird es diese Geräte auch mit integriertem Fax geben. Das ist das neue Ding.«

»Und dann wird man tonnenweise Papier mit sich herumschleppen«, warf McVie ein, der neidisch war und es nicht besonders gut zu verbergen verstand.

Paddy griff danach. »Darf ich's mal ausprobieren? Ich muss nur zwei Minuten telefonieren.«

»Betrachten Sie sich als eingeladen.«

»Beeil dich, verdammt noch mal«, sagte McVie.

Paddy wählte Burns' Nummer.

»Hallo?« Burns klang sehr weit weg. In der Leitung knackte und rauschte es.

»Oh, hi, George.« Sie schrie, ihre Stimme verlor sich auf dem großen offenen Platz, sodass sie sich von der Menschenmenge abwandte und in Richtung Straße brüllte. »Ich wollte nur wissen, ob Pete heute Morgen gut in die Schule gekommen ist?«

Burns schwieg.

Eine Faust krampfte sich um Paddys Herz. »Was?«

»Paddy, Pete …«

»Was? Ist er krank? Ist er da?«

»Er ist hier, es geht ihm gut, aber das Haus ist voller Polizei. Bei uns wurde vergangene Nacht eingebrochen. Sandra ist um drei Uhr morgens aufs Klo gegangen und hat einen Kerl oben an der Treppe erwischt, der mit einem Messer in Petes Zimmer wollte.«

»Ach, du Scheiße!«

»Er hatte eine Skimütze auf. Er hat Sandra einen Stich in die Titten verpasst und ist weggerannt, aber er hatte es eigentlich auf Pete abgesehen.«

»Ich komme sofort.«

»Nein, hör zu, das Haus ist voller Kriminalpolizei und sie wollen uns mit aufs Revier nehmen, um unsere Aussagen aufzunehmen. Komm später. Komm und hol uns in der Pitt Street ab.«

»Wie geht's Pete?«

»Ich geb ihn dir.« Burns öffnete eine Tür und rief Pete.

Die Stimme ihres Sohnes wurde blechern und verzerrt hörbar, sie klang sehr weit entfernt und unecht. »Mum? Bei uns hat einer eingebrochen! Heute Nacht ist ein Mann gekommen und wollte Sandras Schmuck stehlen.«

Paddy kämpfte die Tränen nieder, trat mit der Ferse in den Boden und nickte. »Echt? Das ist ja ein Ding. Geht's dir gut?«

»Das ist voll aufregend. Er hat ein Fenster kaputt gemacht und ist reingeklettert.«

»Ich brauche das jetzt wieder.« Damage stand neben ihr, streckte die Hand nach seinem Telefon aus, ignorierte absichtlich die Tränen in ihren Augen und ihre unübersehbare Panik.

»Dad nimmt dich mit auf die Polizeiwache, das ist doch toll, oder?«

»Dann kann ich sehen, wo er gearbeitet hat. Er kennt *jeden*.«

»Komm schon«, schrie McVie und winkte sie zu sich.

Damage war nun um sie herumgelaufen und starrte ihr ins Gesicht. »Die Batterie ist gleich leer. Geben Sie es mir.«

»Ich komm dich heute Nachmittag besuchen, mein Schatz, ja?«

»Mum, ein Mann hat gesagt, dass er mir die Zellen zeigt.«

»Meehan, geben Sie's her.« Damage wollte das Telefon an sich reißen, doch sie hielt es fest.

»Ich hab dich lieb, mein Kleiner.«

Aber Pete hatte schon aufgelegt.

Damage faselte irgendwas von kurzlebigen Batterien. McVie kam herüber, fasste sie am Ellbogen und zog sie zur Kirche.

McBree hatte auf ihren Sohn losgehen wollen, mit einem Messer. Ihr war sehr kalt, sie atmete jetzt tiefer, jeder Muskel ihres Körpers lud sich mit Sauerstoff auf und machte sich bereit, hochzuschnellen. Sie hatte das Gefühl, unerbittlicher zu sein als die Sonne.

McVie zog sie zur Kathedrale. Die Innenwände waren genauso schwarz und abstoßend wie die Fassade, doch nach einigen Metern tat sich eine hohe gewölbte Eichendecke über ihnen auf und Licht sickerte durch die rotblauen Kirchenfenster. McVie hatte sich sehr viel Mühe gemacht. Große Blumensträuße aus Lilien und weißen Chrysanthemen, mit roten und blauen Bändern, hingen an beiden Seiten des Gangs und ein riesiger Kranz in Weiß, Rot und Blau lag vor dem Altar. Es waren die Farben von Ayr United, Terrys Fußballverein.

Paddy, die außer kalter, blinder Wut nichts fühlte, folgte McVie in die erste Bankreihe. Ben, sein wunderbarer, tuntiger Freund, wartete dort bereits auf sie. McVie würde sich niemals zu Ben bekennen, aber er setzte sich in Anwesenheit der versammelten Glasgower Journalistenmafia gut sichtbar neben ihn. Als Zeichen der Solidarität beugte sich

Paddy zu ihm hinüber und küsste Ben auf die Wange, die er ihr hinhielt, und merkte, als sie sich wieder zurücklehnte, dass sie eine dicke Schicht Puder auf den Lippen hatte.

Ein Pastor trat ein und die Trauergemeinde erhob sich. Die Orgel spielte eine kurze Melodie, übertönte damit den Gesang, der nur bruchstückhaft und sporadisch erklang. Der Pastor sprach eine Weile über Leben und Tod und weshalb das Ganze ein Jammer sei, aber eigentlich auch wieder nicht, es gab ja Jesus und plötzlich ohne Vorwarnung trat er beiseite und sah McVie an, der wiederum Paddy ansah. Dann sah auch Ben Paddy an. Alle Anwesenden in der Kirche sahen Paddy an.

Sie wollte den Kopf in den Nacken werfen und schreien, doch stattdessen trat sie in den Mittelgang hinaus, wollte sich fromm verneigen und in die Knie gehen, doch dann fiel ihr ein, dass es eine protestantische Kathedrale war, und sie erntete einige Lacher, als sie sich ruckartig wieder aufrichtete.

Sie wusste nicht einmal, wo sie sich hinstellen sollte, doch der Pastor streckte ihr die Hand entgegen und führte sie die gewundene Treppe zur Kanzel hinauf.

Die hölzerne Plattform knarrte unter ihren Füßen, als sie in die erwartungsvollen Gesichter sah. Shug Grant, Keck, JT, Merki, McVie, einundfünfzig Männer, einige davon Arschlöcher, ein paar davon gute Seelen, die meisten beides, je nachdem, worum es gerade ging.

Sie beugte sich zum Mikrofon vor.

»Terry Hewitt war ein Freund von mir.« Die Worte hallten durch die hohle Kirche.

Es war ein seltsames Gefühl, seinen Namen auszusprechen und an irgendetwas anderes als an Pete zu denken. Im

Moment war er in Sicherheit und das hier war für Terry. Terry. Terry, der ganz und gar nicht der war, für den sie ihn gehalten hatte. Er war ein ganz normaler Mann, der sein Bestes gegeben und sehr viel Pech gehabt hatte. Doch sie hatte ihn zu ihrem Idol gemacht und ihn dafür gehasst, dass er ihren Vorstellungen nicht entsprach. Sie konnte nicht über diesen Terry sprechen, den wahren Terry, der aus bescheidenen Verhältnissen kam und nirgendwo hingehörte. Sie fing noch einmal von vorne an.

»Terry Hewitt war mein Held. Ich war Aushilfe bei der *Daily News* und er war Jungreporter. Er hatte eine Lederjacke.« Dafür erntete sie einen weiteren Lacher. »Er lebte alleine.« Falls irgendjemand noch nicht gewusst hatte, dass sie aus einer großen katholischen Familie kam, so wussten sie es spätestens seit ihrem verunglückten Versuch einer Kniebeuge. »Ich wusste damals nicht, weshalb er alleine wohnte, nur dass seine Eltern bei einem Autounfall ums Leben gekommen waren. Er hatte es mir erzählt, aber wenn man jung ist, hört man oft nicht richtig zu. Sie starben dreißig Meter vor dem Haus und Terry war als Erster am Unfallort. Er war siebzehn Jahre alt.« Das Pathos des Augenblicks überwältigte sie. Sie hielt inne, schluckte und fasste sich wieder. »Wir verbrachten sehr viel Zeit miteinander, als wir gerade anfingen, beruflich Fuß zu fassen. Na ja, die meisten von Ihnen wissen das«, sie sah wieder auf, »wir waren zusammen. Aber wir sprachen nie über etwas anderes als über unsere Arbeit und was wir damit erreichen wollten. Terry wollte die Welt verändern.«

Sie sah herunter und bemerkte, dass Shug Grant, dem Mann neben sich, etwas zuflüsterte. Beide kicherten und wichen ihren Blicken aus. Wahrscheinlich eine anzügliche

Bemerkung über sie, ohne an Terry zu denken oder daran, wer er war und was er im Leben hatte erreichen wollen. Die beiden waren nur dort, weil alle anderen da waren und es hinterher etwas zu trinken geben würde.

»Einige von uns sind hier, weil sie Terry geliebt haben. Einige sind hier, weil sie den Vormittag freibekommen haben.« Nervöses Verlegenheitsgelächter hallte durch die Kirche. Die Anwesenden sahen, dass sie Shug streng anstierte. Sie war bekannt dafür, die Beherrschung zu verlieren und weiter zu gehen, als angebracht schien. Dass sie wütend war, ließ sich kaum übersehen. »Aber ich bin hier, weil Terry für etwas stand. Er hat in größerem Maßstab gearbeitet als die meisten von uns. Er reiste in Kriegsgebiete, Konfliktzonen, berichtete aus aller Welt.«

Paddy spürte, wie die Stimmung sank. Sie wusste, dass sie eine lustige Geschichte erzählen und sich beliebt machen sollte, indem sie die Gemüter aufhellte, aber sie konnte an nichts anderes denken als daran, wie Terry als junger Mann am Ende der Einfahrt seiner Eltern gestanden und zugesehen hatte, wie ein Feuerball den Wagen umhüllte, in dem sie saßen. Und an Pete, der in einem Bett schlief, das sie nie gesehen hatte und vor dessen Zimmertür ein böser Mann stand, während sie selbst kilometerweit weg war.

Die Sicherheitskräfte würden das Ganze unter den Teppich kehren, indem sie hungrigen Journalisten wie Merki Gerüchte und vereinzelte Brocken zuspielten. McBree würde wiederkommen und das nächste Mal würde er ihrem Sohn wehtun, nur um ihr wehzutun. Das Beste war, und das hätte Terry genauso gemacht, sie würde sich selbst zur Zielscheibe machen. Sie weinte jetzt, doch ihre Stimme blieb fest.

»Terry wurde wegen eines Buchs ermordet, an dem er gearbeitet hat. Er wurde spätnachts auf einer dunklen Straße durch einen Schuss in den Hinterkopf hingerichtet. Offiziell heißt es, er sei überfallen worden. Wenn Sie, die Sie hier im Publikum sitzen, die Geschichte glauben, dann ist der Journalismus tot. Er wurde von einem Mann namens Martin McBree umgebracht, einem ranghohen irischen Republikaner. Lassen Sie sich von niemandem etwas anderes erzählen.« Eine Welle der Bestürzung rüttelte die Menschen wach. Merki richtete sich auf und versuchte beiläufig zu lachen, aber niemand sah ihn an.

Paddys Stimme wurde schwächer. Sie beugte sich näher ans Mikrofon, um sich Gehör zu verschaffen. »Terry hätte sich hier hingestellt und das gesagt. Wegen ihm war ich stolz, Journalistin zu sein. Er war der Beste.«

Sie trat weinend vom Mikrofon zurück, schämte sich, weil ihre Tränen eigentlich gar nicht Terry galten, und ging von zögerlichem Applaus begleitet zu ihrem Platz zurück.

Ein Mann in einem khakifarbenen Jackett stand in der Bankreihe hinter ihr auf und nahm mit ausführlichen Notizen in der Hand ihren Platz auf der Kanzel ein.

McVie beugte sich zu ihr hinüber, sprach seitlich aus dem Mundwinkel. »Was zum Teufel sollte das? Hättest du uns nicht ein bisschen aufmuntern können.«

Sie boxte ihm kraftlos in die Rippen.

»Nein«, flüsterte er schnell und reichte ihr sein Taschentuch. »Das war gut. Richtig gut. Ganz nach Terrys Geschmack.«

Der khakifarbene Mann war eigens aus London angereist. Sein Akzent klang vornehm und nach Privatschule, weshalb ihn jeder sofort hasste. Er behauptete, ein sehr guter Freund von Terry gewesen zu sein. Er bezog sich auf Paddys Rede und erklärte, er habe gemeinsam mit Terry ›in größerem Maßstab‹ gearbeitet und aus aller Welt berichtet, was sämtliche Vorurteile des Publikums bestätigte. Dann erzählte er eine Reihe von Geschichten, die er und Terry bei bedeutenden weltgeschichtlichen Ereignissen in Gaza und dann im Libanon erlebt hatten. Anscheinend ging es ihm vor allem darum, damit zu prahlen, dass er dort gewesen war und mit seinem Bericht schneller fertig geworden war als Terry, der sich angeblich immer schwer damit getan habe, etwas zu Papier zu bringen. Dann ließ er in Form einer grässlichen Anspielung durchblicken, Terry habe mit einer dicken Frau Sex gehabt, während deren Kinder im angrenzenden Zimmer hatten warten müssen. Als er von der Kanzel stieg, blieb das Publikum auf eine Weise mucksmäuschenstill, die man im Glasgow Empire Theatre als brutal empfunden hätte.

Zwei oder drei weitere Journalisten versuchten ihr Glück, einer sprach über Terrys Trinkfestigkeit, ein anderer erzählte die Geschichte, wie er mit ihm gemeinsam einen Fall von Korruption auf der Hunderennbahn hatte aufdecken wollen und zu diesem Zweck versucht hatte, die Urinprobe eines Hundes zu entwenden. Die Geschichte kam sehr gut an.

McVie war der Letzte auf der Kanzel. Er schob sich an Paddy vorbei und ließ sich mit dem Aufstieg Zeit, eine Hand ruhte auf jeder Seite des Rednerpults und er sah die Menge von oben herab an, ließ keinen Zweifel daran, dass er nun das Sagen hatte.

Es war eine Tischrede, aber deshalb nicht schlechter. Er machte einige pointierte Bemerkungen über das Wesen des

Journalismus und gab drei Witze zum Besten, die angeblich von Terry stammten und von denen keiner besonders witzig war, die McVie aber so gut erzählte, dass das Publikum, das inzwischen nach einer Gelegenheit gierte, endlich zu lachen, völlig aus dem Häuschen geriet.

Er schloss mit einem Appell: Die Verkaufszahlen sanken allerorts, vielleicht würde man sich an Terry Hewitt als letzten Vertreter einer aussterbenden Gattung erinnern. Niemand habe mehr die Mittel, Auslandskorrespondenten zu bezahlen, und Zeitungen liefen Gefahr, zu Kreuzworträtselblättchen und Werbegeschenken zu verkommen. Es sei nun an ihnen, mit Engagement und Hingabe dafür zu sorgen, dass dies nicht geschehe. Dann lud er alle auf einen Umtrunk bei McGrades ein.

Paddy fragte sich, wie man fehlende finanzielle Mittel mit Engagement wettmachen sollte, aber niemand sonst schien sich darüber zu wundern. Die Menge erhob sich, applaudierte ihm, weil er die Feier organisiert und seinen Freund mitgebracht hatte, mindestens ebenso wie zum Dank für seine aufrüttelnden Worte.

McVie ging wieder an seinen Platz. Die Orgel schlug erneut ein paar Töne an und die Kathedrale leerte sich so schnell, als würde sie ausgespült.

Doch Paddy, McVie und Ben blieben sitzen, betrachteten den Ayr-United-Kranz vor dem Altar.

Als das Getümmel hinter ihnen verebbt war, flüsterte Paddy McVie zu: »Inwiefern kann man den Niedergang mit Engagement aufhalten?«

McVie seufzte und sah auf seine Beine herunter, die er vor sich ausgestreckt hatte, und spannte seine Fußmuskulatur an. »Gar nicht«, sagte er. »Man kann ihn nicht verhindern.«

II

Paddy wusste, wenn sie wie eine Furie auf der Wache in der Pitt Street auftauchte und Pete zu sehen verlangte, bevor man ihm die Zellen gezeigt hatte, würde er wissen, dass etwas Beängstigendes passiert war und es der Mann im Haus seines Vaters gar nicht auf Sandras Schmuck, sondern auf ihn abgesehen hatte. Also ging sie mit Dub in die Press Bar.

McVie hatte dreihundert Pfund an der Bar hinterlegt und bei McGrade kleine Schnapsgläser voll Whisky bestellt, die er auf der Bar in einer Reihe hatte aufstellen lassen, um das Besäufnis in netter, gepflegter Atmosphäre zu beginnen. Die meisten der Anwesenden waren Protestanten und hatten noch nie eine echte Totenfeier mit Leichenschmaus besucht. Sie begriffen nicht, dass es darum ging, so viel zu trinken, bis die Traurigkeit verschwand, und sich Geschichten über den Toten zu erzählen, sich an ihn als an einen Weggefährten zu erinnern, und das Leben zu feiern. Sie wussten nur, dass es eine irische Tradition war und sie sich am besten besinnungslos betranken und untereinander stritten. Und genau das taten sie.

Als Paddy den Wagen in einer der hinteren Ecken des vollgeparkten *Daily News*-Parkplatzes abstellte, war der Lärm, der aus der Bar drang, bereits ohrenbetäubend, und die Menge hatte sich auf der Straße davor verteilt. Sie stellte sich neben Dub, betrachtete die schäbige, braun gefliese Fassade, die rauchenden Männer draußen und den allgemeinen Trubel und dachte, scheiß drauf, sie würde lieber am Empfang in der Pitt Street warten, bis genug Zeit vergangen war. Dann wäre sie wenigstens in Petes Nähe.

Paddy fuhr gerade vom staubigen Parkplatz, als sie sah, wie der khakifarbene Mann vor ihr die Straße Richtung Bar überquerte.

Sie kurbelte die Scheibe herunter und schrie zu ihm herüber, aber er hörte sie nicht, sondern hielt den Kopf gesenkt und schlängelte sich durch die Menschenmenge vor der Tür.

Dub schubste sie an. »Geh ihm nach. Ich parke.«

»Sicher?«

»Mach schon. Ich parke und warte.«

Als sie eintrat, stand der khakifarbene Mann unsicher mit einem Glas Whisky in der Hand an der Bar. Er war der Einzige dort, der keinen Gesprächspartner hatte, während sich die tosende Menge ins Koma trank. Sie hielt den Kopf gesenkt und ging auf ihn zu.

»Hallo«, sagte sie und lehnte den Whisky ab, den ihr McGrade anbot.

»Oh, hallo.« Er sah sie an, als hätte sie ihn bei etwas schrecklich Wichtigem gestört. »Waren Sie nicht die erste Rednerin vorhin? Sehr gut. Bewegend. Große Redner, die Schotten.«

»Danke. Sie waren mit Terry im Libanon?«

»Ja, ja.« Er begriff, dass sie gerne Ausführlicheres von ihm darüber gehört hätte, verstand ihr Anliegen jedoch falsch und lieferte ihr einen kurzen Abriss seines Karriereverlaufs, wobei er an seinem Whisky nippte, als handelte es sich um Sherry. Er war schrecklich schlau, anscheinend der größte Crack, schlauer als alle anderen. Er nannte die Namen einiger Nahost-Korrespondenten, große landesweit bekannte Namen, und erklärte ihr, weshalb sie alle unrecht hatten und dumm waren.

»Um nochmal auf Terry zurückzukommen. Was hat er dort gemacht?«

Terry sei vom Chefredakteur einer überregionalen Zeitung dorthin geschickt worden, als die Frau desjenigen, der den Job sonst gemacht hatte, ein Kind erwartete. Er habe es gehasst und geglaubt, es sei unmöglich, ohne vorangegangenes Geschichtsstudium auch nur einen libanesischen Busfahrplan abzuschreiben. Der khakifarbene Mann legte eine Pause ein, nickte einmal kurz und kräftig, um anzudeuten, dass er selbstverständlich einen Abschluss in Geschichte hatte, nur für den Fall, dass sie hätte fragen wollen.

Sie zog einen Zettel aus der Tasche und entfaltete ihn vorsichtig auf der Bar. Die Druckerschwärze war an den Knickstellen bereits porös, aber McBrees Gesicht war noch erkennbar. »Sind Sie diesem Mann schon einmal begegnet?«

»Martin McBree? Ja, er war im Libanon, das weiß jeder.«

»Kannte Terry ihn auch?«

»Ja, sicher. Jeder kannte ihn. Wir alle. Er war bei einem Abendessen, das ein Mann von der Nachrichtenagentur *Reuters* aus Hongkong organisiert hatte. Samkeh Harrah. Sehr gut.«

»Sammy Hurrah, heißt der Mann wirklich so?«

Er lächelte arrogant. »Nein. Das ist ein libanesisches Gericht.«

»War Terry auch bei dem Abendessen?«

»Ja.«

»Hat er sich mit McBree über irgendetwas gestritten?«

»Nein.«

Paddy nervte, dass der Khakifarbene mit absoluter Sicherheit zu wissen behauptete, dass es niemals auch nur ein Gerangel an der Pissrinne, einen Streit um eine Schale Erdnüsse in einer Bar oder Ähnliches zwischen Terry und McBree gegeben hatte. »Wie können Sie da so sicher sein?«

»McBree interessierte sich sehr viel mehr für etablierte Nahostkorrespondenten. Er hat sich über eine halbe Stunde mit mir unterhalten. War sehr beeindruckt von meiner Analyse des Bürgerkriegs, speziell der Massaker in den Flüchtlingslagern. Terry fiel es schwer, die Interessen der unterschiedlichen Fraktionen zu durchschauen, er konnte nicht …«

»Verdammte Scheiße, ich hab nicht gefragt, ob Terry wichtiger war als Sie, ich habe gefragt, ob er sich jemals mit McBree gestritten hat.«

Der Khakifarbene nippte erneut an seinem Whisky, für einen schottischen Gastgeber war das eine Beleidigung. Er schwenkte den mikroskopisch kleinen Schluck im Mundraum herum, bevor er ihn sich die Kehle herunterfließen ließ, um dann mit verzogener Schnute zu antworten.

»Junge Frau, Sie werden feststellen, dass Sie mit Höflichkeit und einer angenehmen Art weiterkommen …«

Zornig platzte sie heraus: »Ach, halten Sie doch die Klappe, Sie aufgeblasener Gockel.«

McGrade grinste ihr von hinter der Bar zu. Er griff herüber, reichte ihr ein randvolles Glas Whisky und sie kippte den Inhalt in einem Zug herunter, knallte das Glas auf den Tresen und versorgte den Khakifarbenen zum Abschied mit einem guten Rat. »Wenn Sie weiter wie ein blödes Arschloch solche Scheiße erzählen, dann werden Sie die Bar hier nicht unverletzt verlassen.«

Später hörte sie, er sei mit Nasenschiene und Gipsarm nach London zurückgeflogen.

30

Keine Chance

I

Am Empfang auf der Wache in der Pitt Street war viel los. Polizeibeamte, Uniformierte und zivil Gekleidete eilten vorüber, alle mit demselben militärisch präzisen Haarschnitt und derselben aufrechten Körperhaltung. Sie grüßten einander, warteten am Aufzug, verschwanden durch die Türen hinter der Anmeldung oder nahmen die Treppe, niemand kümmerte sich um Paddy und Dub, die beide Trauerkleidung trugen, mitgenommen und besorgt auf den schwarzen Kunstlederstühlen saßen und es kaum abwarten konnten, endlich ihren Jungen zu sehen.

Am Empfang wachte diesmal ein junger Mann, dienstbeflissen und kalt, der zu ihrer Verärgerung beitrug, indem er jedes Mal, wenn sie sich erkundigten, wann die Befragung abgeschlossen sei und sie Pete sehen könnten, ins Leere blickte. Burns wurde noch immer verhört. Pete und Sandra machten eine Führung mit, aber Paddy und Dub benötigten Burns' Einverständnis, bevor ihnen die Polizei erlaubte, die beiden zu sehen.

Paddy lehnte sich zurück, sie war reizbar und fühlte sich krank, dachte aber, dass es eigentlich eine gute Sache sei: Sie hätte ja eine von McBrees Agentinnen sein können, aber die Polizisten wachten sicher über ihren Sohn. Sie lehnte den Kopf an die Stuhllehne, starrte auf die Styroporplatten an der Decke und versuchte einen klaren Kopf zu bekommen. Es war eine Kriegserklärung gewesen. Sie hatte bei der Trauerfeier McBrees Namen genannt und einige der dort anwesenden Journalisten würden ihre Behauptung aufgreifen. Einige würden Anrufe machen, er würde davon hören. Er hatte die Abzüge und die Negative, aber Knox würde ihm gesagt haben, dass sie mit Fotokopien hantiert hatte. Jetzt musste er zu ihr kommen. Wenn er die letzten Kopien nicht bekam, würde ihn die IRA als Verräter hinrichten.

Was sie nicht verstand, war, weshalb McBree die Seite gewechselt hatte. Er war sein Leben lang Republikaner gewesen, hatte sein Leben und seine Karriere diesem Ziel gewidmet. Er war ein Held. Seine gesamte Identität war davon bestimmt. Sie erinnerte sich, dass in den Artikeln gestanden hatte, während seines Aufenthalts in New York sei in der Nähe seines Wohnhauses eine Bombe hochgegangen. Er hatte seine Frau und seine Familie mit den Folgen, die sein politisches Engagement mit sich brachte, alleine gelassen, und gleichzeitig Geld und Schutzangebote des Feindes angenommen. Sie wusste nicht, was die Geheimdienste gegen ihn in der Hand hatten, aber es musste etwas sehr Zwingendes sein. Bei Erpressung ging es meistens um Sex oder Geld.

McBree und Paddy stammten aus ähnlichen Verhältnissen. Sie kannte die strengen Moralvorschriften und wusste, dass ein kleiner Ausrutscher genügte, um eine Person für immer zum Ausgestoßenen zu machen und innerhalb der eigenen Familie und Gemeinde auf den Rang eines Zuschauers zurückzustufen. Paddy selbst war gestrauchelt und gefallen, war zurückgekrochen, hatte es aber nie ganz geschafft. Schon den Großteil ihrer Kindheit über hatte sie diesen heimeligen Ort nur von draußen betrachtet. Als sie älter wurde, hatte sie sich damit abgefunden. Es war eine einsame Reise gewesen, aber als sie ganz unten angekommen war, hatte sie in der Redaktion ihre eigenen Leute gefunden, auch Freunde wie Dub.

Sie sah zu ihm auf. Dub stützte sich auf den Knien ab, sein Rücken war angespannt, sein Kopf nach vorne gebeugt und eine große knochige Hand lag in seinem Nacken. Sie stupste ihn mit dem Knie an, und er setzte sich auf und sah sie an.

»Das dauert eine verdammte Ewigkeit«, sagte er.

»Er ist in Sicherheit.«

Die Feststellung tröstete ihn allerdings nicht, er zuckte ratlos mit den Schultern und drehte sich zu drei Polizisten um, die am Fahrstuhl warteten. Alle drei waren nicht in Uniform, dafür aber groß gewachsen mit kurzgeschnittenen Haaren. Einer trug einen wachsbeschichteten Mantel, die anderen beiden Anzugjacken zu Stoffhosen. Dub lehnte sich zurück und murmelte: »Man fragt sich, wie's denen überhaupt gelingt, undercover zu ermitteln, oder? Die sehen so dermaßen nach Polizei aus, das gibt's gar nicht.«

Ein schlechtes Kostüm machte in ihrem Augenwinkel halt, blassblau, der Rock leicht zerknittert. Paddy drehte sich zu der Polizistin um, die sie gemeinsam mit Knox verhört hatte und die auf der anderen Seite der Türen stand und sie misstrauisch betrachtete. Paddy nickte. »Garrett.«

Garrett erwiderte den Gruß ebenfalls kopfnickend, zögerte und kam zu ihr herüber. »Was machen Sie hier?«

Dub schnaubte empört, ob der Schroffheit der Frage, aber Paddy gefiel der Ton fast an ihr. »Ich warte«, sagte sie und ahmte Garretts Art nach. »McBree hat meinen Sohn überfallen.« Garrett riss die Augen auf. »Er hat bei seinem Vater übernachtet, jemand ist eingebrochen und wurde dabei überrascht, wie er mit einem Messer in Petes Zimmer wollte.«

Garrett verdrehte die Augen in Richtung eines höher gelegenen Stockwerks und wieder zurück. »Erkennungsdienstlich erfasst?«

»Er hatte eine Skimütze auf. Er wurde nicht gefasst. Selbst wenn es ein Foto von ihm gäbe, wie er sich mit dem Messer zwischen den Zähnen über Pete beugt, würde er nicht gefasst werden, oder?«

Garrett biss sich auf die Unterlippe, ihr Gesicht blieb genauso emotionslos, wie Paddy es in Erinnerung hatte. »Skimütze? Also war er es vielleicht gar nicht?«

Paddy lächelte genervt, schüttelte den Kopf und wandte sich ab.

Garrett blieb hartnäckig. »Es besteht die Möglichkeit, dass er es nicht war.«

Paddy sah sie an. »Mein Sohn ist fünf Jahre alt. Er hatte noch keine Zeit, sich viele Feinde zu machen.« Sie sah wieder weg. »Sie wollen mir sowieso nicht helfen, also verpissen Sie sich.«

Doch Garrett blieb unbewegt stehen, senkte die Stimme und knurrte leise: »Faxen Sie's.«

Paddy sah mit neu erwachtem Interesse auf. Sie berührte ihre Handtasche mit den Fingerspitzen, um ihr zu bedeuten, dass sie verstanden hatte. Garrett nickte und ging an ihr vorbei, nahm mit beschämt gesenktem Kopf die Treppen im Laufschritt.

»Was sollte das denn heißen?«, fragte Dub.

Paddy kratzte sich an der Wange, während ihre Augen hektisch den Boden absuchten. Sie dachte nach.

»Nichts«, sagte sie. »Nichts.«

Ein Fax. Das war weniger ein Plan als ein müder nachträglicher Wiedergutmachungsversuch.

McBree würde es jetzt auf sie abgesehen haben und das Beste, was sie tun konnte, war, dafür zu sorgen, dass sie alleine war, damit niemand sonst verletzt wurde.

Der Mann am Empfang rief einen Mr. McKenzie ans Telefon. Dub sprang in zwei riesigen Sätzen quer durch den Raum und riss ihm den Hörer aus der Hand. Er lächelte und drehte sich zu ihr um.

»Hallo, Kleiner.«

II

Sie stiegen die Treppe im Gefolge eines dünnen, lispelnden Polizisten hinauf. Er führte sie einen lärmerfüllten Gang entlang, an Türen mit der Aufschrift »Verhörraum« vorbei und in ein Seitenzimmer mit weiteren schwarzen Stühlen, einem Kaffeeautomaten und einer verendeten Pflanze.

Er ließ sie dort sitzen, machte eine unbestimmte Handbewegung Richtung Automat und erklärte, sie dürften sich bedienen, sofern sie fünfzig Pence dabeihätten.

Die Tür zum Gang öffnete sich. Paddy und Dub standen auf, da sie Pete erwarteten, doch es war Burns, der durch die Tür lugte und dabei aussah wie aufgewärmte Scheiße. Er war in Begleitung eines großen Mannes mit hochge-krempelten Hemdsärmeln. »Das ist sie«, sagte Burns. »Das ist seine Mutter.«

III

Pete hatte viel Spaß gehabt. Er erzählte ihnen, wen er ken-nengelernt hatte und wo die Zellen waren und dass es dort nach Pipi und Putzmittel roch, so wie damals, als Cabrini die Windel ausgezogen und in den Schrank gepullert hatte, und Mrs. Ogilvy es bei dem Versuch, die Schweinerei weg-zuschrubben, nur noch schlimmer gemacht hatte. Genau so. Und er hatte Kuchen mit Rosinen drin gegessen.

Paddy wollte ihn nicht mit einem Tränenausbruch er-schrecken. Sie umarmte ihn, klammerte sich aber nicht fest und weinte auch nicht. Sie ließ ihn wieder los, damit Dub ebenfalls Hallo sagen konnte, aber sie brachte es nicht über sich, ihn ganz loszulassen, also legte sie ihm eine Hand auf den Kopf, dann fasste sie ihn an der Schulter und versuchte seine Hand zu nehmen, was er nicht mochte, nicht mal, wenn sie eine Straße überquerten. Er machte sich los. Sie ertrug es nicht, ihn nicht zu berühren und gab sich aber schließlich damit zufrieden, ihm die Hand auf die Schulter zu legen.

Eine Beamtin war für ihn abgestellt worden und küm-merte sich um ihn. Sie hielt die Hände zwischen den Knien und beugte sich gönnerhaft zu ihm herunter, Pete igno-rierte sie, fand es viel zu aufregend auf der Polizeiwache mit all den echten Polizisten.

Burns setzte sich auf einen Platz ihnen gegenüber, versuchte sein Glück am Kaffeeautomaten und verlor sein Geld. Er hatte blaue Ränder unter den Augen und blinzelte immer wieder langsam, erzählte ihnen, er habe nur drei Stunden geschlafen und fühle sich nun krank. Sandra ertrug den Gedanken nicht, nach Hause zu fahren. Sie hatte in einem Hotel eingecheckt. Paddy fiel auf, dass es sich um das teuerste der Stadt handelte, in dem Popstars übernachteten, wenn sie auf Tournee vorbeikamen.

Nach einer Weile beruhigte sich Pete, setzte sich auf den Boden und spielte mit einigen Infoblättern über eine Karriere bei der Polizei. Burns saß zusammengesunken auf dem Stuhl. Dub beugte sich zu ihm herüber und klopfte ihm aufs Knie.

»Bist du heute Abend nicht mit der Aufzeichnung deiner grottenschlechten Show dran?«

Burns sah ihn mit geröteten Augen an und warf ihm einen hasserfüllten Blick zu.

Dub hatte verstanden. »Schon gut, ›deiner Show‹. Besser? Wird die nicht heute Abend aufgezeichnet?«

Burns blinzelte den Boden an. »Wurde abgesetzt.«

»Hmm.« Dub versuchte nicht zu lächeln. »Krass.«

Plötzlich wurde Burns wach, rutschte neben Dub und erzählte ihm, sein Manager habe eigenmächtig, ohne seine Zustimmung abzuwarten, eine Tour durch die Clubs gebucht und jetzt seien die Hälfte der Veranstaltungen ausverkauft und sein Name überall angekündigt.

Dub runzelte die Stirn. »Aber du hast den Vertrag nicht unterschrieben?«

»Nein, aber wenn ich mich weigere, lasse ich alle im Regen stehen.«

»Weißt du denn, wie viel dein Manager dabei für sich abzweigt? Mehr als zehn Prozent?«

»Du meinst, er zweigt heimlich was ab?«

»Wenn er so dermaßen darauf versessen ist, dann wird er schon ein paar Tausend in bar absahnen, zehn oder zwanzig, da kannst du dich drauf verlassen.«

Der Gedanke war Burns noch nicht gekommen und er wurde wütend. »Ich bekomme selbst nur fünfundfünfzigtausend brutto.«

Dub streckte den Fuß nach Pete aus, schob ihn ihm unters Bein und schaukelte ihn, bis er die Faltblätter anlächelte.

»Pauschal? Bist du nicht an der Abendkasse beteiligt?«

Paddy beobachtete die beiden, betrachtete Pete und nahm die verklemmte Polizistin wahr, die ihnen mit krampfhaft aneinandergepressten Knien gegenübersaß, den Kopf zuckersüß geneigt hielt und Pete zusah.

Sie blickte auf Petes Hinterkopf, auf den perfekten schwarzen Haarwirbel hinten. McBree wollte nicht Pete. Er wollte sie.

Paddy nahm ihre Zigaretten, zündete eine an und rutschte von Pete weg, als Dub sie ungehalten ansah. Sie saß auf dem letzten Stuhl in einer langen Reihe und sah zu ihnen herüber, inhalierte verbitterten Mut.

McBree würde zu ihr kommen, das war so sicher wie das Amen in der Kirche. Er war kampferprobt, brutal und verzweifelt. Sie hatte keine Chance.

Eine seltsame Ruhe überkam sie, als sie die kleine Familie ansah. Wenn sie starb, würde die Versicherung für die Raten ihrer Wohnung aufkommen. Dub würde Pete behalten – er kümmerte sich sowieso größtenteils um ihn –

und Burns würde immer mal vorbeischauen, wenn es ihm in den Kram passte. Und wenn alle Stricke rissen, würde ihre Mutter ihn nehmen und sein Traum, immer bei BC zu wohnen, könnte endlich in Erfüllung gehen.

Asche fiel von ihrer Zigarette auf den grauen Teppich und sie verrieb sie mit der Schuhspitze. Keine Chance.

IV

Man entließ sie in die Kleinkinder mordende Welt mit der Versicherung, es habe sich um ein Zufallsdelikt gehandelt, und die Polizei unternehme alles, was in ihrer Macht stehe. Wahrscheinlich war der Täter irgendein Verrückter, der es auf Burns abgesehen hatte, weil er ihn aus dem Fernsehen kannte. Auf Wiedersehen und einen schönen Tag noch.

Nutzlose, faule Arschlöcher war die Kernaussage von Burns' Schimpftirade draußen auf dem Bürgersteig, als wäre nur er davon betroffen und als stecke Paddy nicht bis zum Hals in der Scheiße.

Sie standen in der Nachmittagssonne auf der Pitt Street, Pete zog an Paddys Arm, während Burns von den traumatischen Erlebnissen des Vormittags berichtete. Sehr viel mehr Beamte als nötig waren in sein Haus geplatzt, weil sie sich umsehen wollten; die unfähigen Leute von der Spurensicherung hatten nicht einen einzigen Fingerabdruck gefunden und es hatte dreißig Minuten gedauert, bis der Krankenwagen für Sandra erschienen war. Anschließend hatte sie mit dem Taxi vom Krankenhaus zur Wache fahren müssen, um sich der Befragung zu stellen. Auf der Unfallstation hatte sie eine Valium bekommen, aber sie war die Tabletten nicht gewohnt.

Plötzlich richtete sich Burns' Wut gegen Paddy. »Was machen wir jetzt?«

»Na ja«, ihre Hand lag auf Petes Schulter und sie war sehr ruhig. »Du gehst zu Sandra. Versteckt euch eine Weile. Bleibt in eurem Hotelzimmer. In ein paar Tagen ist alles vorbei.«

Mit Blick auf Pete überlegte sich Burns genau, wie er seine Frage formulierte. »Was ist mit dem Dieb?«

»Das wird sich aufklären.« Sie sah weg, Tränen des Selbstmitleids stiegen ihr in die Augen. Am Ende der Straße fuhren Busse vorbei. Eine Radfahrerin sauste den Abhang herunter, ihre roten Haare flatterten hinter ihr im Wind. Menschen gingen in Zweier- oder Dreiergruppen vorbei, zufriedene Freunde, die das warme Wetter genossen und noch etwas zu Mittag essen wollten, bevor sie wieder an die Arbeit gingen.

»Ich werde das aufklären.«

31

Anruf aus der Heimat

I

Das erste Mal war Pete im Alter von anderthalb Jahren mit Paddy in der Redaktion gewesen, er hatte gerade die ersten Backenzähne bekommen und konnte nur bei Licht einschlafen. Ihre Mutter war mit Caroline und BC bei der Totenwache einer verstorbenen Freundin, und sie hatte keine andere Wahl gehabt, als ihn mitzunehmen. Es war spätnachts gewesen, um diese Zeit war es in den Redaktionsräumen, in denen vierundzwanzig Stunden Betrieb herrschte, am ruhigsten. Sie hatte nur einen Ordner und einige Telefonnachrichten aus ihrem Verteilerfach holen wollen und gehofft, Pete würde im Wagen einschlafen, aber das tat er nicht. Sie hatte erwartet, dass er in der Redaktion zu weinen anfangen würde, aber auch das tat er nicht. Sie trug ihn auf der Hüfte, er beobachtete alles, lächelte alle an und deutete überallhin, stieß fröhlich quietschend eine Reihe von Konsonanten aus und sabberte ihr auf die Schulter.

Als sie die Doppeltür aufstieß, fiel ihr jene Nacht wieder ein. Liebend gerne hätte sie Pete noch einmal so gehalten, hätte die Arme um ihn gelegt und er hätte es geschehen lassen. Damals war sie seine Welt gewesen, jetzt war er immer noch ihre.

Die wenigen Journalisten, die nicht bei Terrys Trauerfeier unten, bewusstlos umgekippt oder nach Hause gefahren waren, saßen an ihren Schreibtischen und gingen in Deckung. Nur die Sekretärinnen richteten sich beim Anblick des kleinen Jungen auf, der in der Tür stand und sich mit ehrlichem Interesse umsah.

Zwei von ihnen kamen herüber und machten eine Menge Aufhebens, erzählten Paddy, dass er ihr sehr ähnlich sehe, und fragten Dub, ob er der Papa sei. Pete lächelte ihn an, bis Dub sagte, irgendwie schon. Pete kniff Dub in den Oberschenkel, knapp am Hodensack vorbei, und widersprach vehement, dass er sein Vater sei, sein Daddy sei sein Daddy, trotzdem lächelte er dabei.

Paddy führte die beiden an einen Schreibtisch im Randbereich der Nachrichtenredaktion, hinter dem viel Platz war, wo Pete spielen konnte, und suchte ihm Papier und einige Stifte. Sie bat ihn, gemeinsam mit Dub, die Polizeiwache zu zeichnen, während sie arbeitete.

Sie legte die Fotokopien und die Liste mit Namen und Adressen, die sie von Joan Forsyth bekommen hatte, vor sich hin. Die Liste war lang, aber sie strich alle Männernamen durch und rief die internationale Telefonauskunft an und ließ sich von allen anderen die Nummern geben. Die Telefonistin am anderen Ende rückte jeweils nur drei Nummern heraus, weshalb sie immer wieder anrufen musste, um alle vierzehn zusammenzubekommen. Dann rief sie noch einmal an, weil sie gerade so schön dabei war, und ließ sich außerdem drei Nummern in Irland geben. Keiner der Namen auf Forsyths Liste klang afrikanisch oder westindisch und so fing sie einfach von oben an.

Zweimal ging niemand dran und bei der dritten Nummer hob ein Mann ab, der sagte, die Frau, nach der sie suche, Fransy, sei »auf Arbeit«. Sie solle später noch einmal anrufen.

»Ich bin auf der Suche nach jemandem, es ist ziemlich dringend. Ich hoffe, es macht Ihnen nichts aus, wenn ich sie frage, ob Fransy schwarz ist?«

Der Mann zögerte. »Wer sind Sie?«

»Die Frau, die ich suche, ist schwarz. Ist Fransy schwarz?«

»Nein, aber ich.«

Ein Hund kläffte im Hintergrund.

»Ach so, aber sie ist weiß?«

Der Hund jaulte plötzlich auf und der Mann meldete sich am Telefon zurück. »Worauf zum Teufel wollen Sie hinaus?«

Er klang streitlustig, also bedankte sie sich und legte auf.

Zwei weitere Anrufe und zwei weitere Male wurde abgehoben, beide Personen reagierten empfindlich, als sie sich nach der Hautfarbe erkundigte. Offensichtlich hatte diese Frage dort drüben eine andere Bedeutung als hier.

»Hallo?«

»Kann ich bitte mit Karen sprechen?«

»Am Apparat.« Sie zog die Worte mit einem sexy Südstaatenakzent in die Länge. Sie klang, als würde sie liegend telefonieren oder zumindest super aussehen und in schöner Unterwäsche auf und ab gehen.

»Karen, vielleicht können Sie mir helfen. Ein Fotograf hat im Sommer Bilder von Ihnen gemacht …«

»Kevin? Ja sicher, ich habe den Vertrag hier, liegt direkt vor mir. Tut mir leid …« Sie klang nicht besonders zerknirscht. »Ich unterschreibe ihn gleich und schicke ihn zurück.«

»Na ja, eigentlich geht es um …«

»Wie geht's Kevin überhaupt? Kommt er bald mal wieder? Kennen Sie Terence?«

Paddy strich sich über ihren Beerdigungsrock, überlegte, ob sie es ihr sagen sollte, und fand dann aber, dass die Geschichte viel zu lang sei, um sie jetzt zu vertiefen. »Gut geht's ihm. Sehen Sie, wir wissen nicht, welches Foto zu Ihnen gehört. Ich bin heute schon vielen Leuten mit meiner Frage auf den Schlips getreten, aber sind Sie schwarz?«

Karen lachte. »Meine Liebe, das wundert mich nicht, dass sich die Leute auf den Schlips getreten fühlen. Das ist hier ein Riesenproblem.«

»Verstehe. Aber sind Sie schwarz?«

»Schwarz wie die Nacht.«

Sie lächelten einander durch die Leitung an. »Wunderbar«, sagte Paddy.

»Das auch«, sagte Karen und kicherte auf eine Art offen und kess, dass Paddy sie gerne kennengelernt hätte.

»Haben Sie die Haare zu Zöpfchen geflochten, mit gelben Strähnen drin?«

»Nein«, sagte sie kurz und bestimmt. »Nicht mehr.«

»Aber als das Foto gemacht wurde, schon?«

»Ja. Das war letztes Jahr. Das trägt heute niemand mehr.« Im Hintergrund wurde Geklapper vernehmbar und man hörte, wie sie den Hörer zwischen Schulter und Kinn klemmte. Paddy vermutete, dass sie Frühstück machte.

»Karen, tut mir leid, dass ich Ihnen das sagen muss … Kevin ist tot, deshalb gehe ich seine Notizen durch.«

Karen stieß ein betroffenes »Oh« aus, es klang wie der letzte Hauch, der einem Ballon entweicht, aus dem man die Luft lässt.

»Ja, also, er wurde ermordet.«

»Tsss. Was für Schweine.« Sie klang nicht sonderlich beunruhigt.

»Ja. Haben Sie das Bild noch?«

»Ja.« Ihre Stimme klang plötzlich hoch und ein bisschen abweisend, fand Paddy. »Ich hab's mir gar nicht richtig angesehen, hab nur mein Gesicht angeguckt. Hören Sie, könnten Sie mich da rauslassen? Ich sehe auf dem Foto einfach nicht gut aus. Deshalb habe ich den Vertrag auch noch nicht zurückgeschickt, wissen Sie, mit der alten Frisur und so. Sehr uncool. Damit mache ich mich zum Gespött der Leute von hier bis zum Union Square.« Sie lachte verlegen. Jetzt, wo sie etwas länger geredet hatte, hörte Paddy, wie aufgesetzt ihr amerikanischer Akzent klang, sie rutschte mit ihrem Dialekt die Westküste hoch und runter, gelegentlich schlichen sich flache Vokale ein, die Paddys schottischem Akzent entsprachen.

»Karen, Terry ist auch tot.«

Am anderen Ende schlug Metall auf Metall. Sie hörte ein Zischen und ein »Baff« als die Gasflamme angezündet wurde.

»Verstehe … Echt?« Sie legte eine Pause ein, als würde Paddy weiter mit ihr sprechen, und erwiderte dann: »Super, Schätzchen, dann kannst du mich ja aus der Sache rauslassen, oder?«

Karen war nicht alleine. Sie spielte jemandem etwas vor. Paddy strich über die Kopie des Bildes von McBree und dem Wagen, berührte die Umrisse von Karens Gesicht, die gerade so noch auf der Vergrößerung zu sehen waren.

»Das Buch wird nicht erscheinen, Karen. Ihnen kann nichts passieren.«

»Na, das ist ja toll … ja, ich koche gerade Kaffee.« Sie lachte wieder, diesmal ziemlich lange. Ihre Stimme schien sich vom Hörer zu entfernen und dann wieder näher zu kommen, als würde sie jemandes Bewegungen beobachten. Plötzlich waren sie alleine. »Hören Sie, das Bild darf nicht erscheinen, okay? Wenn es erscheint, krieg ich die Hucke voll.«

Einwandfreier Glasgower Akzent, unverstellt.

»Karen, ich kannte sowohl Kevin als auch Terry, seit ich achtzehn war. Ich muss wissen, warum.« Sie betrachtete den dicken Mann auf der Fotokopie, der sich von der Kamera abwandte und eine Hand auf den Griff der Fahrertür gelegt hatte. »Wer ist der Mann im Anzug?«

Karen holte tief Luft und nuschelte: »Ist gerade im Badezimmer.«

»Wer ist das?«

»Brite.«

Engländer waren Engländer. Schotten waren Schotten. Die Einzigen, die sich als Briten bezeichneten, arbeiteten beim Militär oder im Dienst der Regierung und für einen Soldaten war der Mann zu dick.

»Ich, äh«, Karen flüsterte jetzt, als sei sie den Tränen nahe: »Mir hat mein Foto gefallen. Tut mir leid.«

Plötzlich ertönte das Freizeichen. Eine kleine Hand landete in Paddys weicher Armbeuge.

»Mum, ich hab Hunger.«

II

Dub wusste noch von früher, wo die Kantine war. Warme Mahlzeiten wurden hier schon lange nicht mehr angeboten, aber der Raum war mit Getränke- und Snackautomaten ausgestattet, an denen man alles kaufen konnte, wovon Erwachsene Kinder fernzuhalten versuchten. Paddy bat ihn, etwas auszusuchen, das möglichst wenig widerlich war, und versprach Pete ein richtiges Essen später bei seiner Oma.

Sie gingen die Treppe hinauf und Paddy kehrte in die Redaktion zurück, dachte über ihren nächsten Schritt nach.

An ihrem Schreibtisch steckte sie ihre Notizen, die Fotokopie und die Liste in einen internen Postumschlag mit einem Zettel für Bunty, auf dem sie ihn bat, Merki einen Artikel daraus machen zu lassen. Der Gedanke, dass sich Merki in aller Öffentlichkeit würde selbst widersprechen müssen, erfüllte sie mit einer gewissen Zufriedenheit. Sie schrieb einige Stichpunkte zur Bedeutung des Bildes auf einen weiteren Zettel, steckte die Archivartikel ebenfalls hinein und verschloss den Umschlag. Sie schrieb ihren Namen vorne als Absender darauf und steckte ihn in Buntys Verteilerfach.

Immer wieder dachte sie an ihren Dad, konnte die Gedanken an ihn nicht wie sonst verdrängen. Seine Präsenz fühlte sich heute allerdings gut an, als würde er sie unterstützen, ihr helfen.

Sie musste alleine sein, wenn McBree kam. Eriskay House war ohnehin schon mit dem Makel des Todes befleckt, aber Callum war dort, aß trockenes Brot und genoss das Leben auf dem Land. Sie könnte Dub bitten, sie dorthin zu fahren und ihn mit Callum zurück in die Stadt schicken. Sie könnte ihm erzählen, sie würden einen Kontaktmann vom britischen Geheimdienst treffen, topsecret, und ihn bitten, sie am darauffolgenden Tag wieder abzuholen. Wenn Dub versprach, bei Pete und ihrer Mutter zu bleiben, und sie dafür sorgte, dass McBree wusste, wo sie war, müsste Pete eigentlich in Sicherheit sein.

Nur noch ein Letztes blieb ihr zu tun. Das konnte sie auf dem Weg raus nach Ayr erledigen. Garretts Vorschlag. Sie lächelte bei dem Gedanken an die wortkarge Polizeibeamtin. Anständige Frau.

32

Marty

I

Vor Trishas Haus parkte ein Lieferwagen, den Paddy nicht kannte, ein verrosteter dunkelroter Transporter mit geschwärzten Fenstern und leeren Chipstüten und Schokoriegelpapier auf dem Armaturenbrett. Paddy hatte ihn noch nie gesehen, wusste aber genau, was das zu bedeuten hatte.

Sie sprang zur Haustür und steckte ihren Schlüssel ins Schloss, Dub und Pete eilten ihr hinterher. Als sie das Licht im Wohnzimmer sah, wusste sie, dass der Fernseher lief und die Lichter aus waren. Ihre Brüder Marty und Gerry waren aus London zu Besuch gekommen.

Sie sahen sie vom Sofa aus an, wo sie nebeneinander Seite an Seite saßen, Teetassen vor sich und Kekskrümel auf Bauch und Armen verteilt. Marty sah wieder zum Fernseher, aber Gerry versuchte es mit einem Lächeln, war immerhin sensibel genug, anlässlich seines plötzlichen Erscheinens ein wenig betreten zu gucken.

»Alles klar?«

Sie antwortete nicht.

Marty hatte sich verändert, seit er nach London gezogen war. Er hatte sich die Haare wachsen lassen und trug nun ein ausgeleiertes Karohemd, Jeans und abgewetzte Turnschuhe von Converse. Gerry war bei einem schlichten T-Shirt und Jeans geblieben – Klamotten, die aussahen, als habe sie ihm seine Mutter im Wohltätigkeitsladen gekauft.

»Freust du dich nicht, uns zu sehen?« Marty nahm die Augen nicht vom Fernsehbildschirm.

»Ich weiß, warum ihr hier seid.«

Pete zwängte sich an ihren Beinen vorbei und warf sich mit einem Satz auf seine Onkel. Sie fingen ihn auf, machten Quatsch mit ihm, aber ohne zu lachen. Gerry ließ Pete an seinem Bein heruntergleiten und zog ihn dann wieder an einem Arm und einem Bein aufs Sofa.

»Hat euch Mum gerufen?«

Marty antwortete für beide. »Ja.«

»Es ist komplizierter, als ihr glaubt. Ihr wisst doch, wie Mary Ann ist. Ihr fällt es schwer, über so was zu reden, zu erklären, was los ist.«

»Ist sie schwanger?«

»Nein«, sagte Paddy sehr bestimmt und machte sich Sorgen, was Pete von der Unterhaltung mitbekam. »Ich sage nur, dass ihr nicht wisst, was los ist.«

Pete machte sich los. »Wo ist BC?«

»Der besucht seinen Dad«, sagte Gerry. »Der kommt bald wieder.«

Dub setzte sich in einen Sessel, in dem ihr Vater immer gesessen hatte, und nickte ein Hallo. Die Jungs kannten ihn seit Ewigkeiten und fragten ihn nicht, was er dort wollte, sondern nickten kurz zurück und starrten anschließend wieder auf den Fernseher, um das Gespräch zu beenden.

Tellerklappern aus der Küche kündete von Trishas An-wesenheit.

»Passt auf, dass Pete hier bei euch bleibt«, befahl Paddy ihren Brüdern und ging in die Küche.

Mit dem Gesicht zur Tür und hinter einem für fünf Per-sonen gedeckten Tisch stand Trisha und funkelte sie wü-tend an, verbittert wie eine Mafiawitwe.

»Mum …«

»Du hast mir nichts davon gesagt.«

»Mum …«

Trisha hatte fünf Kinder großgezogen, ihr Mann war fünf Jahre lang arbeitslos gewesen, bevor er starb. Er hatte einen gesundheitlichen Zusammenbruch erlitten, keiner-lei staatliche Unterstützung bekommen und einen entsetz-lichen Tod sterben müssen, aber so erbost wie jetzt hatte Paddy ihre Mutter nie schreien hören. *»Du hast mir nichts davon gesagt.«*

Von der Aggression in ihrer Stimme selbst schockiert, klammerte sich Trisha zur Beruhigung an die Stuhllehne vor sich. Die Kirche war das Einzige, worauf sie sich noch verlassen konnte, sonst war ihr nichts geblieben.

»Setz dich, Mum.« Paddy nahm sie am Arm und schob sie zu einem Stuhl, klemmte sie zwischen sich und dem Tisch ein. Die Teekanne steckte unter dem Kannenwärmer, der Tee war noch warm, wenn auch schon ein bisschen ab-gestanden. Paddy schenkte eine Tasse ein, gab Milch dazu und stellte sie vor ihrer Mutter ab, setzte sich neben sie und befahl ihr zu trinken.

Trisha hielt die Tasse mit beiden Händen, führte sie zum Mund und verzog das Gesicht, weil der Tee zu stark war, nahm aber trotzdem gleich einen weiteren Schluck.

»Sie hat es mir erst vor zwei Tagen erzählt«, sagte Paddy. »Wann hast du's denn erfahren? War Mary Ann nicht vor zwei Tagen hier? Hat sie es dir da erzählt? Wenn ja, dann weißt du's länger als ich und eigentlich sollte ich dich anschreien.« Ihre Mutter sah wieder zum Wohnzimmer hinüber. »Du hast die beiden angerufen und gebeten, nach Hause zu kommen. Wozu denn? Damit sie Pater Andrew verprügeln? Warum?«

»Wegen dem, was er ihr angetan hat.« Trishas Gesicht verzog sich vor Scham und Schmerz.

»Er hat sie nicht vergewaltigt, Mum. Sie ist in ihn verliebt.«

»Verliebt?« Trisha knallte die Tasse auf den Tisch. »Verliebt? Was verstehst du schon davon? Liebe bedeutet nicht, dass man sich in jemanden verguckt, den man ein- oder zweimal getroffen hat, Liebe bedeutet, dass man Jahr für Jahr miteinander lebt, schlechte Zeiten zusammen durchsteht, füreinander sorgt und einander pflegt.« Sie schaukelte vor und zurück, vermisste Con, ihre sanftmütigere Hälfte.

Im Wohnzimmer hatte jemand den Fernseher lauter gestellt, damit Pete die erregte Unterhaltung nicht hörte.

Paddy konnte sich nicht überwinden, ihren Vater direkt zu erwähnen. Das hätte ihr zu wehgetan. »Mary Ann ist erwachsen. Sie hat ihren eigenen Kopf.«

»Sie hat keine Ahnung vom Leben.«

Paddy nahm ihre Hand und Trisha sank ihr entgegen. »Du machst dir was vor. Sie hat mehr gesehen als du oder ich oder wir beide zusammen. Sie arbeitet in einer Suppenküche und wurde mehr als einmal zusammengeschlagen. Vielleicht versteht sie nichts von der Welt, aber sie weiß eine ganze Menge, was wir nicht wissen.«

Trisha blickte tief in ihren bitteren Tee. »Er ist ein Mann der Kirche. Ein Priester. Wie kann er nur?«

»Und du denkst, sie verhält sich völlig passiv? Weil sie eine Frau ist?«

Trisha wies Paddy mit erhobener Handfläche zurück.

»Fang jetzt bloß nicht mit deiner Frauenemanzipation an.«

»Verdammt noch mal, Mum, Mary Ann ist kein Kind mehr. Wir sind alle keine Kinder mehr. Frauen machen manchmal auch den ersten Schritt. Das ist nicht mehr so, wie's früher mal war. Wir sitzen nicht mehr alle in einer Reihe an der Wand und warten, bis wir zum Tanz aufgefordert werden.«

Trisha blickte verzweifelt in ihre Tasse. Ihre weißen Haarwurzeln schimmerten durch und ihr Rücken war gekrümmt. Sie wirkte alt und erschöpft.

»Mum, sie ist fast dreißig. Sie ist eine Frau.«

Trisha drehte sich zu ihr um. »Und du freust dich wahrscheinlich noch. Du wolltest sowieso nicht, dass sie ihr letztes Gelübde ablegt. Du gehst nie zum Abendmahl oder zur Beichte.«

Aber Paddy würde nicht auf reumütig machen. Seit ihrem siebten Lebensjahr hatte sie zu verbergen versucht, dass ihr der Glaube fehlte. Lange Zeit war sie aufrichtig davon überzeugt gewesen, dass alle Familienmitglieder am Jüngsten Tag wegen ihr schlechter abschneiden würden, und dass Gott, den sie weder mochte noch respektierte, sie in die Hölle verdammen würde. Es war eine entsetzliche Last gewesen und sie hatte sie ganz allein getragen.

»Ich verstehe nichts von Religion«, sagte sie trotzig. »Aber ich liebe Mary Ann. Ich möchte, dass sie glücklich wird, und wenn ihr auf ihren Freund einschlagt, macht sie das sicher nicht glücklich. Ich hoffe, sie heiratet und bekommt fünf Kinder. Sie wäre eine fantastische Mutter.«

Der Gedanke, dass es auch noch eine Zeit nach dieser geben und Mary Ann heiraten und ihr Enkelkinder schenken könnte, war Trisha noch nicht gekommen. Sie schlürfte ihren Tee und dachte nach, holte Luft, um etwas zu sagen, brach aber ab.

Paddy wusste genau, wie alles ablaufen würde: Trisha würde die Jungs zu Pater Andrew schicken. Ihr Beschützerinstinkt gegenüber Mary Ann war so stark, dass es mit Sicherheit zu Handgreiflichkeiten kommen würde, sobald er auch nur die Tür aufmachte. Die Haushälterin würde die Polizei rufen und die Jungs würden vor Gericht gestellt. Die Geschichte käme heraus, alle wären ruiniert und Trisha wäre endgültig bloßgestellt.

»Es geht im Leben nicht nur darum, glücklich zu sein«, sagte Trisha schließlich. »Man muss auch das Richtige tun und seine Pflicht erfüllen. Es gibt auch noch so was wie Ehre.«

»Ist es vielleicht ehrenhaft zu lügen und zu behaupten, dass man sich berufen fühlt, auch wenn das gar nicht stimmt? Das müsste Mary Ann tun, nur um es dir recht zu machen, Mum …« Paddy weinte schon, bevor sie überhaupt erwähnte: »Dad hätte das nicht gewollt.«

Trisha ließ den Kopf sinken. Cons Name war nicht mehr ausgesprochen worden, seitdem sie seine Kleidung aus dem Schrank genommen hatten.

Sie saßen beisammen, verschränkten die Hände ineinander, bis ihre Finger weiß waren, weinten still, während der Geist Cons vergnügt durch die Küche schwebte, Tee kochte, den Mülleimer leerte, Stühle für die Gäste zurechtrückte und ihnen die Fundstücke zeigte, die er von seinen ziellosen Spaziergängen mitgebracht hatte.

Endlich leckte sich Paddy die Tränen von der Oberlippe, zwang sich zu atmen und sprach: »Mein lieber, sanfter Daddy hätte das nicht gewollt.«

II

Paddy saß auf ihrem alten Bett und sah zu Marty herüber, der auf Mary Anns Bett hockte, und ihr wurde bewusst, dass sie sich nicht daran erinnern konnte, ihren Bruder jemals in diesem Zimmer gesehen zu haben – auch nicht, als sie noch alle zu Hause gelebt hatten. Er und Gerry hatten ihr eigenes Zimmer gehabt, ihre eigenen Treffpunkte, ihre eigenen Geheimnisse. Keiner von beiden war sehr gesprächig. Seitdem sie nach London gezogen waren, riefen sie einmal wöchentlich ihre Mutter an, um ihr mitzuteilen, dass sie nicht gestorben waren und ihr vorzulügen, sie seien in der Kirche gewesen. Tiefgründiger wurden die Gespräche selten.

Marty war misstrauisch geworden, als er im düsteren Wohnzimmer ihrem Blick begegnet war und sie ihm mit einem Nicken bedeutet hatte, in den Flur hinauszukommen. Sie hatte ihn die steile, mit einem Teppich bedeckte Treppe hinaufgeführt und ihn im Licht der nackten Glühbirne auf eines der beiden schmalen Betten mit den verblichenen Tagesdecken gesetzt. Er hielt die Knie zusammen, stützte die Hände seitlich an den Oberschenkeln ab, betrachtete die unvertrauten Wände und die halb zugezogenen Vorhänge.

Sie hatten sich nicht besonders gemocht, als sie noch gemeinsam zu Hause gewohnt hatten, und es war ein seltsames Gefühl, jetzt so viel von ihm zu verlangen.

»Was gibt's?«, fragte er und zwang sich, Paddy anzusehen. »Ist Mum krank?«

»Nein.« Sie holte tief Luft, wollte rauchen, konnte aber nicht, weil Pete in dem Raum schlafen würde. »Ich muss dich und Gerry um einen riesengroßen Gefallen bitten.«

Marty war ganz Ohr. »Geht's um Geld?« Er lächelte angestrengt.

»Nein. Pass auf, ich stecke da in einer heiklen Sache. Zwei Freunde von mir sind gestorben …«

»Hast du Aids?«

Sie spürte eine vertraute Hitze im Nacken. »Marty, halt die Klappe und hör zu, ja?«

Marty stand auf. Die Betten waren niedrig und er wirkte sehr groß. Als er sich zu ihr herunterbeugte, fiel ihm sein schwarzes Haar über ein Auge. »Das machst du verdammt noch mal immer so.«

Sie hätte ihn jetzt eigentlich fragen müssen, was sie immer so machte. Dann würden sie in altbekannte Streitereien verfallen: Sie war eine rechthaberische, aufgeblasene Kuh, er ein Tyrann, sie war fett, er dumm, ja, scheiß auf dich, du mich auch.

»Gestern Nacht hat jemand versucht, Pete umzubringen. Ein Mann, ein irischer Republikaner, über den ich geschrieben habe. Er ist bei Burns eingebrochen und hat versucht, Pete zu erstechen, weil er mich nicht finden konnte. Das war eine Warnung. Eigentlich will er mich.«

Marty ließ sich wieder auf das Bett fallen, starrte sie an. Die Spur von Angst in seinen Augen brachte sie darauf: Er sah Con so ähnlich, dass sie beinahe wieder geweint hätte.

»Du musst für mich auf Pete aufpassen.«

Er nahm ihre Hände, drehte ihre Daumen nach außen und strich seiner Schwester über die Handflächen.

»Wieso? Wo fährst du hin?«

Sie holte noch einmal tief Luft. »Ich muss ihn treffen.«

Die Worte hingen schwer in der Luft, als Paddy aus dem Fenster auf den Baum sah, der sich im Sommerwind des Gartens wiegte.

»Kann ich nicht mitkommen?«

»Du musst auf Pete aufpassen.«

Als sie eingezogen waren, hatte ihr Vater den Baum für einen Busch gehalten und stehen lassen. Sie hatte erst kürzlich herausgefunden, dass es sich um einen Ahorn handelte. Jeden Sommer war er ein Stück weitergewachsen und üppiger geworden, bis er nun den gesamten Garten beherrschte, sich einsam über eine verrostete Waschmaschine erhob und durch die hochgewachsenen Grashalme spähte, wie der Leiter eines kriegerischen Einsatzkommandos. Niemand außer Paddy hatte den Baum je gemocht. Sie liebte ihn, weil er es wagte, in so hässlicher Umgebung schön zu sein.

Marty presste ihre Handflächen aneinander und wärmte sie mit seinen.

»Kannst du nicht die Polizei einschalten?«

»Die Polizei schützt ihn. Er hat bereits zwei Menschen getötet und ich wurde verwarnt, weil ich gegen ihn recherchiert habe.«

»Hast du die Zeitungen benachrichtigt?«

»Die beiden Männer, die er getötet hat, haben für Zeitungen gearbeitet.«

Marty war entsetzt. »Gerry und ich könnten uns im Wagen verstecken ...«

»Nein.«

»Wir könnten eine Pistole besorgen ...«

»Nein. Wir gehören nicht zu dieser Art von Leuten. Er hat es auf mich abgesehen und auf jeden, der bei mir ist, Marty. Der macht das schon seit zwanzig Jahren ... Bitte vertrau mir. Ich könnte dir stundenlang alles erklären und müsste trotzdem alleine da hin.«

Er hielt ihre Hände ganz fest, hatte den Kopf fast in ihren Schoß gelegt. Er flüsterte: »Lässt du Pete heute Abend hier?«

Sie nickte Richtung Fenster.

»Wird er Pete heute Nacht etwas antun wollen?«

»Nicht, wenn ich ihn suche.«

Sie sah ihren Bruder an. Er strich ihr weinend mit gerötetem Gesicht und bebendem Kinn über die Hände und sah jetzt wirklich aus wie ihr Vater. Zum Schluss hatte Con sehr viel geweint. Spontane Ausbrüche grenzenloser Traurigkeit.

»Wir, äh ...« Marty unterbrach sich und schniefte. »Wir bleiben abwechselnd wach. Wir haben Baseballschläger im Wagen und legen uns Messer neben das Sofa. Wenn er dich erwischt ...« Er schloss die Augen und beugte sich über seine Knie, krümmte den Rücken. »... dann ziehen wir wieder nach Hause und kümmern uns um Pete.«

Sie zog ihre Daumen aus Martys Umklammerung, nahm seine Hände in ihre, hob sie hoch und hielt sie sich an die Wange.

Langsam ruckelte er näher, bis ihre Köpfe aneinander-
ruhten.

Er drückte seine Stirn so fest an ihre, dass ihre Kopfhaut
ganz taub wurde.

33

Wie unter Wasser

I

Sie rief in der Pitt Street an und verlangte Knox. Der Mann am Empfang stellte sie zu einer Sekretärin durch. DCI Knox sei gerade nicht da, vielleicht dürfe sie ihm etwas ausrichten. »Ich muss ihn persönlich sprechen«, sagte Paddy. »Es ist sehr dringend.«

»Nun, das tut mir leid, aber er wird heute nicht noch mal reinkommen.«

Es war sinnlos, dass Paddy die ganze Nacht alleine im Cottage wartete, wenn McBree nicht wusste, dass sie dort war. Er würde Pete suchen und ihn im Haus ihrer Mutter bei ihren Brüdern finden. Es würde ein Massaker geben.

»Es geht um Martin McBree, ich habe …«

»Einen Augenblick bitte.«

Sie hörte es zweimal leise tuten und Knox nahm ab.

»Hier ist Paddy Meehan. Ich habe die Fotos von McBree, die letzten Abzüge. Ich möchte sie übergeben.«

Er dachte einen Augenblick lang nach. »Ich habe nichts damit zu tun«, sagte er.

»Heute Nacht. Eriskay House, an der Ayr Road. Kurz vor der Tankstelle am Kreisverkehr weist ein kleines Schild den Weg zum Haus.«

»Warum erzählen Sie mir das?« Er klang so gelassen und selbstsicher, dass er sie wütend machte.

»Knox, ich werde Sie noch kriegen.«

»Werden Sie das?« Man konnte hören, dass er lächelte.

»Ich weiß über Sie Bescheid.« Sie hatte nichts gegen ihn in der Hand, aber je bedrohter er sich fühlte, desto wahrscheinlicher würde er McBree umgehend anrufen.

»Miss Meehan …«

Sie legte auf. Knox bewegte sich auf dem schmutzigen Terrain zwischen Kriminalität und sanktionierter Korruption. Er hatte seine Finger in hundert krummen Dingern und wusste bestimmt nicht, auf welche Sache sie anspielte.

Sie stand im Flur und spürte den vertrauten Luftzug, der unter der Tür hindurch an ihre Fußgelenke drang, hörte das Geplapper aus dem Fernseher im Wohnzimmer und betrachtete die ausgetretenen Stellen auf dem Treppenteppich, die sich während ihres gesamten Lebens nicht verändert hatten. Sie fing an zu zittern.

II

Der vierundzwanzig Stunden geöffnete Laden am Rande des West End bedeutete einen fünfminütigen Umweg. Betrunkene auf dem Nachhauseweg und kiffende Studenten, die auf der Suche nach Nahrung in die Nacht ausschwärmten, wurden hier mit Snacks für Heißhungrige versorgt. Als zusätzliche Einnahmequelle hatte man das Angebot auf Hunderte anderer Dienstleistungen erweitert: Hier gab es handgeschriebene Zimmerangebote, einen klobigen Fotokopierer, Zeitschriftenabonnements und hinter dem Verkaufstresen, unter den Zigaretten, auch ein Faxgerät.

»Nein, selbst können Sie es nicht schicken. Geben Sie mir die Nummer und ich schicke es für Sie raus.«

Das gebleichte Haar der jungen Frau sah an den Spitzen wie geschmolzen aus. Paddy fragte sich, ob sie ihr die Kopie anvertrauen konnte. »Es ist ziemlich wichtig. Darf ich hinter den Tresen kommen und aufpassen, dass Sie's auch richtig machen?«

Die Verkäuferin seufzte, als hätte Paddy sie gebeten, ihr Zimmer zu putzen. »Ich darf niemanden hier hinter lassen. Ja oder nein. Beeilen Sie sich.«

Das Gerät war klein, sah aber neu aus.

»Okay.«

Das Mädchen zog ein Blatt hervor. »Füllen Sie das aus.« Paddy nahm einen Bleistift:

Anzahl der Seiten einschließlich dieser: zwei
Absender: keine Angabe
Empfänger: keine Angabe
Betreff: Martin McBrees Treffen mit einem britischen Geheimagenten in New York, 1989

Sie legte die Fotokopie von McBree unter das Deckblatt und übergab es ihr mit der Liste irischer Telefonnummern, die sie an jenem Nachmittag von der Auskunft erhalten hatte. »Diese drei Nummern.«

Das Mädchen nahm sie, kehrte ihr den Rücken zu und legte das Blatt mit dem Bild nach unten in das Gerät. Sie betrachtete die Nummern. »Welche zuerst?«

»Das Büro von Sinn Fein. Dann die *Irish Republican News*. Dann die Sweetie Bottle Bar.«

»Alle in Nordirland?«

»Ja. Die Vorwahlen stehen jeweils dabei.«

Die Blondine tippte träge die Nummern ein, spürte, dass Paddy unruhig und in Eile war, und ließ sich Zeit. Endlich schluckte das Gerät das Blatt und warf es hinten wieder aus, gab ein verrauschtes Tuten von sich und spuckte einen Streifen Papier mit einem Rülpser unten aus.

»Dann nehm ich noch zwei Snickers.«

Als sie auf ihr Wechselgeld wartete, prüfte Paddy den Übertragungsbericht. Die Nummern stimmten. Sie war sicher, dass es eine Weile dauern würde, bis es sich herumgesprochen hätte, bis Nachforschungen angestellt, ihre Behauptungen auf ihre Richtigkeit abgeklopft worden waren, und endlich jemand glaubte, dass Martin McBree mit dem britischen Geheimdienst zusammenarbeitete. Aber dann, eines Tages, bekäme er ein Messer in den Rücken und er würde wissen, dass er es ihr zu verdanken hatte.

Er hatte es auf sie abgesehen und ihr wurde klar, dass sie nicht einmal ein Taschenmesser dabeihatte.

Die Verkäuferin hielt ihr das Wechselgeld hin und sah, dass ihre Finger zitterten.

»Tut mir leid«, sagte Paddy, »haben Sie auch Küchenscheren?«

III

Sie stand an ihrem Volvo und schob sich das zweite Snickers in den trockenen Mund, sie schmeckte es kaum, spürte aber deutlich, wie ihr das zähe Karamell im Rachen kleben blieb. Sie betrachtete ihre Hände, ihre mit Schokolade überzogenen Fingerspitzen. Sie war zu satt, um sie abzulecken, und sie zitterten immer noch.

Sie hämmerte gegen das Fenster und Dub kurbelte die Scheibe herunter. »Kannst du fahren, Dub? Ich würde gerne einfach nur aus dem Fenster sehen.«

Sie fuhren wieder auf die Autobahn, überquerten die Brücke über den Fluss und folgten den Schildern nach Ayr. Es dauerte nicht lange, bis die Straße schmaler wurde, die Spuren zusammengeführt und sie von Pendlern gejagt wurden, die die Rushhour verpasst hatten und nun endlich nach Hause wollten.

Dub war es nicht gewohnt zu fahren. Er beugte sich wegen der Dunkelheit, der Kurven und der aggressiven Einheimischen vor, hing über dem Lenkrad, reckte den Hals und fluchte jedes Mal leise vor sich hin, wenn ein Wagen oder ein Transporter an ihm vorbeischoss. Als sie einen breiteren Straßenabschnitt im Süden der Stadt erreichten, entspannte er sich ein klein wenig und lehnte sich wieder zurück.

»Also«, sagte er, »was dieses Treffen betrifft: Du willst diesem McBree also einfach so die Fotos übergeben? Bist du sicher, dass du da draußen alleine klarkommst?«

»Ja.« Sie zog an ihrer Zigarette und hielt die Hand dicht vors Gesicht, damit er nicht sah, wie sie zitterte. »Er wird nicht kommen, wenn außer mir noch jemand da ist.«

Ein Laster mit Anhänger überholte sie in besorgniserregendem Tempo, rauschte im Abstand von weniger als dreißig Zentimetern an ihrem Wagen vorbei, die Riemen zum Befestigen der Abdeckplanen peitschten gegen Dubs Scheibe. Er reagierte panisch und trat abrupt auf die Bremse, verlangsamte auf fünfundvierzig Stundenkilometer, keuchte und beugte sich wieder übers Lenkrad, bis er sich einigermaßen beruhigt hatte. Sein Blick sprang immer wieder zu dem dunklen Rückspiegel, als erwarte er eine weitere Attacke.

»Wieso hast du zu Hause geweint, worum ging's da?«

»Mum hat die Jungs gerufen, damit sie Mary Anns Freund eine Abreibung verpassen, und ich habe gesagt, Dad hätte das nicht gewollt.«

»Stimmt ja auch, das hätte er nicht gewollt.«

Draußen vor dem Fenster glitten die sanften Hügel von Ayrshire unter einem dunkler werdenden Himmel vorbei. Vielleicht komme ich auf diesem Wege nicht mehr zurück. Vielleicht komme ich überhaupt nicht mehr zurück.

Sie sah Dub an, prägte sich sein Gesicht ein. Sie würde an ihn denken, wenn es so weit war. Nicht an Pete, denn dann müsste sie schluchzen und würde die Nerven verlieren. Aber wenn es zum Äußersten käme, wenn McBree sie in seiner Gewalt hatte, dann könnte sie in ihren letzten Momenten an Dub denken und lächeln. Sie würde sich daran erinnern, wie sie spätnachts mit ihm nach Hause gelaufen war, sie in der Wohnung zusammen pappige Pasta gegessen hatten, an den warmen Geruch denken, wenn er bügelte, während sie fernsah, und an seine Hand, die in dunklen Nächten unter der Bettdecke ihre Hand suchte. Sie hätten zusammen in Urlaub fahren sollen. Sie hätten zusammen sein sollen.

Wie Luftblasen, die sich kilometerweit unter der Wasseroberfläche bildeten und nach oben stiegen, fanden die Worte ihre Lippen: »Ich liebe dich.«

Dub ging erneut vom Gas, verlangsamte auf vierzig Stundenkilometer und blickte ernst auf die Straße. »Ich finde nicht, dass das die Zeit oder der Ort ist, um …«

Sein Unbehagen ließ sie lächeln. »Ja, ja.«

»Darüber haben wir schon mal gesprochen.«

»Ja, du mich auch, Dub McKenzie.«

Er drehte den Kopf um, fürchtete sich aber, die Augen von der Straße abzuwenden. »Meehan, du hast gesagt, dass du nichts Festes willst, nicht ich.«

»Halt die Klappe und fahr, du Wichser.« Sie grinste zum Seitenfenster hinaus. »Und lieben tu ich dich trotzdem. Ich liebe dich nicht nur als Freund, ich bin in dich verliebt. Ich finde alles, was du machst, großartig. Das kannst du dir jetzt in die Haare schmieren, du blöder Protestantenarsch.«

Als sie wieder zu ihm hinsah, lächelte er die Straße an, und zog die Wangen ein, um nicht breit von einem Ohr zum anderen zu grinsen.

»Bist du jetzt zufrieden?«, fragte sie ernst. »Du hast mich mit List und sexuellen Kniffen in die Falle gelockt.«

Auf seiner Lippe kauend, schlug er ihr mit dem Handrücken auf den Oberschenkel.

Paddy warf mit gespielter Verzweiflung die Hände hoch. »Und jetzt wird er auch noch gewalttätig.«

IV

Ihre Scheinwerfer verließen die Straße und schnitten hüft-
hoch in die Dunkelheit, die das Cottage umgab. Sie sahen
gleich, dass Callum nicht untätig geblieben war.

Das kräftige Gras an der Fassade war gekürzt und unter
den Fenstern sowie vor der Tür grob heruntergeschnitten
worden. Ein verrosteter mechanischer Rasenmäher stand
vor dem Haus.

Dub parkte und Paddy stieg aus, sah sich nach Callum
um. Sie spürte Dub hinter sich und seine Fingerspitzen
fanden ihre, drückten sie und zogen sich wieder zurück.
»Er ist hinten«, sagte er und ging voraus.

Paddy machte einen Schritt und die Spitze der Küchen-
schere stach ihr in den Oberschenkel. Besonders scharf war
sie nicht.

Sie spürte eine Kaltluftfront vom Meer über den Hügel
heranziehen, hörte die Büsche hinter der Mauer zum Obstgarten wispern und das alte Haus unter der Last seiner eigenen Geschichte ächzen. Der Riss über der Fassade vorne
wirkte in der Dunkelheit tiefer. Sie folgte Dubs Schatten.

Mit dem Rasenmäher war zuletzt das Gras seitlich
am Haus abgemäht worden. Callum hatte an der Seiten-
mauer einen Pfad freigelegt, das Gras bis auf die moosbewachsenen Steinplatten heruntergeschnitten. Die dicke,
schwammartige Oberfläche war voller Wasser und ihre
Turnschuhe schmatzten, als sie darüberging.

Callum saß neben der Küchentür auf dem Boden, den
Rücken an die Wand gelehnt und betrachtete den Sonnenuntergang. Er aß trockenes Weißbrot, knetete die Scheiben

zu einem festen Teig zusammen und biss Stücke davon ab. »Hier ist es so ruhig, ich hab euch beide von meilenweit her gehört.«

»Du hast ja ganz schön geschuftet«, sagte Dub.

Callum lächelte und stand auf. »Eines Tages werde ich draußen auf dem Land wohnen. Kommt rein.«

Obwohl das Licht draußen nachließ, sahen sie, dass er den gesamten Küchenboden gesäubert hatte, er hatte in einem Wasserbehälter hinten auf dem Grundstück mehr oder weniger sauberes Wasser gefunden und es in einem durchlöcherten Eimer ins Haus geschleppt. Er hatte die dicke Schmutzschicht auf der Arbeitsoberfläche und auf dem Herd abgekratzt. Allerdings hatte er keinen Schrubber, weshalb der Boden jetzt kaum sauberer aussah, sondern eher auf andere Weise schmutzig wirkte.

Dub war sprachlos. »Toll.«

Callum grinste mit stolzen, leicht wässrigen Augen und wedelte mit dem Arm durch die dreckige Küche. »Aber dafür hab ich nicht mal halb so lang gebraucht wie für die andere Sache.«

Er pflanzte sich die Hände auf die Hüften und hoffte, dass sie endlich nachfragen würden. Paddy hatte keine Zeit für so etwas. Sie musste dafür sorgen, dass er verschwunden war, bevor McBree aufkreuzte.

Aber Dub tat ihm den Gefallen. »Welche andere Sache?«

Er verschwand im Wohnzimmer. Dub sah Paddy an und schenkte ihr das liebevollste Lächeln, das sie je gesehen hatte. Sie nahm seine Hand, ließ sie aber sofort wieder los, als Callum mit einem plattgedrückten Pappkarton, so flach wie eine Pizzaschachtel, wieder im Raum erschien, ihn vorsichtig vor sich her trug und den Deckel runterdrückte.

Callum sah Dub scheu an. »Das habe ich für dich gemacht. Damit du schlafen kannst.« Er hob den Deckel.

Paddy hatte eine Zeichnung erwartet, oder vielleicht getrocknete Blumen, etwas Kreatives und vielleicht Albernes. Aber Callum hatte nicht gezeichnet.

Dub wich zurück, glitt an der Wand entlang, rollte mit der Schulter durch den Türrahmen und nuschelte noch »Scheiße«, bevor er hinaustorkelte. Sie hörten, wie er sich übergab.

Paddy ging in die Hocke.

In der Schachtel lagen neun tote Mäuse, ihre schlanken Körper sauber aufgereiht. Ihre fleischigen rosa Pfoten wirkten zu zart, als dass sie durch die groben Öffnungen und Höhlen auf den Feldern hätten laufen können. Paddy sah das weiche braune Fell auf ihren Bäuchen und erkannte an der Wölbung auf dem Bauch einer Maus, dass sie schwanger gewesen war. Die Vorderpfoten ruhten jeweils dicht am Brustkorb. Oberhalb des Halses waren ihre Köpfe blutige Matschklumpen.

Callum sah traurig zur Tür. »Ich hab sie mit einem Mauerstein erschlagen. Aber nicht bloß so zum Spaß, ich hab's für ihn getan.« Er schlug den Deckel darüber und ließ sich auf den Boden plumpsen. Paddy konnte den Blick nicht von der Schachtel abwenden. Sie sah noch immer die kleinen Füßchen, die Haut an den Zehen, so durchsichtig wie die eines Embryos. Sie umschlang ihre Knie mit den Armen und presste sie an ihre Brust.

Callum rutschte über den Boden näher an sie heran, seine Schulter dicht neben ihrer.

»Weinst du?« Er sah sie genau an. »Du weinst nicht wegen der Mäuse.«

Es war keine Frage gewesen, deshalb antwortete sie nicht.

Sie wischte sich fest übers Gesicht. »Hör zu, Callum, Kleiner, du musst mit Dub mitfahren, zurück in die Stadt. Hier bist du nicht mehr sicher.«

»Kommen die Journalisten? Kommst du nicht mit?«

»Ich muss hier jemanden treffen.«

»Wen?«

»Einen Mann.«

»Einen Journalisten?«

»Nein, einen Mann. Das hat nichts mit dir zu tun, es geht um was ganz anderes.«

»Um was?«

»Nichts, das mit dir zu tun hat, was ganz anderes.«

Sie sahen einander an und sie entdeckte einen Funken von Anerkennung in seinen Augen. »Hier ist es nicht sicher. Für wen ist es nicht sicher?«

Sie schüttelte den Kopf. Sah auf ihre Hände. »Ihr müsst fahren.«

Er nickte, als habe er sie vollkommen verstanden, und schlang ebenfalls die Arme um die Knie, ahmte ihre Haltung nach. »Kann ich später wiederkommen? Ich könnte hier glücklich sein. Wenn ich ein Radio und was zu essen hätte, wäre ich hier glücklich. Ich könnte hier aufpassen, einen kleinen Garten anlegen.«

Wieder stiegen ihr Tränen in die Augen. »Schatz, du wirst nicht wieder hierher zurückkommen wollen.«

Er starrte sie lange direkt an, sah zu, wie sie weinte.

Verlegen fingerte sie ihre Zigaretten aus der Tasche. Callum nahm sie ihr sanft aus der Hand, öffnete die Schachtel und reichte ihr eine. Er zündete ein Streichholz für sie an, aber ihr gesamter Körper bebte und sie brachte die Spitze nicht an die Flamme. Callum hielt das Ende der Zigarette fest, damit sie sie anzünden konnte.

Er lehnte sich zurück, sehr ruhig, murmelte so leise, dass sie in Gedanken die Worte auseinanderziehen musste, um ihren Sinn zu verstehen. »Hastnmesser?«

Sie schüttelte den Kopf. »Schere.«

»Keine Knarre?«

»Nein?«

»Einen Plan?«

Sie zog an der Zigarette und nahm Callums große Hand in ihre. »Kleiner, du bist jung. Fahr nach Hause und genieße dein Leben. Es wird Zeit, dass du eins hast. Zieh aufs Land. Lern ein Mädchen kennen. Du siehst gut aus, hast du das gewusst?«

Callum wurde rot.

»Du bist ein netter junger Mann. Du meinst es gut und bist attraktiv. Du bist ein Ogilvy. Gründe eine Familie und geh in die Kirche, so wie alle Ogilvys das machen. Du magst doch Familien?«

Er nickte eifrig.

»So machen das die Ogilvys.«

»Du bist meine Familie.«

»Ich bin nicht deine Familie, Callum. Ich stehe deiner Familie sehr nahe, aber ich bin nicht deine Familie.«

Es klang trotzig, als er antwortete: »Doch bist du.«

Dub lehnte sich wieder in den Türrahmen. Er war käseweiß und hatte feuchte Augen, fürchtete sich, die Schwelle zur Küche zu übertreten. »Callum«, er winkte ihn nach draußen. »Komm, wir fahren.«

»Ich hab's nur für dich getan«, sagte Callum.

»Ich weiß, mein Freund, das war auch nett von dir. Ich

bin ein bisschen zartbesaitet. Komm mit. Paddy muss heute alleine sein. Sie trifft hier jemanden und wenn wir hier sind, kommt er nicht. Pad, ich komme morgen um zehn wieder und hole dich ab.«

»Seid vorsichtig auf der Straße«, sagte sie, bemüht, unbeschwert zu klingen.

Er ging. Sie sah ihm durch das Fenster nach, als er sich vorsichtig über das Moos auf den Pflastersteinen neben dem Haus entfernte.

Callum stand plötzlich auf und starrte auf Paddy herunter, die zusammengekauert auf dem Boden saß. Seine Stimme bebte. »Du nennst mich Kleiner. Du kümmerst dich um mich. Wir sind eine Familie.«

Paddy hatte Callum gekannt, seitdem er acht Jahre alt war, sie war auf der Beerdigung seines Vaters gewesen und hatte für ihn gekämpft, noch bevor sie ihn überhaupt leiden mochte.

»Kleiner«, sagte sie mit einem Knurren in der Stimme, »du hast recht. Wir sind eine Familie.«

V

Sie ging hinaus, um ihnen nachzuwinken. Dub fuhr nervös rückwärts zurück an den Straßenrand, Callum lenkte ihn mit Hilfe von Handzeichen und leichten warnenden Schlägen auf die Motorhaube durch das hohe Gras.

Draußen auf der Straße rasten in unregelmäßigen Abständen Autos vorbei, auf der gegenüberliegenden Straßenseite noch häufiger. Callum setzte sich auf den Beifahrersitz. Paddy sah, wie Dub den Kopf hin und her drehte, sich Sorgen machte, wie er jemals auf die andere Seite kommen sollte. Schließlich gab Dub Gas, fuhr ruckartig auf die Straße, allerdings in der falschen Richtung. Er raste nach Ayr. Sie würden am Kreisverkehr kehrtmachen müssen.

Der Verkehrslärm verebbte, als sie wieder um das Haus herum nach hinten ging. Die Sonne stand tief und ging über den satten grünen Hügeln unter, der Horizont leuchtete babyrosa. Es würde eine lange Nacht werden.

Sie stand an der Küchentür, hielt sich am Türrahmen fest und dachte an ihren Vater. Schmerzhaft wurde es dann, wenn man sich dem Tod widersetzte. Con hätte sich ihm hingeben sollen. Sie hatte nie darüber nachgedacht, aber sein Widerstand war ein letztes Aufbäumen gewesen. Sie hatte es damals nicht begriffen, es für Angst gehalten, weil sie nie zuvor erlebt hatte, dass er sich widersetzte. Man brauchte verdammt viel Mumm, um sich an das Leben zu klammern, wenn alles dafür sprach, dass man sterben musste.

Drinnen war es zu dunkel, sie nahm einen der klapprigen Küchenstühle und stellte ihn nach draußen, stellte ihn an die Rückwand, an die Stelle, an der Callum gesessen hatte. Sie zog den Beerdigungsmantel fester um sich, damit ihr warm wurde, nahm die nutzlose Schere aus der Tasche und legte sie sich auf den Schoß.

Dann zündete sie eine weitere Zigarette an, lehnte ihren Kopf an die morsche Wand und wartete auf den Sonnenuntergang.

34

Bleib im Wagen

Ein Wagen näherte sich ihnen von hinten, kam plötzlich aus der Dunkelheit. Dub ging vom Gas, um den Wagen vorbeizulassen, aber er blieb hinter ihnen, wagte sich nicht auf die Straßenmitte hinaus, bis sie die Hügellandschaft hinter sich gelassen haben würden.

Callum sah Dub an, der vornübergebeugt am Lenkrad saß. Er wirkte nicht mehr so freundlich wie sonst, wenn Paddy dabei war. Er verkrampfte den Kiefer und seine Augen waren schmale Schlitze. Er atmete schnell.

»Die Scheißstraße«, murmelte er und sah nervös in den Rückspiegel.

Er wirkte wütend und Callum fürchtete, dass ihn Dub nun wegen der Mäuse hasste. Er dachte an Paddy im Cottage und machte sich Sorgen, sie hatte geweint, aber nicht sagen wollen, weshalb, hatte gewollt, dass er wegfuhr. Sie hatte gesagt, es sei dort nicht sicher.

Der Wagen hinter ihnen scherte aus, der Fahrer begutachtete an ihnen vorbei die Straße und reihte sich dann wieder an seinem alten Platz ein. Dann beschleunigte er, die Scheinwerfer wuchsen im Spiegel, blendeten Dub.

Er scherte wieder aus und raste blitzartig an ihnen vorbei.

»STOP!«, brüllte Callum, sodass Dub das Lenkrad her-

umriss und der Wagen einen Augenblick lang auf den gras-
bewachsenen Fahrbahnrand zusteuerte.

»Verdammte Scheiße!«, schrie Dub. »Brüll nicht so, das
ist schon schwierig genug.«

Callum erschrak über die Wut in Dubs Stimme und bemühte sich sanfter zu sprechen: »Halt den Wagen an.«

Aber Dub hörte nicht. Er sah ihn nicht an, er sah auf die
Straße, blickte alle paar Sekunden in den Rückspiegel, hielt
das Lenkrad so fest umklammert, dass er bucklig davor-
saß. Vor dem Kreisverkehr ging er vom Gas, die Lichter der
Tankstelle leuchteten in der Dunkelheit.

Callum versuchte es ihm zu erklären. »Du musst den
Wagen anhalten. Ich muss zurück. Sie hat gesagt, dass sie
dort nicht sicher ist.«

Dub antwortete nicht, steuerte den Wagen durch den
Kreisverkehr und dann links auf die Tankstelle, blinzelte
wegen der Helligkeit und fuhr um das Gebäude herum, bis
ganz nach hinten, wo es wieder dunkel war. Er bremste ab
und blieb stehen.

Callum schwitzte. »Was wir machen, ist nicht richtig. Sie
ist dort nicht sicher.« Die Worte schallten durch das Wageninnere. Die Stille danach war erdrückend.

Dubs Stimme war kaum mehr als ein Flüstern. »Sie hat
gesagt, dass sie mich liebt. Ich weiß nicht, wie ich mich verhalten soll. Ich bin kein gewalttätiger Mensch.«

Callum wollte, dass Dub gut von ihm dachte, nicht damit
er einen positiven Bericht schrieb oder ihm Bewährung
versprach, sondern nur weil er seine sanfte Art mochte und
er sich vor Mäusen fürchtete. »Aber ich«, sagte er leise. »Ich
bin gewalttätig. Ich weiß, wie ich mich verhalten soll. Sie ist
da alleine und sie ist meine Familie und ich fahre zurück.«

Callum hatte nicht damit gerechnet, dass jemand, der so feige war wie Dub, zu so etwas fähig gewesen wäre, aber die Zornesröte stieg Dub ins Gesicht und er beugte sich über die Gangschaltung und schob sein Gesicht Callum direkt vor die Nase: »Du hörst mir jetzt verdammt noch mal zu: *Du bist noch ein Kind.*« Er deutete auf Callums Brust, stocherte mit dem Finger auf ihn ein, als wollte er ihn erstechen. »Sean Ogilvy hat dich nicht mit zu seiner Familie nach Hause genommen, damit du dich in so eine Scheiße einmischst, hast du mich verstanden? Paddy ist nicht die ganze verdammte Küste entlanggefahren und hat sich in der Redaktion so viel Mist angehört, damit du ihr jetzt zur Last fällst. *Du bist ein Kind.*«

»Aber, ich weiß wie …«

Dub beugte sich wieder zu Callum rüber, seine Augen quollen wütend aus ihren Höhlen. Er war so zornig wie Haversham. »Wenn dieser Typ auftaucht und du ihn zu Brei schlägst, wie lange meinst du, wird es dauern, bis sie dich wieder in den Knast stecken? Du bist nicht mal eine Woche draußen, Gott und die Welt suchen dich, wir reißen uns alle den Arsch auf, um dich zu beschützen. Glaubst du, ich lasse dich jetzt da hinmarschieren und eine Prügelei anzetteln?«

»Aber sie ist meine Familie«, sagte er kläglich.

Dub lehnte sich mit noch immer weit aufgerissenen Augen zurück. »Du bist nicht ihr Vater, du bist nicht ihr Bruder, also wer bist du dann?«

Callum zuckte mit den Schultern.

Dub formte einen kleinen Kreis mit dem Finger. »In dieser Familie, in unserer Familie, bist du das Kind. Und in dieser Familie, in unserer Familie, passen die Großen auf die Kleinen auf.« Er öffnete die Wagentür und stellte sich neben den Wagen. »Wenn du aussteigst, rede ich nie wieder ein Wort mit dir.«

»Du musst eine Waffe besorgen«, sagte Callum.

Dub sah ihn an. »Ich gehe zur Tankstelle. Und besorge ein Messer.«

Er schlug die Tür hinter sich zu und ging um die Ecke auf den Laden zu.

Callum saß alleine im Wagen, seine Augen brannten und er blinzelte. Er hatte geglaubt, er sei ihnen lästig, sei ein Problem für sie. Erst als Dub es ausgesprochen hatte, hatte er es begriffen: Sie wollten ihn beschützen. Er war ihr Kind. Seit jener dunklen Nacht mit dem Kleinen war er kein Kind mehr gewesen. Aber sie versteckten ihn nicht, sie duldeten ihn nicht. Sie kümmerten sich um ihn.

Als Dub wieder um die Ecke bog, verdrehte Callum die Augen und stöhnte. Dub trug einen roten Benzinkanister aus Plastik. Er öffnete die Fahrertür, sah hinein und wiederholte seine Warnung: »Ich rede nie wieder mit dir.«

Callum schüttelte den Kopf. »Mit einem Benzinkanister kannst du nichts gegen ihn ausrichten. Der ist weich, damit kannst du nicht zuschlagen und versuch erst gar nicht, ihn anzuzünden, dann erwischst du sie gleich mit. Wahrscheinlich steckst du dich selbst in Brand.«

Dub wirkte einen Augenblick lang unsicher. »Also was dann?«

»Besorg einen Mauerstein. Du musst ihn hier treffen …« Callum befingerte seinen Kopf an einer Stelle, wo der Schädel, wie er wusste, weich war.

Dub sah ihn an, diesmal sanfter. »Versprich mir, dass du nicht aussteigst, Callum.«

»Okay«, flüsterte er. »Ich bleib hier.«

II

Das Gras war frisch gemäht. Lange Streifen reichten bis zum Hügel hinauf und wieder zurück. Daran erkannte man, dass das Feld von einer Maschine abgemäht worden war, die das Gras bis auf wenige Zentimeter gestutzt hatte.

Dub hielt sich im Straßengraben, um von den Insassen der vorüberfahrenden Autos unentdeckt zu bleiben. Eigentlich wäre es ganz einfach gewesen: Ein Rinnsal hatte eine flache Spalte in die fruchtbare Erde getrieben, durch die er sich geduckt hätte fortbewegen können. Doch der Bauer hatte seinen Zaun an dem Bach entlang aufgestellt, vier Reihen Stacheldraht, die Pfähle fest in der schwarzen Erde verankert. Er musste sehr langsam gehen, sonst hätte er riskiert, runterzurutschen und sich am Zaun zu verletzen. Er wusste nicht, wie viel Zeit ihm noch blieb.

Er trug den Kanister in der rechten Hand, schwankte heftig hin und her, das Benzin platschte gegen die Innenwände und folgte dem Rhythmus seines Gangs.

Dicke Möwen schrien heiser über ihm und das Wasser im Bach plätscherte melodisch, fast spielerisch, und störte die Dunkelheit der Nacht. Er spürte die Anstrengung in den Fußgelenken, als er schnellen Schrittes den Abhang entlangeilte. Ein- oder zweimal war er bereits gestolpert, hatte jedes Mal haltmachen müssen, um sich davon zu überzeugen, dass er sich nicht verletzt hatte, erst dann war er weitergelaufen. Er konnte das Haus noch nicht sehen, aber er wusste, dass es dort war, oben auf dem Hügel, hinter der Gruppe von Büschen und Bäumen.

Als er an den Rand des gemähten Feldes gelangte, stieg

er über einen Zaun, um auf ein anderes Feld zu gelangen. Hier war die Erde lockerer, das kräftige Gras war an den Kanten scharf wie Rasierklingen. Er rannte geduckt weiter, umging die Hügelkuppe, seine Hand schwitzte am Plastikgriff des Benzinkanisters und machte ihn rutschig. Er erreichte eine eingestürzte Mauer, einen guten halben Meter hoch und aus alten Steinen errichtet, der Mörtel war verwittert und porös. Er sah auf.

Er war an der alten Mauer angekommen, die den Garten des Cottage umgab. Und dort, ganz hinten, sah er ein Streichholz aufflammen, ein warmer orangefarbener Fluchtpunkt. Dort saß sie ganz alleine auf einem Stuhl in der Dunkelheit.

Er ließ seinen Augen Zeit, sich an das schwindende Licht zu gewöhnen. Im Schein der Zigarettenglut konnte er ihr Gesicht erkennen. Sie lächelte.

Er ging in die Hocke und beobachtete sie, stellte den Benzinkanister auf den unebenen Boden. Aufmerksam achtete er auf jedes Geräusch, das er vielleicht verursachen könnte, und schraubte den Plastikdeckel ab, arbeitete langsam mit den Fingern, bis er lose saß. Er hob den Deckel ab und legte ihn auf den Boden neben dem Kanister.

Dann wartete er.

35

Ein animalischer Hunger

I

Paddy rauchte schon ihre dritte Zigarette. Es war still hier und das gefiel ihr nicht. Sie hörte, wie sich das Gras im Wind wiegte, das Trappeln winziger Pfoten im Haus, Mäuse oder Ratten, die Callums blutrünstigen Feldzug überlebt hatten. Sie schienen irgendwie auf das Dach gelangt zu sein und sie fürchtete, dass sie ihr auf den Kopf fielen, weshalb sie den Stuhl ein wenig von der Wand wegschob.

Sie hatte versucht, sich einen bedeutsamen letzten Gedanken einfallen zu lassen, eine tolle, allumfassende Schlussfolgerung über den Kern des Daseins, aber stattdessen beanspruchte Weltliches ihre Aufmerksamkeit: Nach den beiden Snickers war ihr leicht schlecht, sie war müde und sie musste pinkeln. Vielleicht würde sie die ganze Nacht warten müssen. Woher wollte sie eigentlich wissen, dass Knox McBree direkt erreichen würde. Vielleicht würde sie zehn Stunden alleine hier sitzen.

Sie sah zum dunklen Himmel hinauf. Ein dickes marineblaues Band Regen kam vom Meer herein, jagte die Möwen ins Landesinnere. Die ferne Landschaft verschwamm, verlor sich in der Dunkelheit.

Sie versuchte möglichst nicht an Pete, ihre Mutter oder

Terry Hewitt zu denken, sondern die frische Abendluft zu atmen und zu spüren, wie das Nikotin sanft in ihr pulsierte, die Müdigkeit vertrieb und auf ihrer Haut prickelte. Ihre Gedanken aber kehrten immer wieder nach Hause zu ihrem Sohn und den unerledigten Aufgaben zurück, zu all der unerwiderten Freundlichkeit. Wäre sie zu Hause gewesen, wäre sie in die Redaktion gefahren und hätte sich mit Arbeit abgelenkt.

Sie lächelte in sich hinein. *IRA von Briten bezahlt. Briten finanzieren IRA. Terrorchef arbeitet in unserem Auftrag.* Sie jonglierte mit Schlagzeilen; keine davon funktionierte besonders gut, aber es machte ihr Spaß. Dann fing sie mit dem Artikel an, stellte sich vor, was Merki mit dem Material anfangen würde, das sie ihm hinterlassen hatte. *Terrorchef.* Das würden sie mit Sicherheit verwenden.

Erst allmählich wurde ihr das leise Dröhnen eines Motors auf der Straße bewusst. Zuerst hatte es wie alle anderen Autos geklungen, die um die scharfe Kurve bogen, doch dann hatte es nicht beschleunigt, die Reifen hatten den Asphalt verlassen und rollten nun vorsichtig die Einfahrt hinauf, knirschten gedämpft im Gras.

Langgestreckte weiße Lichtkegel strahlten seitlich am Haus vorbei, ließen das Gras blau erscheinen. Dann erlosch das Licht.

Paddy ließ ihre Zigarette fallen, öffnete die Schere, versuchte sie irgendwie so zu halten, dass sie ihre Finger nicht gegen die Klinge pressen musste. Steifbeinig stand sie auf, wandte sich dem moosbewachsenen Weg an der Seite des Hauses zu und erwartete McBree dort zu sehen.

Ein sanfter Windstoß wehte ihr das Haar aus dem Gesicht. Stille. Er kam nicht ums Haus herum. Er schlich sich an.

Der Gedanke bestürzte sie. Es wäre weniger angsteinflößend gewesen, wenn er auf sie zugegangen wäre, ihr ins Gesicht gesehen und mit ihr gesprochen hätte. Offenbar aber hatte McBree stattdessen vor, sich aus der Dunkelheit heraus auf sie zu stürzen und sie zu erschrecken wie eine alte Jungfer. Der Gedanke, dass ihre letzten Worte auf dieser Welt ein unwürdiger Schreckensschrei sein könnten, war demütigend.

Sie wandte sich mit dem Rücken zur Wand, trat einen Schritt zur Seite und versank in der Dunkelheit im Innern des Hauses.

II

Der Fußboden wehrte sich gegen jeden Schritt und deshalb blieben sie beide still stehen. Paddy hielt sich in der Küche am kalten Metall des Herds fest, spürte den fettigen Staub unter ihren Fingern und die Klingen der Schere, die sie fest umklammerte. Er stand irgendwo im vorderen Teil, in einem der Schlafzimmer oder dem Badezimmer, irgendwo links. Sie hörte etwas unter seinen Füßen knirschen, Blätter oder Glas. Das Geräusch hallte an den verzogenen Wänden vorbei, prallte von ihnen ab und verzerrte.

Eine Bodendiele knarrte, als er einen Schritt machte und sich korrigierte. Sie hörte Stoff, der an etwas entlangstrich. Er hielt sich dicht an der Wand, weil die Dielen dort besser verankert waren. Schlau. Seinem Beispiel folgend glitt auch sie durch den Raum, machte vorsichtige Schritte, schlich auf Zehenspitzen an der Hintertür vorbei zum Schrank, wo es dunkel war. Er würde hier hereinkommen, sich von der

Tür aus umsehen, sie auf Kopfhöhe suchen. Sie hockte sich hin, behielt die Füße genau dort, wo sie waren, verdrehte nur die Knie, um im Schatten zu verschwinden.

Sie hörte einen Atemzug an der Tür zum Wohnzimmer, ein nasales Ausatmen. Der schwere Atem eines Rauchers. Und dann sagte McBree etwas, flüsterte nicht, sondern sprach mit ganz normaler Stimme, als wollte er eine Zeitung kaufen.

»Sie haben mich hergebeten.«

Er hatte recht. Sie rutschte an der morschen Wand hoch, um wieder gerade zu stehen. Er trat auf sie zu und sah sie an, lächelte, als wären sie alte Freunde.

»Kommen Sie da raus«, sagte er und klang nett.

Aber das tat sie nicht. »Wissen Sie, wer hier gewohnt hat?«

Er machte ihr Zeichen, näher zu kommen.

Doch sie blieb lieber, wo sie war. »Terry Hewitt ist hier aufgewachsen.«

Er ließ sich nichts anmerken. »Da, wo ich herkomme, gibt es viele alte Häuser wie dieses.«

»Schlimme Straße hier raus, was?«

»Schlimm, ja. Völlig uneinsehbare Kurve.«

McBree sah sich im Raum um, als gäbe es in der tintenschwarzen Dunkelheit etwas zu entdecken. Er griff in seine Tasche und nahm etwas heraus. Erst als er eine anzündete, erkannte sie, dass es eine Schachtel Zigaretten war. Er hielt sie ihr hin, versuchte sie aus ihrer Ecke herauszulocken.

Sie ignorierte das Angebot. »Terrys Eltern sind da draußen an der Einfahrt gestorben. Er war siebzehn Jahre alt. Noch ein Kind. Er war der Erste am Unfallort.«

»Ja.« Er führte die Zigarette zum Mund, sog gierig den Rauch ein, die Glut warf einen grellen roten Schimmer auf seine Brille, verbarg seine Augen. »Im Imbiss meiner Eltern ging eine Bombe hoch. Dabei sind sie gestorben. Meinen Dad hat's völlig zerfetzt.«

»Sind Sie Einzelkind?«

»Gott, nein.« Er sah sie eindringlich an. »Von uns gibt's Hunderte.«

»Wurden die Attentäter gefasst?«

»Von wem? Der Polizei?« Er lächelte. »Nein, die haben sie nie gekriegt. Sie wussten, wer's war, aber man hat sich nicht die Mühe gemacht, sie zu verhaften.«

»Und jetzt arbeiten Sie für die Leute, die die Mörder Ihrer Eltern ungeschoren davonkommen ließen.«

McBree zuckte kurz zusammen, lachte sie dann aus und machte eine Drehbewegung mit dem Finger an der Schläfe. »Sie wollen mich wohl irremachen, was?«

»Wie können Sie nur? Womit haben die Sie in der Hand? Sind Sie schwul oder Spieler, oder was?«

Wieder lachte er, diesmal weniger selbstsicher. »Sie sind noch sehr naiv für Ihr Alter. Wenn man jung ist, sieht vieles einfacher aus.«

»Haben die Bilder von Ihnen, auf denen Sie irgendwas Kompromittierendes tun? Sind Sie hin- und hergerissen: Entweder die gemeinsame Sache verraten oder als schwul geoutet werden? Oder haben Sie einfach nur vergessen, auf wessen Seite Sie stehen?«

»Auf welcher *Seite* ich stehe?« Seine Stimme war hoch und als er sie anstarrte, konnte sie sehen, wie sich der Hass in seinem Blick steigerte, der Abscheu, der den Angriff rechtfertigen würde. »Als ob es auf der Welt nur zwei Seiten gäbe und man sich einfach nur für eine entscheiden müsste, *Sie blöde Schlampe.*«

»Gibt es denn mehr als zwei?«

Er grinste spöttisch. »Auf wessen Seite stehen Sie denn, Sie fette, dumme Kuh, auf der Ihrer Mutter oder der Ihres Kindes?« Sein Blick glitt plötzlich zur Seite und sie wusste, dass er bereute, das gesagt zu haben. Er führte die Zigarette zum Mund, sog den Rauch tief in die Lungen ein, die rote Glut loderte vor seinem aufgewühlten Gesicht.

»Es geht um Ihr Kind?«, sagte sie sanft. »Die haben was gegen eins Ihrer Kinder in der Hand.«

McBree hielt die Luft an, atmete dichten Rauch aus und sah sie an. »Haben Sie die Bilder?«

»Ich habe die Artikel über Donaldsons Sohn gelesen, der im Gefängnis ermordet wurde. Haben die was gegen Ihren Sohn in der Hand? Sollte er ins Gefängnis gehen?«

Mit niedergeschlagenen Augen streckte er ihr die Hand entgegen. »Geben Sie mir einfach die verdammten Bilder.«

»Und weil Sie so eine große Nummer sind, hätte man mit Sicherheit versucht, auch ihn umzubringen. Das alles tun Sie für ihn. Sie haben Terry und Kevin umgebracht und hätten auch meinen fünfjährigen Sohn ermordet, um Ihren Sohn zu schützen.«

Er ließ die Hand sinken, sah zur Decke und versuchte die Fassung zu bewahren. Als er sie erneut ansah, lächelte er. »Soll ich rüberkommen und sie mir holen?«

Sie steckte die Schere vorsichtig in die Tasche, nahm die Fotokopien heraus, zerknüllte sie in ihrer Faust und warf sie ihm vor die Füße.

Er lächelte spöttisch. »Spielen Sie ruhig Verstecken da drüben in Ihrem kleinen Loch, Sie Mäuschen.« Er bückte sich, hob die zerknüllten Fotokopien auf und richtete sich blitzschnell wieder auf. Er war sehr viel agiler, als er wirkte. Er beobachtete sie, während er das Papier glattstrich, es begutachtete und das Feuerzeug herausnahm.

»Also gut …« Er führte das Feuerzeug an den Rand des Blattes, hielt es an der oberen Ecke fest, während die Flammen davon Besitz ergriffen. Dann ließ er es los und beobachtete, wie das flackernde Papier zu Boden sank. »So, jetzt geht's mir schon viel besser.«

Sie hatte nicht damit gerechnet. Hatte nicht gesehen, dass er seine Zigarette wegwarf und einen Schritt nach vorne machte – sehr plötzlich hatte er den Raum durchquert und eine Hand um ihren Hals und die andere um ihr Handgelenk gelegt, sie gegen die Wand gedrängt und ihren Kopf gegen den abbröckelnden Putz gepresst. Er hatte die Schere in ihrer Hand gesehen. Die Finger um ihren Hals zogen sich zusammen, pressten die Luft aus ihr heraus, ließen ihre Zunge anschwellen und hoben sie von ihren Füßen.

Paddy versuchte, ihm zwischen die Beine zu treten, verfehlte ihr Ziel jedoch, fuchtelte mit ihrer freien Hand nach seinem Gesicht und es gelang ihr, ihm die Brille von der Nase zu schlagen, doch er zuckte nicht einmal zusammen. Er drückte lediglich immer fester zu, bis es ihr vorkam, als seien ihre Augen zu groß für ihren Kopf, bis es in ihren Ohren gellte wie ein schriller Schrei. Dann ließ er sie los.

Sie stand da, zu benommen, um nach der Schere zu greifen, seine Nasenspitze berührte ihre und sie sah ihm in die Augen, die er vor Entsetzen weit aufgerissen hatte.

McBree sank auf die Knie, kippte nach vorne und presste sein Gesicht in ihren Schoß – wie ein Mann, der um Gnade fleht. Abwehrend hob sie die Hände, erinnerte sich an die Schere und tastete in der Manteltasche danach, während McBree erst in die eine Richtung, dann in die andere schwankte und schließlich seitlich umfiel.

Callum Ogilvy stand keuchend mit einem Mauerstein in der Hand hinter ihm.

In der Küchentür tauchte Dub mit einem roten Benzinkanister auf und war wütend. »*Ich hab dir doch gesagt, du sollst verdammt noch mal im Wagen warten!*«, schrie er.

III

Paddy, Dub und Callum saßen wie betäubt dicht nebeneinander an der Wand und sahen zu, wie der Mann starb. McBrees rechte Hand war auf seinem Brustkorb gelandet. Die linke hatte er zur Seite geworfen, die Handfläche zur Zimmerdecke geöffnet, wie ein Sänger, der zum Crescendo ansetzt. Oben auf seinem Kopf, ihnen zugewandt, befand sich eine klaffende, blutige Wunde, ein zerklüfteter Riss. Warmes Blut quoll träge daraus hervor, in der Dunkelheit der Küche wirkte die Pfütze schwarz, ein zähflüssiger Tintenteppich, der sich auf dem unebenen Boden silbrig glänzend in Nebenarme teilte, kleine Seen bildete und das Meer suchte.

Die linke Hand lag ganz nah bei ihnen, ruhte in einer Raute aus Morgenlicht, das durchs Fenster drang. Paddy sah einen Streifen weiche weiße Haut unter seinem schweren Ehering. Sein Gesicht wirkte seltsam ohne Brille, nackt, verletzlich. Seine Augen waren kleiner, als sie angenommen hatte, die Wimpern kurz und geschwungen.

»Wir vergraben ihn im Garten«, sagte Callum.

Seine Ungerührtheit verstörte Paddy. »Er ist nicht tot.«

»Du solltest gar nicht hier sein«, sagte Dub.

Einen Moment lang saßen sie schweigend da. Callum holte Luft und sprach erneut. »Wir fackeln das Haus ab und ihn gleich mit. Wenn sie kommen, finden sie Essen und einen Schlafsack. Wir lassen ein Feuerzeug in seiner Nähe liegen, eine Schachtel Zigaretten und alle werden denken, dass er ein obdachloser Penner war, der sich mit seiner Kippe in Brand gesteckt hat. Das Problem ist der Wagen vorm Haus … Wir könnten ihn zurückfahren und irgendwo in der Stadt stehen lassen.«

Paddy und Dub sahen ihn an. Er war sehr ruhig, als wäre er für diesen Moment geboren worden.

»Callum«, sagte Paddy, »der Mann ist noch nicht tot. Was daran verstehst du nicht? Er ist nicht tot, er lebt.«

Callum seufzte. »Okay, dann ruf einen Krankenwagen.«

Sie schüttelte den Kopf, unterbrach ihn, aber Callum blieb beharrlich. »Wenn er überlebt, wird er dich dann umbringen? Wird er zurückkommen und dir und Pete wehtun?«

»Vielleicht.« Sie dachte darüber nach. »Wahrscheinlich.«

»Dann werde endlich erwachsen.«

»Ich wollte, dass du in dem verdammten Wagen bleibst«, sagte Dub, als ob damit irgendetwas zu retten gewesen wäre.

Paddy schlug die Hände vors Gesicht. »Gott, ich bin am Verhungern. Wie kann man in solch einem Moment bloß Hunger haben?«

»Adrenalin«, sagte Callum und beobachtete ruhig, wie ein blutiges Rinnsal über den Boden auf ihn zufloss. »Es rauscht durch einen hindurch, dann lässt es nach und man hat Hunger.« Er sah, dass sie ihn fragend musterten. »Aggressionsbewältigungskurs. Im Knast.«

Paddy betrachtete den eingefallenen Haufen auf dem Boden. »Vielleicht verblutet er ja.«

Callum rümpfte die Nase. »Was, wenn nicht?«

Dub stand auf und sah auf Callum herab. »Was mir wirklich Sorgen macht und ich meine, richtig heftig Sorgen, das ist, dass du eigentlich gar nicht hier sein solltest. Egal, was passiert, du solltest nicht hier sein und es sehen.«

»Er hat recht«, sagte Paddy, stand auf und ließ McBree nicht aus den Augen, fürchtete sich, den Blick abzuwenden für den Fall, dass er plötzlich auf die Beine springen und auf sie losgehen würde. »Geh zurück zum Wagen.«

Callum stand auf, wischte sich den Dreck vom Hintern. »Ihr wollt mich schützen, aber da kommt ihr zu spät.« Er machte eine Handbewegung in Richtung des halb toten Mannes. »So was hier verstehe ich. Ihr beiden, ihr versteht so was nicht. Ihr sitzt da, beobachtet ihn und hofft, dass er stirbt, aber *wir müssen etwas unternehmen.*«

Er hatte nicht ganz unrecht, aber Paddy trat zwischen ihn und McBree. »*Ich* muss etwas unternehmen.«

Etwas Flehendes lag in seinem Blick. »Überlass das mir. Ich weiß, was ich tue. Du nicht.«

Paddy zögerte. »Ich möchte, dass du mit Dub zurück zum Wagen gehst. Die meisten Menschen, Callum, die meisten kommen wie wir aus einem schönen Zuhause, wir wachsen auf und dann sehen wir so was. Du hast es viel schwerer. Du musst das alles in umgekehrter Reihenfolge machen.«

»Ich lass dich hier nicht alleine, du hast keine Ahnung …«

»Du gehst *jetzt* mit Dub zum Wagen.« Da war wieder

ihre wütende Mutterstimme. Sie hatte bei den Typen von der Sportredaktion funktioniert und sie funktionierte bei Pete, aber Callum war bereits sein ganzes Leben lang angeschrien worden. Sie sah, dass er ein kleines bisschen lächelte und unentschlossen war. Er unterdrückte ein Grinsen, senkte die Augen und starrte auf Dubs Füße.

»Okay, ich geh zum Wagen.«

IV

Sie zündete eine Zigarette an und sah wieder auf McBrees Kopf. Die Wunde hatte aufgehört zu bluten, die Blutlache breitete sich nicht weiter aus. Als sie um seine Füße herum auf seinen linken Arm zuging, behielt sie sein Gesicht im Blick. Sie hätte seinen Puls fühlen sollen, nachsehen müssen, ob er lebte oder tot war, aber sie wollte ihn nicht berühren, konnte sich aus Angst, er würde plötzlich hochschnellen, sie packen, herunterziehen und erneut würgen, nicht überwinden, sich über ihn zu beugen.

Sie stand dort und dachte über Callums unnatürliche Ruhe nach. Er hatte so etwas schon einmal durchgemacht, hatte vor einer Person gestanden und beschlossen, ihr das Leben zu nehmen. Sie stellte sich vor, so etwas als Zehnjährige erlebt zu haben. Der Mann, der Callum dazu gebracht hatte, das Kleinkind zu töten, hatte ihn vergewaltigt. Sie betrachtete McBree und stellte sich vor, eine solche Bedrohung laste auf ihr. Plötzlich wusste sie, dass sie an der Stelle des verängstigten zehnjährigen Callum, den Kleinen auch umgebracht hätte, um sich selbst zu retten.

Um Zeit zu schinden, dachte sie noch einmal darüber

nach, McBees Puls zu fühlen, aber es war egal, ob er noch lebte. Sie konnte sowieso keinen Krankenwagen rufen. Ihr wurde bewusst, dass sie nur darauf wartete, dass ihr die Entscheidung abgenommen wurde.

Draußen auf der Straße polterte ein Lastwagen vorbei und die Vögel begannen zu zwitschern. Die Sonne ging auf und der Wind raschelte in den Baumkronen.

Plötzlich dachte sie an ihren Vater, wie er im Krankenhausbett gelegen hatte, seine eingefallene Gesichtshaut war so trocken und dünn wie Reispapier gewesen. Verzweifelt hatte er sich ans Leben geklammert.

Sie machte einen Schritt auf McBree zu, tastete seine Jackentasche mit den Zigaretten und einem Taschentuch auf der Suche nach den Autoschlüsseln ab. Mit schnellen Bewegungen nahm sie den zusätzlichen Schlafsack und sprang zum Benzinkanister. Vorsichtig hob sie ihn an, achtete darauf, sich möglichst nichts davon auf Hände oder Kleidung zu gießen, und verteilte den Treibstoff auf dem Boden um McBree herum. Als sie die schmierige Flüssigkeit um den Körper herum verschüttete, ging sie in die Hocke. Die übrig gebliebene Grillkohle lag noch auf dem Herd. Sie packte sie unter den Holztisch und warf die Grillanzünder obendrauf.

Sie blieb noch einmal stehen, betrachtete das Arrangement auf der Suche nach Ungewöhnlichem. Im Haus war es still, der stille Morgen sickerte durch die schmutzigen Fenster, der beißende Benzingestank überlagerte den modrigen Mief. Ein animalischer Hunger malträtierte ihre Magenwände.

Sie trat in den Morgen hinaus und zündete ein Streichholz an, ihr Herz hämmerte in ihrer Brust, als sie es in die

Küche hielt. Ihr Daumen entfernte sich vom Zeigefinger und das Streichholz flog durch die Luft, flammte rot und blau auf, drehte sich. Sie spürte, wie ihr das gedämpfte »Whuaff« gegen das Trommelfell prallte, als die Flamme um sich schlug und sich ein lodernder Flammenteppich auf dem blutigen Fußboden ausbreitete.

Sie beobachtete, wie die Grillanzünder unter dem Tisch fröhlich zum Leben erwachten, und nahm plötzlich aus dem Augenwinkel eine Bewegung wahr: Die Flammen zuckten um McBrees linke Hand herum und die Finger entfalteten sich elegant, als wollten sie zur Decke gerichtet erblühen und um Gnade flehen.

Entsetzt stürzte Paddy zur Tür. Sie packte den Knauf und knallte sie zu.

36

Kleiner

Wieder war es passiert. Die Pastabrocken klebten aneinander, bildeten unentwirrbare Klumpen, in die keine Sauce zu dringen vermochte. Pete sah ihre Enttäuschung und blickte in den Topf. »Ich mag sie so.«

»Die sollen aber nicht so klebrig sein. Ich hab's wieder falsch gemacht.«

»Nein, ich mag's so.«

Er versuchte sie aufzumuntern, aber das war nicht seine Aufgabe.

»Es wird trotzdem wunderbar schmecken«, sagte sie und klang fröhlicher, als ihr zumute war, »weil du gekocht hast.«

»Ja.« Er nickte und kletterte vom Küchenstuhl herunter. »Das kann ich gut.«

Auf der anderen Seite der Küche begegnete ihr Mary Anns Blick, die angesichts Petes optimistischer Gelassenheit lächelte. Sie wirkte adrett und klein, nahm nie mehr Platz in Anspruch, als unbedingt nötig war. Sie lebte immer noch wie eine Nonne: stand immer noch auf, bevor die Clubgänger zu Bett gingen, und begann mit ihrem morgendlichen Gebetsreigen. Das Schlafzimmer wirkte noch spartanischer als zu den Zeiten, in denen Dub dort geschlafen hatte. Sie legte ihre Gebetsbücher und Rosenkränze auf einen Stuhl. Sie besaß drei Kleider und einen Pullover, ein bisschen Unterwäsche zum Wechseln, aber kein Make-up oder Lieblingsshampoos, Bücher oder Platten – nichts von dem Schnickschnack, der ein normales Leben begleitet.

»Tante Mary«, sagte Pete und setzte sich neben sie an den Tisch, »du und ich, wir reiben den Käse.«

Paddy warf ihm einen warnenden Blick zu und er kicherte. »Ich darf die Käsereibe nicht benutzen«, erklärte er, »damit ich mich nicht schneide. Du machst es und ich sag dir, wie.«

Mary Ann sah auf die Uhr. »Ist es nicht noch ein bisschen früh?«

»Nein, fang ruhig an«, sagte Paddy. »Wir können gleich essen.«

Kaum hatte sie das gesagt, hörte sie auch schon den Schlüssel in der Tür. Pete sprang auf, schoss in den Flur hinaus, blieb dann aber wie versteinert im Türrahmen stehen und starrte zur Wohnungstür.

»Hallo«, sagte er abwesend.

»Hallo.« Die Stimme klang tief und schüchtern im Vergleich zu Petes.

»Alles klar, Kleiner?« Dub tauchte auf, hob Pete hoch und schaukelte ihn ein bisschen herum, stellte ihn wieder auf die Füße und tat dabei, als gerate er ins Torkeln, weil Pete so schwer war. »Das ist dein Cousin Callum.«

»Hallo«, sagte Pete noch einmal.

»Hallo.« Callum sah sich nervös im Flur um, bis er Paddy in der Küche entdeckte.

Sie blinzelte ihm zu und ihr Lächeln wurde breiter. »Alles klar, Kleiner?«

Callum lächelte zurück. Alles war klar.

Sophie McKenzie

**Sophie McKenzie führt die Leser
an den Abgrund der menschlichen Seele,
hinein in ein Dickicht aus Lügen und Verrat –
die Thrillersensation des Jahres!**

978-3-453-41044-2

www.heyne.de

HEYNE‹